Ancien élève de .... *tiques, Gilbert Cesbron est né à Paris le 13 janvier 1913. Dès 1934, il publie un recueil de poèmes,* Torrents. *Son premier roman paraît en Suisse :* Les Innocents de Paris *(1944). Sa notoriété s'affirme avec* Notre Prison est un royaume *(1948 — Prix Sainte-Beuve) et la pièce :* Il est minuit, docteur Schweitzer *(1950).*

*Romancier, essayiste, auteur dramatique, il s'attaque à des thèmes d'actualité : les prêtres ouvriers (*Les Saints vont en Enfer, *1952), la jeunesse délinquante (*Chiens perdus sans collier, *1954), l'euthanasie (*Il est plus tard que tu ne penses, *1958), etc.*

Il collabore actuellement à Radio-Luxembourg.

Une colonne allemande reflue vers Paris. Au bord de la route, un vieil homme, la poitrine barrée de décorations, brave l'ennemi en mémoire de ses compagnons tombés à Verdun, mais les soldats passent, indifférents.

Dans un camion, une bâche se soulève : Patrick, le petit orphelin, se croit arrivé à Paris avec les Américains. Il n'est qu'au Plessis Belle-Isle, avec l'ennemi.

Kléber Demartin recueille l'enfant. Patrick grandit, le monde change, les fidélités anciennes sont la risée d'une jeunesse tournée vers un avenir que réprouve le vieillard. Dans la banlieue envahie peu à peu par les grands ensembles, Kléber vit le crève-cœur de ceux qui ne peuvent plus marcher avec leur temps.

ŒUVRES DE GILBERT CESBRON

Romans :

LES INNOCENTS DE PARIS (Prix de la Guilde du livre, Lausanne, 1944)*.
ON CROIT RÊVER.
LA TRADITION FONTQUERNIE (Prix des Lecteurs, 1947).
NOTRE PRISON EST UN ROYAUME (Prix Sainte-Beuve, 1948).
LA SOUVERAINE.
LES SAINTS VONT EN ENFER.
CHIENS PERDUS SANS COLLIER (Prix Pietrzak, Varsovie, 1958).
VOUS VERREZ LE CIEL OUVERT.
AVOIR ÉTÉ.
IL EST PLUS TARD QUE TU NE PENSES.
ENTRE CHIENS ET LOUPS.
UNE ABEILLE CONTRE LA VITRE.
C'EST MOZART QU'ON ASSASSINE.

Essais :

CHASSEUR MAUDIT.
CE SIÈCLE APPELLE AU SECOURS.
LIBÉREZ BARABBAS.
UNE SENTINELLE ATTEND L'AURORE.

Théâtre :

IL EST MINUIT, DOCTEUR SCHWEITZER, suivi de BRISER LA STATUE.
L'HOMME SEUL, suivi de PHÈDRE A COLOMBES et de DERNIER ACTE
   (Grand Prix d'Art dramatique, Enghien, 1957).

Contes et nouvelles :

TRADUIT DU VENT.
TOUT DORT ET JE VEILLE.

Divers :

JOURNAL SANS DATE, T. I.
JOURNAL SANS DATE, T. II.
IL SUFFIT D'AIMER, *récit*.
TORRENT, *poèmes**.
LES PETITS DES HOMMES**.
LETTRE OUVERTE A UNE JEUNE FILLE MORTÉ***.

* Aux Éditions Corrêa.   ** Aux Éditions Clairefontaine.
            *** Aux Éditions Albin Michel.
   Tous les autres ouvrages aux Éditions Robert Laffont.

Dans le livre de Poche :

LES SAINTS VONT EN ENFER.
NOTRE PRISON EST UN ROYAUME.
LA SOUVERAINE.
ENTRE CHIENS ET LOUPS.
LES INNOCENTS DE PARIS.
IL EST MINUIT, DOCTEUR SCHWEITZER.
UNE ABEILLE CONTRE LA VITRE.
TRADUIT DU VENT *suivi de* TOUT DORT ET JE VEILLE.

GILBERT CESBRON

Avoir été

ROMAN

ROBERT LAFFONT

POUR
CATHERINE

I

LES LIBERATEURS

« PHILIPPI !... Descaux !... Thuillier !... »

La voix se tut, parut s'écouter resonner parmi les ruines, puis reprit son appel :

« ... Lardenet !... Fantin !... (L'écho seulement)... Patrick ! » appela-t-on enfin avec un sursaut de tendresse, d'anxiété.

En s'entendant nommer, le petit tressaillit et se redressa ; il allait crier : « Je suis là, monsieur le dir... »

« T'es pas dingue ? » chuchota Philippi sans même le regarder, et il appliqua sa large paume contre la petite bouche ouverte.

Cette main sentait le métal, la cuisine, le papier journal : la sale odeur des grands. « Moi, je m'en ficherais de mourir », pensa Patrick.

On entendit (ce devait être dans le parloir, dans ce qui restait du parloir) la voix de l'économe :

« Vous perdez votre temps, monsieur le directeur : ces cinq-là...

— Six, Meunier.

— ... sont partis, ce matin, avec le premier groupe.

— Mais non. Largeau a sûrement fait l'appel de ses gens avant le départ : il n'aurait pas emmené ceux-là puisque...

— Bah ! dans le désordre...

— Partout sauf chez nous, Meunier ! Trois bombardements de nuit, le reflux des Allemands, les racontars sur les représailles : je comprends que ce soit le sauve-qui-peut pour toute la ville. Mais j'aurais voulu que l'orphelinat, justement... Je veux évacuer tout mon monde, Meunier », reprit-il d'une voix si haute qu'elle fit sursauter les cinq grands, terrés dans les décombres de l'arrière-cuisine ainsi qu'une portée de loups.

« Vos gueules ! souffla Philippi à ses compagnons. Le premier qui bouge...

— Tout mon monde », répéta le directeur, mais d'une voix qui déjà semblait capituler.

L'économe en profita :

« Nous ne pouvons tout de même pas fouiller les ruines, plaida-t-il très vite. Qu'aurait-il pu arriver à ces six-là ? Rien. Ils marchent sur la route avec la première colonne, voilà tout. Et la seconde nous attend pour partir, monsieur le directeur ! »

On entendait, en effet, le piétinement impatient des garçons, et des lambeaux de phrases : « Hé, les gars ! si on rencontre les Fritz... A la mitraillette, mon vieux ! Ta-ta-ta-ta-ta !... » et les *chut* impuissants des surveillants.

Par instants, quelque part dans la ville désertée, des

pierres s'écroulaient, entraînant d'autres pierres ; et malgré soi, bossant le dos, on attendait une explosion de plus, le tumulte sourd d'un effondrement. Du côté de l'hospice, un chien abandonné, enroué de désespoir aboyait.

« Et pourquoi resteraient-ils ? poursuivit l'économe. Ils ne sont pas fous ! Ce soir, les Allemands seront ici ; l'aviation peut revenir pilonner ; et la ville est à peu près déserte...

— *Justement* », fit le directeur à voix basse.

Pas assez basse, toutefois, que Philippi ne pût l'entendre ; et, cette fois, ce fut lui qui tressaillit.

Il y eut un long silence. Les cinq retenaient leur souffle ; et le petit Patrick, qui commençait d'étouffer, écarta d'une main griffue la paume qui le bâillonnait. Celle-ci demeura en l'air, gifle toute proche, toute prête, plus large que le visage qu'elle menaçait. Par les toits éventrés, ils virent passer à tire d'aile un vol d'oiseaux criards, puis un autre, un autre encore. Le directeur aussi devait les suivre des yeux.

« Allons ! » décida-t-il enfin, et il s'éloigna aussitôt.

Son pas si vif, on l'entendit résonner sous le préau, suivi du traîne-semelles de l'économe. Tout avait changé de son, depuis les bombardements.

« Bon vent ! » murmura Descaux, et il cracha par la fenêtre de l'abri.

Dans la rue il se fit une rumeur attentive ; on y donna des ordres que l'écho déformait, puis la colonne se mit en marche.

Silencieusement, Philippi se hissa jusqu'à l'appui de la fenêtre.

« Visez un peu, les gars !

— Oh ! dis donc... »

Les cinq grands ne pouvaient s'arracher à cette vision inespérée, inoubliable : le ballot à la main ou la valise sur l'épaule, le troupeau gris des compagnons, flanqué du berger et de ses chiens, *Barbapoux, Petite Tête, Adolf*, diminuant, diminuant, tournant enfin au coin de feu le boulevard Jules-Ferry...

« Je voudrais voir aussi », dit Patrick.

Mais, même sur l'extrême pointe des pieds, il ne... A deux mains, Philippi l'éleva jusqu'au jour.

« Maintenant, on va pouvoir se déplier », fit Lardenet qui n'en finissait pas d'étirer ses jambes (et qui baissait toujours la tête avant de franchir une porte).

Le cœur de Patrick se serra quand le dernier de tous, M. le directeur, la minuscule silhouette de M. le directeur, se fut évanouie, ne laissant qu'un fantôme de poussière.

« Philippi, demanda-t-il d'une voix étranglée, qu'est-ce qu'on va devenir ce soir ?

— Ce soir ? C'est loin, grogna Thuillier en rajustant le sparadrap de ses lunettes : moi, je ne sais pas calculer jusque-là.

— Ne t'en fais pas, répondit doucement Philippi : ce soir, les Chleux traverseront le patelin, mais on se sera camouflé. Et demain, ou même cette nuit, ce seront les Amerloques.

« — Et alors ?

— Cigarettes, chewing-gum, demandez nos déli-
cieuses « rations » ! minauda Fantin le pitre, en tor-
tillant des fesses.

— Et alors ils nous emmèneront.

— Où ça ? insista le petit.

— Loin d'ici, cria Thuillier. Ça ne te suffit pas,
non ? LOIN D'ICI ! »

Dans la cour calcinée, Descaux et Lardenet visaient,
avec des pierres, les carreaux encore intacts : « Vingt-
trois ! — Dix-sept ! Hé ! fais gaffe, Grand : je te
rattrape... »

« Maintenant *raous* ! » ordonna Philippi. (Il
n'avait pas dormi, ne s'était pas rasé : avec ses
boutons, il ressemblait à une fraise encore verte.)
« Rendez-vous pour bouffer à midi au Grand-Cerf.
D'ici là, chacun pour soi ! En cas de pétard, trois
coups de sifflet... »

Il arqua un petit doigt de buveuse de thé, le
porta dédaigneusement à sa bouche sans lèvres et
trois sifflements déchirèrent l'air morne.

« Je ne sais pas siffler, moi, » fit Patrick sur
le point de pleurer.

Il entendait son cœur battre. Ah ! pourquoi, pourquoi ne marchait-il pas docilement avec les autres
sur la route ?

Philippi vit l'angoisse monter dans ces yeux verts,
comme l'orage dans un ciel d'août. Il considéra ce
petit visage, fragile et têtu, où l'os affleurait la peau.

« Toi, le môme, fit-il presque tendrement, tu ne
me quittes pas. »

Il passa une main brutale et douce dans la toison de seigle sauvage. « Quand je pense aux autres idiots sur la route... » se dit Patrick. Il se sentait protégé : Philippi, c'était tout de même autre chose que M. le directeur !

« Des sifflets, ajouta Fantin, tu en trouveras en ville — et bien d'autres choses. A volonté, à volonté, approchons ! »

Il allait reprendre ses singeries, mais il se figea de surprise : la cloche de l'orphelinat venait de sonner. Deux coups puis trois précipités : « Rassemblement immédiat »... Les grands s'entre-regardèrent ; Patrick, docile, s'élançait déjà.

« Quel est le couillon... ? » tonna Philippi.

Lardenet ! le seul assez grand pour atteindre ce qui subsistait de la chaîne ; et son geste avait suffi pour faire réendosser à chacun son harnais de servitude. Mais il riait si fort, le « couillon » (plus de trous que de dents), que Philippi n'eut pas le cœur de le boxer ; il l'injuria seulement.

Puis, suivi de Patrick — deux pas pour un —, il enjamba des crevasses, des tas de briques, des tronçons de poutres. A l'autre extrémité de la cour, la porte de pierre, ESCALIER D, tenait encore debout.

« Attends ! Reste là... »

Philippi se planta bien au milieu, prit une inspiration de plongeur de grands fonds, puis, s'arc-boutant des deux bras contre le pilier de gauche et celui de droite :

« Haaaa... han ! Tire-toi, bon Dieu ! »

Lui-même, Samson agile, sauta en arrière au

moment même où les deux colonnes vacillaient et où
le fronton de pierre se brisait à ses pieds, montrant
sa chair blanche. Philippi se retourna vers le gosse
il était devenu écarlate et l'on voyait battre les
veines de son cou.

« Ça fait du bien », dit-il d'une voix sourde ;
et il ajouta, comme une justification : « Quatorze
ans que je suis ici. Et toi ?

— Sept, dit fièrement Patrick : juste la moitié. »

Ils gravirent l'escalier ; à chaque marche, le pied
devait s'assurer de la suivante, comme en escalade.
Le regard du gosse furetait dans les débris, à la
recherche de quelque modeste chambranle qui lui
permît de jouer les Hercule à son tour...

Arrivé au second palier, Philippi ouvrit, d'un coup
de pied, la porte du bureau de M. le directeur. Un mur
entier manquait du côté de la cour. Debout devant
une armoire qui perdait ses entrailles de papiers,
Descaux déchirait laborieusement un dossier après
l'autre. Il jeta un regard froid par-dessus son
épaule et ricana :

« Toi aussi ?

— Non, fit le grand, je me fous des archives.
Je voulais seulement... »

Il se cala dans le fauteuil directorial, dont le cuir,
telle l'étoffe d'un habit, montrait son usure aux
fesses et aux coudes, et il ferma les yeux béatement.
Puis, les rouvrant et ajustant un lorgnon imaginaire :

« Patrick, mon jeune ami, approchez... hum hum
hum ! »

La petite toux du directeur... « C'est cela, pensa le gosse... il *serait* M. le directeur et il m'*aurait* convoqué... » On entrait dans le « conditionnel », le temps du jeu ; son visage s'éclaira.

« Une bonne nouvelle pour vous, hum hum ! Après sept... Cinq ou sept ? demanda-t-il à mi-voix.

— Sept, murmura le gosse qui avait déjà compris.

— ... sept ans de séjour dans notre maison, les valeureux aviateurs alliés de l'escadrille Vzzzz Baoum viennent de vous libérer. J'espère que...

— Ecoute ça, fit Descaux d'une voix altérée ; Descaux Louis-René, fils de Descaux Marie-Rose, vingt ans, *et de père inconnu*... Le salaud ! hurla-t-il, oh ! le salaud !... Pourvu qu'il crève ! »

Il empoigna l'immense armoire à bras-le-corps. C'était avec l'Etat civil, l'Administration, l'Orphelinat — c'était avec son salaud de père qu'il se colletait en haletant. Comme il ne parvenait pas à la briser, il la poussa jusqu'au bord du vide et la bascula dans la cour en contrebas. On entendit le fracas, puis la voix rouillée de Thuillier le myope :

« T'es pas un peu sonné ?

— Descaux, pourquoi tu pleures ? » demanda Patrick qui le fixait de ses yeux verts.

L'autre allait le gifler ; mais Philippi, sans un mot, passa entre eux.

« On se tire. Allons, le môme ! » reprit-il en l'entraînant par le poignet.

L'avenue Gambetta, orgueil de la petite ville de G., n'était plus qu'un trompe-l'œil, un alignement

de façades : des morts debout, les yeux ouverts. Par
les fenêtres, dont certaines conservaient sagement
leurs rideaux, on apercevait un amoncellement de
briques et de meubles brisés qui fumait encore, des
tranches de parquets et, sur les pans des murs, le
zigzag des escaliers, le décor familier des chambres :
la vie des autres mise à nu. Philippi, les mains aux
poches, sifflait sans remuer ses lèvres.

« On respire, » murmura-t-il pour lui seul.

Mais Patrick, qui trottinait à sa suite, écœuré
par tant de poussière, de fumée, d'odeurs secrètes
que cette mise à sac avait éventées, oppressé par ce
silence aussi, s'arrêta.

« Philippi, j'ai envie de vomir.

— Tu as faim, c'est tout. Attends voir. »

Il chercha des yeux une pâtisserie dans quelque
rue moins sinistrée, puis se dirigea vers une boutique dont le rideau de fer était baissé. On y lisait
encore la dérisoire inscription de l'an passé : CONGE
ANNUEL — REOUVERTURE LE 15 SEPTEMBRE. « Tu
parles ! » murmura Philippi qui commença de forcer
la serrure à coups de talon.

« Arrête ! s'écria le petit. J'en vois une autre,
ouverte, presque en face. »

Le grand ne détourna même pas les yeux.

« *Ils* peuvent bien ouvrir pour toi, non ? »

Et il s'acharna sur la fermeture qui céda enfin.
Le rideau se leva lentement, comme au théâtre,
devant ce spectacle ravissant : une devanture entière
de gâteaux. Ceux de l'époque, il est vrai ; mais
Patrick ne se rappelait pas les autres.

« Ne te bourre pas, conseilla Philippi qui se contentait de croquer toutes les pointes des croissants :
on déjeune au Grance-Cerf ! (C'était une hostellerie
fameuse où l'on venait de loin, de Paris même.) Allez,
grouille ! j'ai des courses à faire. »

Ils repartirent à travers les décombres fumants,
mais le petit s'y était accoutumé : il n'imaginait
plus les maisons.

« Planque-toi ! »

Au bout de la rue, une colonne cahotante de
charrettes débordant de matelas, d'édredons, de ballots, traversait la ville, tels des somnanbules. On
entendit longtemps le pas des chevaux, que l'écho
renvoyait de ruine en ruine.

En passant près d'une demeure moins dévastée :
« Ecoute », fit le gosse.

Une plainte basse et régulière, celle d'un malade
à bout de résistance...

« Non, ordonna Philippi. Aujourd'hui, c'est chacun pour soi. »

Et il se mit à chanter trop fort, pour couvrir le
bruit.

Le bazar n'avait même pas clos ses portes. On
avait pris le temps de déménager de nombreux
comptoirs — les vaches ! — mais pas ceux qui
intéressaient Patrick. Tandis que le grand faisait
prestement le tour des tiroirs-caisses, il fouilla jusqu'à trouver son rêve : un « porte-monnaie cuvette ».
On l'ouvrait, on faisait glisser toutes ses pièces
(il n'en possédait pas une), et l'on choisissait
lentement sa monnaie. Depuis trois ans, Patrick

se voyait en rêve accomplir ce geste. Les autres babioles, pêchées à tous les comptoirs et dont il bourra ses poches, ne comptaient pas à côté du porte-monnaie qu'il garda serré dans sa main.

« Tu as fini de faire ton marché, le môme ? »

Il rejoignit Philippi qui avait *réquisitionné* deux valises pour emporter ses emplettes.

« Dommage qu'il n'y ait plus les vendeuses !

— Pourquoi ? » demanda Patrick.

Ses cils trop longs, trop noirs, sur des yeux trop brillants, lui donnaient toujours l'air d'être au bord des larmes. Philippi le regarda un moment en silence puis éclata de rire.

Au même instant, place de l'Eglise, Thuillier gravit les marches qui conduisent au porche. L'édifice est intact ; les deux immenses battants, grands ouverts sur les ténèbres de l'intérieur, semblent dire : « Allemands, Américains, vous êtes pareillement les enfants du Seigneur. Entrez ici chez vous... » Sur la pointe des pieds, Thuillier, enfant de Dieu mais, lui aussi, fils de père inconnu, s'avance dans ce frais désert.

Tout myope qu'il est, comment ne s'aviserait-il pas que la veilleuse rouge est éteinte et que, comme celle de l'église, la porte du tabernacle est ouverte sur le vide ? Cela le contrarie beaucoup ; je crois même qu'il dit « merde », mais tout bas. A droite dans le chœur, s'ouvre la sacristie. Qui sursaute le plus du garçon ou du vieillard, quand Thuillier et le sacristain s'aperçoivent ? Pantoufles aux pieds, calotte en tête,

le vieux est demeuré à son poste. D'abord, il fallait
se chausser avant de partir pour l'exode — et voilà
douze ans que cela ne lui est pas arrivé. Et puis on
n'a mis en sûreté que le plus précieux ; il reste ici
des chasubles, des objets du culte : qui les garderait ?
« Les statues, peut-être ? » Mais qui sait aussi si
cette vieille tête chenue ne rêve pas de martyre...
Périr égorgé par les Prussiens sur les marches de
l'autel, voilà . qui vengerait le gamin qu'il fut, le
conscrit qu'il ne fut jamais, des humiliants récits
de Reichshoffen et de la Marne... Bref, il est resté ;
mais, au lieu d'une troupe de Teutons, c'est un voyou
qu'il lui faut affronter :

« Un surplis, une chasuble ? Pour quoi faire ?

— Je veux dire la messe.

— Vous... vous êtes séminariste ?

— Même pas baptisé et, qui plus est, je
t'emmerde !

— Je vous défends bien... »

Non, il n'est pas méchant, Thuillier ; simplement
il n'a jamais pu supporter qu'on lui résiste.

« Ha !... ha !... Vous me faites mal !... Vous...
vous n'avez pas honte ?

— Tout le bastringue, et en vitesse ! Et puis tu me
diras comment ça se goupille ; et puis...

— D'abord, je vous interdis de me tutoyer. »

C'est la seule satisfaction qu'obtiendra le vieux.
Il lui faut, sous la menace, vêtir Thuillier *et lui
servir la messe*. Le martyre qu'il escomptait se
change en sacrilège. « Heureusement que le Saint-
Sacrement n'est plus là ! pense-t-il en portant de

l'épître à l'évangile ce lourd missel que le garçon
ouvre au hasard et lit n'importe comment. Mon dieu,
pardonnez-moi... pardonnez-moi... — Pardonnez-
lui ! » parvient-il enfin à implorer du bout des lèvres,
puis du fond du cœur.

« *Dominus vobiscum !* »

C'est tout ce que Thuillier connaît par cœur ;
alors il s'en paie un toutes les minutes, en se tournant vers l'église vide : vers les bancs des gens
riches, des familles à pépères et mémés — vers cette
ville entière qui lui tourne le dos depuis qu'il est
né de personne...

Les burettes lui paraissent bien petites :

« Encore ! commande-t-il au vieillard qui transpire de honte mais ne peut s'empêcher d'accomplir
les gestes rituels. Non, pas de l'eau : du vin !... Et le
truc blanc qu'on mange ?

— Taisez-vous ! (La vieille voix a résonné si fort
sous les voûtes qu'un oiseau affolé vole d'un chapiteau
à l'autre.) Taisez-vous ! Il n'y en a pas.

— J'en ai vu dans votre débarras. Apportez-m'en !
Sans ça...

— Non », crie le vieillard et, cette fois, on lui passera sur le corps plutôt que de porter la main sur des
hosties même non consacrées.

Thuillier essuie ses lunettes, d'un mouchoir crasseux, afin de mieux dévisager cette ruine qui lui
résiste. Il voit deux yeux sans âge le fixer du fond
des temps : c'est l'éternel regard du martyr qui
tient tête à l'empereur ; c'est le sacrifice accepté ;
c'est la Messe.

Long silence où Thuillier, pour la première fois, derrière tant de gestes vides et de paroles incompréhensibles, découvre la Foi. Et c'est lui qui baisse les yeux :

« Ça va ! ça va !... *Ite missa est*... Et merde ! » hurle-t-il, tourné vers l'assemblée.

Si les bombardements ont épargné l'église, ils ont à demi incendié le Théâtre municipal qui, maintenant, ressemble à un décor. En hâte, les pompiers ont aligné sur le trottoir meubles, costumes et accessoires. Le fauteuil du Malade imaginaire, le trône de Mithridate et le canapé de la Dame aux Camélias ont vu, hier et cette nuit, défiler devant eux leurs spectateurs en exode — hormis un seul : Fantin l'orphelin, Fantin le pitre, qui défaille de plaisir en les apercevant.

Il est en nage : depuis une demi-heure, Descaux Lardenet et lui se livrent, dans la bibliothèque municipale, un combat de titans. Entrés par effraction, grimpés sur les galeries qui surplombent la salle de lecture, ils se bombardent à coups de volumes. Les livres volent en diagonale, s'écrasent contre les globes des lampes et font sauter les encriers de leur orbite. Parfois, l'un des assiégés parvient à déverser sur l'assaillant un casier entier. Lardenet a vacillé sous les œuvres complètes de Balzac ; mais, lancé de sa main, Corneille a frappé Fantin dans le dos. Le temps de se retourner... paf ! « En pleine poire, ma vieille ! » C'est *La Chartreuse de Parme,* édition originale en deux volumes... Les arsenaux se dégarnissent ; livres disloqués, atlas veufs, les munitions s'entassent sur le plancher. Des escadrilles de gravures précieuses planent lentement des combles jusqu'au sol. Ce lieu, où la moindre rumeur, la toux la plus modeste s'attiraient un « chut ! » morose, retentit d'invectives et de menaces ; mille volumes dont le classement et la mise en fiches ont réclamé des siècles de besicles, de binocles, de lunettes gisent pêle-mêle, démantelés. Le conservateur n'avait-il pas pleuré de joie, hier matin, en retrouvant, après les sirènes et le grondement, son royaume intact ? Ce que trois cents tonnes de bombes incendiaires ont épargné, Descaux et les deux autres en sont venus à bout. Lardenet le géant en suffoque encore :

« ... jamais tant rigolé ! »

A présent, le voici parti à la recherche d'une boutique où trouver une paire de bottes à sa taille ; et Descaux en quête d'une armurerie ; et Fantin court vers ce théâtre qu'il n'a jamais vu qu'en rêve et dont il devient, d'un coup, le seul maître.

Une heure durant — mais non ! le temps s'est arrêté pour lui —, il déclame et gesticule avec perruque, toge, casque, hallebarde. Il est, sans le savoir, le Cid et Cyrano, Diafoirus, Marie Stuart et Ruy Blas. Il arpente la scène-trottoir devant un parterre de ruines. Ces yeux crevés, ces loges d'éboulis considèrent en silence cardinal, duègne, mousquetaire, empereur monologuant, avec des

gestes fous, un texte absurde signé Fantin. Que ne
sont-ils présents pour applaudir, tous les copains
qui le traitent de clown ! Et M. le directeur dans
la loge d'honneur, sang et or ! Hélas ! seul un
chat noir, oublié par les siens, erre précautionneu-
sement sur le rebord des balcons, spectateur qui ne
trouve pas sa place...

Quand le gosse et Philippi arrivèrent à l'hôtel
du Grand-Cerf, Descaux y régnait déjà depuis une
heure. Il avait étalé dans le hall d'entrée l'arsenal
extrait de l'*arrière*-arrière-boutique de l'armurier
(car sa devanture innocente ne proposait que des
rasoirs, des fouets et des pièges à loups). Puis
il avait choisi, pour s'y installer, l'appartement
le plus luxueux : celui — une inscription l'attes-
tait — où descendait parfois le prince de Galles.
Quatre oreillers portant couronne, et des draps
brodés de plusieurs couleurs mais d'une toile
si fine que Descaux ne parvint pas à s'y endormir : son corps entier le chatouillait. Il avait,
pour le principe, mis à la porte ses godasses
cloutées ; suspendu ses habits râpés dans le placard
odorant ; sonné le valet, la femme de chambre,
le maître d'hôtel et le sommelier (qui, en ce
moment même, fuyaient sur les routes) ; fait couler
un double torrent d'eau dans la baignoire de
céramique vert tendre. Tout était de cette couleur :
lavabo, rideaux, tapis de bain et jusqu'au papier
hygiénique. Descaux se vautra dans le vert tendre
comme une génisse dans l'herbe. Puis il ouvrit

grand la fenêtre, s'y accouda tout nu et cracha.
Quelle revanche !... Il aurait voulu chanter ; mais
il sentait que, tôt ou tard, il se mettrait à pleurer
et qu'alors, d'humiliation, il casserait tout dans la
chambre du prince de Galles.

Une idée lui vint : il dégringola l'escalier, dont
le tapis rouge caressait ses pieds, choisit une
mitraillette et des munitions dans son arsenal.
Lardenet, qui arrivait juste à ce moment, vit
un gaillard tout nu qui remontait quatre à quatre,
une arme à la main. Il le reconnut à ses fesses
plates :

« Descaux ! Qu'est-ce que tu fous, ma vieille ? »

Mais le prince de Galles n'entendait rien. Il rentra
dans ses appartements, s'installa au balcon et
commença de tirer sur tout ce qui restait debout à
portée de mitraillette : les réverbères, les enseignes,
quelques cheminées, le coq de l'église. Fantin,
qui se battait en duel avec d'Artagnan sur les
marches du théâtre, se demanda d'où pleuvaient
ces balles perdues, et il enchaîna sur le siège
d'Arras. Philippi, commis voyageur du désastre,
qui, ses valises à la main, traversait les décombres,
s'arrêta, inclina l'oreille, tel un chien. « Les Frisés ?
Ou les Amerlos, déjà ? »

« Planque-toi contre le mur, le môme, et cache-toi
derrière moi ! »

Terrorisé et ravi, Patrick s'imagina, patrouilleur
héroïque, chargé de mission par le général en chef
qui, ce soir, le décorerait de la Croix de Fer en
lui pinçant l'oreille.

« Quel con ! non mais quel con ! »

Philippi venait d'apercevoir le mitrailleur Descaux
tout nu à sa croisée. Assiégé d'injures, l'autre arrêta
le massacre, ferma sa fenêtre, redevint le client
numéro un du Grand-Cerf. Il téléphona au portier
pour commander des fleurs, des cigares, une excur-
sion ; au chef, un menu impérial qu'on lui servirait
dans sa chambre. Ici et là, le néant lui répondit
respectueusement ; lui rendit ses chaussures ruti-
lantes, ses habits brossés, sa chemise repassée ;
l'aida à se vêtir, lui ouvrit les portes en s'effaçant
devant lui, appela l'ascenseur et retira sa casquette
en l'accueillant dans le hall.

Les gars s'étaient déjà réparti toutes les armes et
il y eut quelques contestations. Patrick voulait un
« parabouloum », à l'égal des grands ; on ne lui
octroya qu'un pistolet que Philippi déchargea à
son insu. Lardenet marchait exprès sur le carrelage,
loin des tapis, afin d'y faire sonner ses bottes
neuves. De ses oripeaux de théâtre, Fantin avait
rapporté une houppelande à brandebourgs et une
toque de tsar sous laquelle il transpirait ; mais personne ne songeait à se moquer de lui : c'était chacun
pour soi...

Les cuisines résonnèrent longtemps de leurs allées
et venues et du « hé, les gars ! » qui marquait
chacune de leurs découvertes. Dans de grandes
armoires frigorifiques reposaient ces précieuses
rations qui, la semaine dernière encore, régalaient
les officiers allemands et les seigneurs du Marché
Noir ; mais il fallut les cuire, dans la cour, sur

un bûcher de fortune. On dressa le couvert en cassant beaucoup, pour s'amuser.

Chut ! Écoutez...

Des entrailles de la terre provenaient des jurons étouffés : Lardenet avait cogné sa haute tête contre les voûtes de la cave en remontant des vins de toutes les couleurs.

« Quelles bouteilles ?

— Les plus poussiéreuses », répondit le géant en clignant un œil sous sa bosse.

Il ne s'est pas trompé : les crus les plus rares, ceux que l'on couche dans un berceau de prince, que l'on sert avec une religieuse lenteur et boit plus doucement encore, ils les versent à la régalade et dans n'importe quel ordre. Patrick commence à somnoler, son esprit tourne en roue libre. Il entend vaguement les grands narrer des souvenirs de l'exode de 40. On avait abandonné les fous de l'asile, qui hurlaient dans la nuit, ouvert les portes de la prison : à dieu vat ! On avait...

Puis Descaux (mais est-ce bien lui dans ce brouillard de voix ?) raconte avec complaisance les atrocités des Allemands, et Thuillier les prodiges des Américains. Uniformes gris, soldats nègres, bottes noires — est-ce que ce sont les bourreaux qui mâchent de la gomme et les libérateurs qui défilent au pas de l'oie ? Le petit ne le saura jamais : son nez pique sur l'assiette encore pleine, Patrick dort, Patrick ronfle.

Quand Philippi a terminé son cigare, il se lève... hum ! trébuche et déclare :

« Chacun pour soi ! Je laisse le môme roupiller
ici. Moi, je vais... »

Cette phrase arrache l'enfant au coma, l'éveille
cœur battant.

« Phi...ippi, articule-t-il péniblement, dois pas te
quitter ! »

Et il retombe.

« Alors, debout ! »

Lardenet et Thuillier succombent aussi au festin du
Grand-Cerf ; ils décident de monter dormir dans des
chambres.

« Pas tout de suite, les gars, supplie Fantin : je vous
ai préparé un coup !

— Merde, bâille le géant (car les pauvres sont vite
rassasiés), c'est loin ton truc ?

— A deux pas... Oh ! venez, quoi ! »

Il entraîne son public à travers les demi-ruines du
théâtre. Aucun ne sait qu'à tout moment ce balcon
noirci et fissuré peut s'affaisser ; ni qu'il suffirait du
souffle d'un obus lointain pour que s'effondrât sur
eux ce plafond que feignent de soutenir des cariatides
rongées par les flammes. Si l'on refermait trop violemment la porte, le décor entier, château de cartes, les
ensevelirait sous ses décombres. Mais ils l'ignorent et,
après en avoir essayé des douzaines, ils découvrent
enfin cinq fauteuils intacts dans lesquels ils se carrent.
Patrick est fasciné par l'immense rideau brun et noir —
rouge et or avant l'incendie.

Mais voici que Fantin s'avance avec précaution sur
la scène crevassée :

« Le décor, annonce-t-il, représente un salon ! »

Il disparaît, actionne, Dieu sait comment, le rideau
fantôme qui s'écarte devant une sorte de marché
aux puces, de boudoir exotique : l'idéal de
Fantin en matière de salon. Il a transporté là,
de l'étalage du trottoir, les pires merveilles : châles,
tapis, colonnes torses, faux bouquets, armures dres-
sées, et des statues, des statues... Patrick bat des
mains (le plafond frémit) ; il n'a jamais rien ima-
giné d'aussi somptueux. Mais les quatre grands
font la moue : « Nous déranger pour ça, mince ! »

Non, pas pour ça : car Fantin reparaît sur la
scène avec, aux lèvres, le sourire condescendant des
enchanteurs.

« Et maintenant, le décor représente un salon...

— Encore ?

— ... au milieu, d'un parc ! »

Il tire sur une corde : la toile du fond s'abat et
le mobilier baroque apparaît soudain minuscule, car
il se profile sur un immense jardin, *celui de la mairie*...
Le mur extérieur de la scène a été pulvérisé par le
bombardement, et la salle du théâtre est une grotte de
velours et d'or.

« Oh ! » font les cinq d'une seule voix ; et Patrick
se dresse, la bouche ouverte ; et Fantin salue.
Un demi-hectare de décor naturel avec pelouses,
pigeons, kiosque et saules pleureurs ; jamais
aucun théâtre au monde n'a rien présenté d'aussi
vrai... Et lorsqu'une averse brutale tombe des
nues, flagellant les arbres, s'engouffrant sur la
scène, noyant le « salon », éclaboussant les
spectateurs, ceux-ci pensent d'abord que c'est encore

un sortilège de Fantin. Mais le plafond mitraillé est devenu pomme d'arrosoir ; il en pleut aussi toutes sortes de débris, et le public se rue vers les sorties de secours, laissant l'enchanteur à son palais pourri.

Lardenet et Thuillier, hoquetant, éructant, montent péniblement écluser leur vin au Grand-Cerf. « Moi aussi, je vais vous préparer un coup ! » crie Descaux avant de disparaître vers la ville haute. Et Philippi, mitraillette en bandoulière, traîne, traîne, traîne le gosse — « Si tu préfères dormir, merde à la fin, dis-le ! » — dans la direction opposée.

Patrick le somnambule entendait bien ces cris étranges. Il crut d'abord que c'était un effet de l'ivresse ; mais cette pluie l'avait dissipée, et il commençait à s'inquiéter, lorsque Philippi demanda en s'arrêtant :

« Qu'est-ce qui gueule comme ça ?

— Bah ! fit le petit qui était assez rancunier, « chacun pour soi ! »

Il évita la gifle mais en sentit le vent. Puis, ils se mirent à marcher, vite, plus vite, en direction des meuglements, et parvinrent ainsi devant les abattoirs. Intacts, comme tous les bâtiments hors la ville, mais les lourdes grilles en avaient été verrouillées, cadenassées ; Philippi y besogna en vain.

« On va grimper sur le...

— Quoi ? cria Patrick, car les hurlements des bêtes couvraient toute parole.

— ... SUR LE MUR. Attrape ma main ! »

Ils s'y hissèrent : ce chemin de ronde dominait les cours intérieures où des dizaines de bêtes abandonnées, affamées, bramaient, cou tendu. Leur pis, ignoblement gonflé, immobilisait les vaches dans une attitude obscène, les pattes écartées. Les veaux n'avaient plus la force d'appeler et baissaient la tête comme des condamnés. Plusieurs bêtes s'étaient pris une patte dans leur licol et ne se débattaient même plus mais gisaient, la langue pendante, le flanc palpitant.

« Qu'est-ce qu'on va faire ? demanda Patrick d'une voix blanche.

— Appeler Tarzan.

— Tu crois ? »

Philippi lui jeta un regard exaspéré, puis :

« Il y a des trucs auxquels on ne peut rien... Par exemple, tu n'as ni père ni mère : eh bien, tu n'en auras jamais ! Ni moi non plus !

— Tu es méchant », dit Patrick et ses cils battirent très vite.

« Philippi dit cela parce qu'il est en colère, pensait-il. Il n'a pas pu ouvrir les grilles ; cela l'a mis en colère, alors il dit n'importe quoi. » Car son père et sa mère, Patrick gardait la certitude de les retrouver un jour. N'était-ce pas justement pour cette raison qu'il s'était joint aux grands afin de fuir l'orphelinat ? Un soir, Descaux lui avait dit : « Pauvre petit crétin, ils sont morts. MORTS, tu sais ce que cela veut dire, non ? » — Bien sûr qu'il le savait : cela voulait dire *ailleurs*.

Mais « ailleurs », on peut s'y rendre aussi ! Par exemple, si les Américains vous y emmènent. Ou encore...

« Philippi ! Qu'est-ce que tu fais ?... Philippi, arrête ! »

Le grand pointait sa mitraillette vers le troupeau.

« Ils sont foutus. Je vais les descendre pour les empêcher de souffrir.

— Philippi ! »

Quand il commença de tirer, les mugissements s'arrêtèrent ; puis ils reprirent, plus aigus, déchirants. L'autre promenait consciencieusement son outil, comme un balayeur, un arroseur. On voyait la trace des balles ; elles découpaient la mort suivant le pointillé. Quand elles atteignaient les bêtes, cela rendait un bruit mou : « plof » ; le mur : « tac tac », à cause de l'écho. Les bêtes tombaient les unes sur les autres, battaient l'air stupidement de leurs pattes. Pas une seule tache rouge à l'arrivée des garçons ; à présent, le tableau tout entier devenait écarlate.

Patrick, au seuil de la nausée, regarda Philippi et ne le reconnut pas. Il prit peur, courut sur la crête du mur, en dégringola comme il le put et s'enfuit sur deux jambes de coton vers la ville. Une nouvelle averse brusque mêla ses larmes froides aux siennes brûlantes. En courant, il geignait à mi-voix ; cela le consolait un peu. Il venait de perdre Philippi : jamais plus il ne reverrait cette brute ; il était seul. Il pensa aux autres garçons de l'orphelinat qui, à cette heure, s'installaient dans une grande maison intacte, sous la conduite de M. le directeur. « Ton père, ta mère : tu n'en auras jamais... » L'averse cessa ; pas ses larmes.

Le souffle lui manquait ; en se remettant au pas, il entendit courir derrière lui. « Philippi ? — Ah ! non, jamais plus... » Mais il était inondé de joie à la pensée de retrouver cet assassin.

« Où vas-tu, petit couillon ? (Inondé de joie...) Pour les bestiaux, il n'y avait rien d'autre à faire. D'ailleurs, il faut savoir ce qu'on veut. Quand les avions ont bombardé la ville, crois-tu que... »

Il parlait avec chaleur : « Libération... Libérateurs... » — et le gosse se laissait enivrer par ces mots ; mais il tourna enfin les yeux vers le parleur et revit ce visage inconnu.

« Non, Philippi », murmura-t-il assez bas pour que l'autre n'entende pas, et il cessa d'écouter.

Il découvrait avec ravissement cette herbe que la pluie avait ravivée, ces églantines qui bordaient le chemin et qu'elle avait constellées de cristal. Un oiseau chanta d'une voix liquide. Et soudain il sembla à Patrick — mais non, c'était une certitude, une certitude étouffante, et personne à qui la confier ! — qu'à côté du monde des hommes, de leurs ruines, de leurs larmes, existait celui des arbres, des fleurs, des oiseaux : un monde *innocent* qui ne savait que chanter, sentir bon, pleurer la pluie, et où les grands, les brutes, avaient dressé leur camp sans égards. Il eut envie de jeter ce

pistolet qui pesait dans sa poche ; mais, quand il en
sentit la crosse, l'autre monde le reprit.

L'herbe avait disparu ; une avenue de pavés conduisait à un bâtiment tout semblable au premier
mais dont les murs s'élevaient plus haut (car
les hommes sont plus grands que les bêtes), la
prison.

« Philippi, qu'est-ce que tu vas faire ?

— Libérer les types qui moisissent là-dedans, s'il
en reste.

— *Les libérer ?* » cria Patrick, et il recula d'un
pas.

Philippi rougit brusquement et haussa les
épaules.

Ici, les portes étaient demeurées grandes ouvertes ;
mais cela n'en ressemblait que davantage à un piège
massif, et les deux garçons s'y avancèrent avec
précaution.

« Pourquoi te retournes-tu sans cesse, le môme ? »

Des chemins de ronde surplombaient, comme
là-bas, les cours intérieures. Une odeur aigre, où se
mêlaient pourriture et désinfectant, avait pris possession des interminables couloirs. Comme ils atteignaient une sorte de coupole vitrée d'où le regard
embrassait la ville entière :

« Philippi, regarde ! »

Le quartier de la poste — le seul que le bombardement eût un peu épargné — commençait à
flamber.

« C'est Descaux. (« Moi aussi, je vais vous
préparer un coup... ») Le salaud ! Tout ça à

cause de son père. Si les avions repèrent l'incendie,
ils vont remettre ça... On va tous crever à cause du
père de Descaux, » reprit-il en criant.

Il saisit deux tabourets de bois qui se trouvaient
là, un dans chaque main, et les lança contre la
verrière qui se fracassa. Un vent mêlé de pluie fit
entrer par cette brèche le monde des arbres et des
oiseaux, le monde des êtres sans défense — mais, seul,
Patrick s'en aperçut.

« Barrons-nous ! »

Ils dégringolent les escaliers de fer, galopent
— « Attends-moi, Philippi ! » — à travers les couloirs
résonnants et débouchent à l'air libre, juste pour
entendre...

« Qu'est-ce que je disais !... Le salaud !

— Mais quoi ?

— Tu n'entends pas les avions, non ? »

C'est un ronronnement paisible : des mouches
d'argent, et si hautes dans le ciel qu'elles semblent
presque immobiles.

« Dis, ils vont bien voir qu'on n'est pas des
soldats...

— Crétin ! »

Est-ce l'orage ? Un ronflement. Non, un sif-
flement. Non, un... Patrick se sent jeté à terre, le
nez dans l'herbe fraîche, par Philippi qui se couche
sur lui. L'avion pique droit. Si près que le garçon
saisit sa mitraillette et veut... — mais il a usé toutes
ses munitions aux abattoirs. Patrick entend une
pétarade comme tout à l'heure ; puis une seconde
(car l'avion revient achever sa besogne), et soudain

Philippi se fait lourd sur son dos, comme dans les jeux.

« Hé ! tu m'écrases ! Philippi !... Philippi ! »

Il se dégage mais reçoit en pleine face la main du grand, inerte et froide.

« PHILIPPI ! »

D'un seul bond, Patrick est debout. La bouche ouverte, les yeux dilatés ; il a mis son poing dans ses dents et va le mordre au sang mais ne s'en avisera même pas. Philippi aussi garde ses yeux grands ouverts ; et de sa bouche béante s'échappe aussi un filet, puis un flot de sang, puis plus rien. Patrick l'appelle, Patrick le supplie : un mot, rien qu'un mot ! Il ne peut supporter que sa dernière parole ait été pour le traiter de crétin. Sa dernière parole ? Il voudrait s'approcher, toucher les mains, le visage de... — une curiosité mauvaise. Et brusquement il se retourne et s'enfuit.

Patrick ne s'arrêta qu'à l'abri d'une maison intacte. Il se refusait hargneusement à penser au grand : terreur et chagrin, il savait que la graine était plantée quelque part en lui, qu'elle germait déjà, qu'elle allait croître à l'étouffer. Pour l'heure, il ne songeait qu'à lui, obstinément. Rejoindre les autres ? — Ils lui faisaient horreur, ces survivants inutiles ! Descaux surtout, Descaux l'assassin : Patrick se le représentait pilotant l'avion qui, tout à l'heure... Cette fois, il jeta son arme avec dégoût. Mais à peine se fut-il éloigné de quelques pas qu'il revint en courant et ramassa le pistolet. Pour la

première fois il ressentait la peur : car il était seul,
pour la première fois. « Ton père et ta mère... »
M. le directeur puis Philippi lui en avaient tenu
lieu jusqu'alors. Maintenant, tout le monde était
parti *ailleurs,* et ce pistolet demeurait son unique
compagnon.

Il marchait vers l'herbe et les arbres, enjambant
les décombres avec, sous les sourcils froncés, un
regard vert qu'il n'osait pas ciller, tant il restait aux
aguets : un chat parmi les ruines... A tous les carrefours et lorsqu'il contournait un mur dont les vestiges s'élevaient plus haut que lui, il braquait son
pistolet en criant « *Olémin!* » — parole magique
qui, dans les histoires qu'on lui racontait, désarmait
l'adversaire.

Au premier arbre il s'arrêta, s'assit sur l'herbe
humide et ferma les yeux. Ces branches lourdes de
pluie, ces branches qui avaient survécu aux bombes
le protégeraient. Et sans doute s'endormit-il car,
lorsqu'il rouvrit les yeux au chant d'un oiseau, tout
— l'oiseau, l'arbre, l'herbe — avait pris son air du
soir. « Une maison entière, pensa-t-il aussitôt (il
voulait dire « intacte ») : il faut que je trouve une
maison entière... » Il en aperçut une très grande,
non loin de là ; il y courut : HOSPICE DE VIEILLARDS.

Là aussi, toutes portes étaient ouvertes et il y
pénétra de confiance, car ces bâtiments ressemblaient
exactement à ceux de l'horphelinat. Cuisines encore
imprégnées d'un remugle de vaisselle et d'oignon,
réfectoire aux bancs raides, dortoirs fantômes —
oui, tout cela lui était familier. Mais, comme il

s'apprêtait à y camper, il lui vint une pensée insupportable : celle qu'au lieu de garçons qui les fui-
raient un jour sans même se retourner, ces murs
gris abritaient de vieux hommes qui n'en sortiraient
que pour aller sous terre. De vieux hommes couchaient côte à côte, se haïssaient entre eux (comme
Descaux et Lardenet), s'injuriaient si l'un d'eux
occupait trop longtemps les cabinets, mouchardaient (comme Thuillier) et — qui sait ? — faisaient
le pitre comme Fantin... *Alors, à quoi cela servait-il
de grandir ?* Toute sa vie, l'odeur de la vaisselle et
celle des latrines ? Toute sa vie, « Oui, monsieur le
directeur » et la cloche, deux coups puis trois précipités : Rassemblement immédiat ? Et le tableau
d'affichage, la peur d'y lire son nom — toute
la vie ?... Cette nausée qui le poursuivait depuis
les abattoirs et la prison faillit bien, cette fois,
l'attraper. Il se mit à courir : à courir plus vite
qu'elle.

Une fois de plus, Patrick se retrouva à la porte
de la ville. A la double terreur de rencontrer Descaux et les autres et de rester seul cette nuit, s'en
ajoutait une troisième : repasser à l'endroit où
Philippi... Peut-être les vautours étaient-ils déjà
en train de le dépecer ! Il se raidit pour chasser les
images. Cette ville, devant ses yeux, il n'y reconnaissait rien. Ruinée, transparente, elle lui paraissait beaucoup plus petite, tel un parc d'hiver. Il
médita un itinéraire très compliqué qui, soudain,
le ramena juste devant le corps de Philippi. Alors,
tout ce qu'il chassait de son esprit depuis le passage

de l'avion, se solidifia définitivement et, à vingt
pas du cadavre, Patrick pleura longtemps : non sur
Philippi, sur lui-même.

Le soir tombait : l'heure, entre chien et loup,
où les orphelins ne peuvent pas rester seuls. « Il
faut que je dorme, décida le petit garçon. Oh !
oui, dormir... » Pas au Grand-Cerf, bien sûr, où
buvait Descaux l'assassin. Il aperçut une maison
épargnée : « Je vais dormir là ; et demain je par-
tirai sur la route des autres : boulevard Jules-
Ferry puis tout droit ensuite. Et j'expliquerai à
M. le directeur... » Il était persuadé qu'à part cette
ville, le reste du monde demeurait intact. Il avait
complètement oublié les Allemands et les
Américains.

Il entra — « Olémin ! » — dans une pièce dont
les murs étaient couverts de portraits de famille
que les ébranlements avaient inclinés dans tous
les sens, ce qui leur conférait une vie singulière.
Patrick alluma un chandelier, les regarda un à un
et trouva qu'ils se ressemblaient tous. Oui, notaires
à favoris, militaires à bicorne, tantes à face-à-main
ou dandys portaient le même air de supériorité, de
suffisance ; tous le regardaient de haut et le reje-
taient. Il n'était pas de la famille ; il n'était d'aucune
famille. Patrick prit un coupe-papier sur la table
et entreprit de taillader le portrait d'un évêque
très gras qui le bénissait insolemment. Mais les
autres le regardaient faire avec mépris. « Ton père
et ta mère, tu n'en auras jamais... » Le petit
garçon rejeta donc ce couteau qui appartenait à des

étrangers, comme ce lit si attirant dans lequel il ne
dormirait jamais car c'était un tombeau de famille.
Par la porte entrouverte, le couchant éclairait la
robe sanglante d'un juge dont le regard impitoyable
et satisfait chassait Patrick. Il le défia un instant,
brandit son pistolet « Olémin ! » puis tourna le dos
à toute la famille, à ces morts détestés. « Je trouverai
bien une autre maison, mais *inhabitée* », se dit-il.

Il en trouva une ; mais, lorsqu'il y pénétra, titubant de sommeil, il s'arrêta sur le seuil de la chambre
et dut battre plusieurs fois des paupières
avant d'en croire ses yeux. Dans le lit aux draps
raides reposait une jeune fille au visage de
cire. Sur la table de chevet brûlait une bougie qui
faisait danser sur le mur l'ombre d'un grand
fauteuil où dormait une vieille. Patrick se retira,
terrorisé.

Dans la rue, où la nuit était tout à fait tombée,
il se dirigea sans hésiter vers l'endroit où Philippi se trouvait étendu. Il sentait que, malgré les
avions, les vautours, le silence, sa place était là,
comme celle de la vieille auprès de la jeune femme
de marbre. Il s'assit donc à côté de cette masse
obscure qui, par la grâce des ténèbres, n'avait plus
de forme reconnaissable. Il tremblait un peu. En
levant les yeux, il vit dans le ciel d'un bleu noir,
pareil à une immense cape d'orphelin, une étoile
qui tremblait aussi — et il se sentit moins seul. Il
pensa encore une fois aux quatre autres grands :
qu'avaient-ils fait de leur après-midi ? Où se
trouvaient-ils à présent ?

« Chacun pour soi... » — Au moment où il naufrageait dans le bienheureux sommeil, cette parole de Philippi lui revint distinctement en mémoire ; et il murmura à mi-voix :

« Chacun pour soi », cela signifie seulement que tout le monde est seul.

Et il s'endormit, la bouche ouverte, comme si cette pensée le frappait d'étonnement.

La colonne entière passa près de lui sans le découvrir. Il était près de minuit et l'on circulait tous phares éteints, car l'ennemi possédait la maîtrise de l'air. Cependant, on fit halte dans cette ville en ruine ; et ce fut sans doute le silence subit des moteurs qui éveilla le petit garçon. Dans la brume de son demi-sommeil, à l'avare clarté des étoiles, il aperçut des chars fantastiques, des tourelles, des canons... « Les Américains ! LES AMERICAINS !... » Son cœur se mit à battre ; il avait oublié Philippi. Le chauffeur du camion le plus proche se promenait en fumant, la cigarette dissimulée au creux de sa main. Patrick regarda longtemps ce point rouge qui représentait la vie et l'espoir ; puis il se leva et marcha vers lui.

« Qui va là ? fit l'homme d'une voix étouffée.

— C'est moi », dit Patrick.

L'autre s'approcha, rit silencieusement de sa peur et demanda avec un drôle d'accent :

« Tout seul ? »

Patrick, alors, se souvint de Philippi et sa joie tomba d'un coup. Il prit la grosse main dans les

deux siennes et conduisit l'homme jusqu'au corps
allongé :

« Est-ce qu'il est... parti tout à fait ? » demanda-
t-il. (Il n'osait pas prononcer le mot.)

Le soldat braqua un court instant sa lampe électrique sur le visage : le visage menteur, indifférent,
lointain de Philippi, neige et sang.

« Il est mort. Ton frère ?

— Oui, dit Patrick, heureux de se composer une
famille.

— Et vos parents ?

— Ils sont à Paris.

— Paris ? Nous y serons demain matin », fit le
soldat d'une voix sourde, et il secoua la tête.

« Alors, il faut m'emmener, dit Patrick.

— T'emmener ! »

Il eut de nouveau un rire silencieux. Patrick,
qui ne le quittait pas de ses yeux verts, sentit soudain qu'il allait vaincre. Il dit :

« Sans ça, qu'est-ce que je vais devenir ? »

On s'agita dans l'obscurité ; un motocycliste passa
en jetant des ordres à mi-voix ; les moteurs étaient
remis en marche. Le soldat hésita encore, regarda
autour de lui puis haussa les épaules.

« Monte ! Mais tu te tiendras tranquille ? Et dès
l'entrée de Paris... »

Il saisit le gosse à bras-le-corps et le fourra sous
la bâche, à l'arrière de son camion :

« Allonge-toi et silence ! »

« Les Américains sont fortiches, pensait le
garçon (c'était l'une des maximes de Descaux), mais

moi, je suis plus fortiche que les Américains ! » Il avait
l'impression d'avoir gagné la guerre... Il vit le soldat
courir au talus, se pencher sur Philippi, revenir à lui.
   « La bague de ton frère : garde-la en souvenir. »
Philippi ! Oh ! Philippi... Le gosse éclata en sanglots tandis que le camion démarrait. Mais lorsqu'ils passèrent devant le Grand-Cerf, il écarta la
bâche avec l'espoir que Descaux ou l'un des autres
l'apercevrait. Puis il se cala parmi les sacs, enfonça
jusqu'aux yeux un casque militaire qui bringuebalait
dans le camion, sortit son pistolet — « Si on rencontre
les Allemands ! » — décida de veiller ainsi jusqu'à
Paris et s'endormit aussitôt.

   Vers sept heures trente, le 22 juillet 1944, la division blindée *Graf von Bismarck* atteignit les abords
nord-ouest de la capitale. Les volets de toutes les
maisons étaient clos ; en apercevant les chars en
retraite, les rares passants rentraient chez eux
précipitamment.
   Pourtant, en traversant le Plessis Belle-Isle, chauffeurs et mitrailleurs furent surpris de voir, au garde-
à-vous sur le bord de la route, un vieil homme coiffé
d'un béret de chasseur alpin et qui avait épinglé
sa médaille militaire et sa croix de guerre sur son
costume de cérémonie. Les Allemands le trouvaient
singulier mais sympathique et lui faisaient des
signes de moquerie amicale. Immobile, très pâle, il
ne leur répondait pas. En vérité, il attendait à
tout instant qu'une rafale partie du convoi punît
son insolence.

La colonne fit halte ; et le vieil homme ne douta pas que ce soit pour l'arrêter. Il ferma les yeux et ne broncha point. Allons, il devait bien cela à ses compagnons, les morts de Verdun : il était ici, face aux Allemands, leur ambassadeur... Adieu !

Pourtant, personne ne descendit, sauf quelques soldats, pour pisser. Sa surprise fut grande, en rouvrant les yeux, de constater que le chauffeur du camion le plus proche lui souriait bonnement ; et plus grande encore d'apercevoir, sous la bâche, un petit garçon coiffé d'un gigantesque casque boche. Il s'approcha.

« Qu'est-ce que tu fais là ?

— C'est Paris ?

— Oui. Enfin, presque. Vas-tu me descendre de là, bon sang ! »

Patrick le regarda et l'aima.

« Pourquoi ? demanda-t-il faiblement.

— Ce camion allemand ! Ce casque allemand !

— Américains ! cria Patrick dont le visage se convulsait.

— Al-le-mands », répéta le vieux en lui saisissant le poignet.

Le petit sauta à bas du camion, y rejeta violemment le casque et sortit de sa poche son pistolet. Mais, par bonheur pour la division blindée *Graf von Bismarck,* le vieil homme lui arracha l'arme des mains et l'entraîna en courant.

II

LE VIEIL ARBRE ET L'OISEAU

L'HERBE de mai poussait obstinément entre les
pavés du rond-point des Veuves. Assis sur une
grosse pierre, Patrick contemplait au loin un fouillis
de toits piqué de clochers et de cheminées d'usines,
parsemé de squares et de cimetières, balafré de rues
immenses : Paris. Paume grise, toile d'araignée,
jeu de construction inachevé, un brouillard doré
s'en élevait ; et Patrick, l'oreille tendue vers cette
rumeur qui le terrifiait, s'imaginait géant enjambant la fourmilière, oiseau la survolant ; ou encore...

Une voiture rompit le charme. Elle traversa le
rond-point et fonça dans l'avenue du Général-de-
Gaulle en moins de temps qu'il n'en fallut au petit
garçon pour sortir de son rêve. Les herbes hautes
frémissaient encore de son passage et le coquelicot
en avait perdu un pétale. « Elle vient de Paris »,
pensa Patrick avec rancune et il tourna le dos à la
ville.

Brusquement, le garçon poussa son cri de guerre

et détala sans plus de raisons qu'un oiseau qui
s'envole. Il ne savait courir qu'en galopant. Il descendit pourtant de ce cheval imaginaire afin de
ramasser un bâton car, pour longer le mur du cimetière aux voitures, il allait devenir tramway. Oui,
ce bâton lui servait de trolley : tant qu'il le promenait le long de la pierre grise, il en recevait
l'énergie d'avancer ; mais dès qu'il l'en détachait, le
tramway s'arrêtait net.

La loi du 29 juillet 1881 défendait d'afficher sur
ce mur ; pas d'y graver ses opinions puisqu'on y
déchiffrait encore « La Rocque au pouvoir », « Doriot
au poteau » et même, d'une ride crasseuse, « Gou-
raud à l'Elysée ». C'était le grand livre de la poli-
tique populaire française ; Patrick avait passé une
heure, l'autre jeudi, à y tracer « Vive Vercingé-
torix » : le seul grand homme qu'il connaissait.

Une cloche commença de sonner en prenant son
temps ; une sirène anxieuse l'effaça ; puis deux autres
formèrent avec elle un accord déchirant. C'étaient,
le long du chemin de fer, les usines de Villeserve
qui, trois fois par jour, ouvraient leurs vannes : un
flot de vélos...

Cette avenue, que Patrick arpentait « au galop »
sans même la voir, alignait pêle-mêle des immeubles
de brique, des hangars, des pavillons prétentieux,
deux ou trois roulottes ou quelques wagons enra-
cinés là ; et aussi de vastes champs de primeurs,
bornés de fumier, où les châssis étincelaient au
soleil comme un dos de vitrier. Plus loin, un cinéma
misérable, un garage rouillé, un étroit couloir

d'arbustes. Les avant-gardes de Paris et celles de la campagne avaient laissé des morts sur ce champ de bataille indécis. Il ressemblait à cette frange d'écume un peu sale, entre grève et mer, où flottent des épaves inattendues.

Et puis, d'un seul coup, Villeserve : la mairie, le groupe scolaire, la maison des syndicats, de hautes bâtisses de briques rouges couvertes d'inscriptions ; enfin, sur la place où les autobus attendaient, leur trogne tournée vers Paris, cette incompréhensible statue dont les gens du Plessis Belle-Isle disaient en haussant les épaules : « C'est la faute à Picasso ! »

Patrick détestait Villeserve ; parvenu au galop sur cette place où les réverbères dépassaient les arbres, il demeura planté devant la statue idiote, sa bouche grande ouverte sur des dents trop larges.

« Alors, y'a pas moyen, non ? »

Des files d'attente s'étaient formées tout autour du square et Patrick flottait au confluent de l'autobus 210 *Maisons-Rouge - Porte de Gravelle* et du 184 *Fontaine au Bois - Gravelle-Triage*. « Y'a pas moyen, non ? » — Tous ces rangs de visages hargneux... Patrick, en un éclair, revit l'orphelinat et frémit jusqu'au ventre. D'un bond, il se réfugia à l'intérieur du petit jardin. Ce rond d'herbe verte déjà tondue, captive de ses grilles, des passants gris, des bâtisses rouges, ressemblait à une île. Pas tout à fait déserte : sur l'un des bancs de ciment en forme de « tiens-toi-droit », était déjà assis un homme de poil blanc qui avait relevé ses lunettes

et plissait son visage entier pour mieux déchiffrer
Picasso. A la fin, il secoua la tête : « Comprends
pas... » — mais n'était-ce pas à lui-même qu'il s'en
prenait ?

« Il ressemble à papa, pensa Patrick l'orphelin
qui, d'un coup, oublia Villeserve — à papa, *mais
en vieux...* »

« Papa », c'est Kléber Demartin, soixante-cinq
ans, veuf, retraité des chemins de fer, 17, route
d'Yveline-le-Pont au Plessis Belle-Isle — celui-là
même qui, deux années plus tôt, a sorti Patrick
du convoi allemand. Il pensait l'héberger ce jour
et, le lendemain, le reconduire chez ses parents.
Mais quels parents ?... Pour la première fois depuis
celle où, seize ans plus tôt, il avait veillé sa pauvre
femme, le vieux Kléber passa une nuit blanche :
celle du 22 au 23 juillet 44. Que faire de ce petit
garçon qu'il avait sauvé de l'occupant ? Hé oui,
sauvé ! Car enfin, sans lui, sans le sergent-chef
Kléber Demartin... Mais qu'en faire à présent ? Le
rendre à l'administration ? — Jamais ! « L'administration », pour le vieux Kléber, c'était ce percepteur de papier mâché qui prétendait lui réclamer
des impôts sur sa retraite de cheminot ; et cet employé de mairie, un embusqué de 14-18, qui avait
l'audace de porter je ne sais quelle décoration et
lui versait, chaque trimestre, sa retraite du combattant comme si ce fût une faveur. *Bigrebougre !*

Ce petit garçon, que Kléber venait de border sur
une couche improvisée et qu'il regardait dormir

avec émerveillement (des cils si longs... des narines
si étroites...) en se demandant à tout instant si les
S.S. n'allaient pas envahir la maison pour le lui
reprendre ; ce petit garçon précieux qu'il avait
reconquis sur les boches comme le fort de Douaumont, trois fois de suite, un quart de siècle auparavant ; ce petit garçon... — quoi ! cette nuit même
il donnerait sa vie pour le défendre, et demain il
le livrerait à l'administration ? à ses guichets, à ses
pénitenciers ? Allons donc !

« Mais s'ils te cherchent des poux dans la tête,
Kléber ? — *Tant pire !* Demain matin, j'en parle à
Théophane (c'était son vieux frère d'armes) et à
Mme Irma (sa voisine et la fée du logis)... D'ail-
leurs, « le petit homme noir » me trouvera bien
un arrangement. On les aura... »

« On les aura ! » répéta-t-il tout haut en clignant son œil bleu.

Comme s'il l'eût entendu, Patrick se mit à sourire en dormant. « Il est heureux, pensa le vieil homme
ému, heureux chez moi : il y restera donc. »

Mais, à l'instant d'après, le visage du petit se
convulsa : il rêvait de Descaux l'incendiaire, de
Philippi l'immobile. Kléber se pencha sur ces rides
indues qu'il aurait voulu effacer : il avança vers
ce front brûlant, vers son secret fragile, une main
qui soudain lui parut énorme et maladroite. « Il
souffre ! Et qui le consolerait ? Bêchon, peut-être !
(le percepteur) ou l'autre ! (Il se refusait à retenir
le nom de cet embusqué de la mairie.) Allons
donc ! Il res-te-ra... »

Puis il sortit une feuille de papier quadrillé qu'il divisa en deux colonnes : POUR et CONTRE. Jamais il n'avait su raisonner autrement ; et c'est ainsi qu'il avait décidé son mariage en 1904 et repoussé — à une ligne près ! — en 1936 de se remarier avec Mme Irma.

POUR et CONTRE : en tirant la langue, comme chaque fois qu'il s'appliquait, il remplit la colonne des inconvénients. Il dut même retourner la feuille pour l'achever : ... Dépenses, nourriture, école (« Et comment l'y aiderais-je, moi qui ai tout oublié ? »)... Habillement (« Ils grandissent sans arrêt ! »)... Et le bruit qu'il fera... Le jardin piétiné... « L'atelier » dérangé (c'était la petite pièce où il effectuait toutes les réparations du voisinage)... Et s'il tombait malade ! A-t-il seulement eu toutes les maladies de son âge ?

Il écrivit aussi : « Est-ce que *Quatre de trèfles* l'adoptera ? » — Mais avec soulagement il put barrer cette ligne car, contre toute attente, le chien avait, ce matin, fait fête à l'intrus.

« Et d'ailleurs, poursuivit-il tout haut en s'adressant à la bête qui dormait en boule, la truffe entre ces pattes grises dont les empreintes lui valaient son nom : « Quatre de trèfles » et d'ailleurs, toi aussi tu étais perdu, tu étais tout petit et je t'ai recueilli ! »

Il oubliait que, ce jour-là, la colonne des POUR balançait l'autre : un chien garderait la maison, lui tiendrait compagnie, chasserait les chats, lesquels chassent les oiseaux... Tandis que, cette nuit, une

fois honnêtement remplie la moitié de sa page,
le vieil écolier suça son porte-plume, joua avec ses
clefs, se gratta la tête. Rien... Il ne trouvait absolument aucun « avantage » à ce que le petit
inconnu demeurât chez lui ; ou plutôt aucun argument qu'il sût formuler. La veille encore, il eût
aussitôt pris la décision logique que dictait ce bilan
boiteux. La veille encore...

Minuit sonna consciencieusement au clocher cam-
pagnard du Plessis Belle-Isle ; puis, un instant plus
tard à la mairie, avec une sorte de hâte : comme
pour rattraper à temps l'autre cloche. Toujours
l'administration...

Minuit, n'était-ce pas « l'heure H » des S.S. ?
Kléber prit son revolver d'ordonnance qui, depuis
le défilé de la Victoire, dormait sur un nid de vase-
line, et sortit patrouiller dans le jardin paisible.
Le crapaud familier coassait au pied du cerisier ;
un oiseau voleur s'envola. Mais il s'agissait bien des
cerises, cette nuit !

Kléber ajusta plusieurs ombres suspectes : la barrière, la boîte aux lettres, le buis taillé du voisin ;
aucune ne frémit. Il rentra donc rassuré, un peu
déçu, se roula pensivement une cigarette, la rata,
considéra sa page à moitié remplie et, dans la
colonne blanche (celle des POUR), il écrivit seulement, d'une main qui tremblait un peu et qu'il
regarda — mauvais outil ! — avec rancune, il écrivit :
Patrick. Un nom tout neuf, un mot qu'il n'avait
jamais écrit de sa vie... L'enfant se mit à geindre,
de nouveau ; le vieil homme murmura : « Patrick » ;

puis, s'enhardissant un peu chaque fois, répéta :
« Patrick... Patrick... »

Il trouvait que le petit ressemblait à son nom.
Vraiment, on n'aurait pas su lui en imaginer un
autre ! Et brusquement il songea : « Il m'appellera
papa... » et dut fermer les yeux parce que voir le
visage du petit dormeur et recevoir cette pensée,
c'était trop de joie à la fois.

Il demeura longtemps ainsi, croyant sourire,
mais son visage était grave et rajeuni, tel celui
d'un mort. « Il m'appellera papa... » A ce moment,
les S.S. auraient pu le tuer sur le coup : il était
sans défense, sourd et aveugle à tout ce qui n'était
pas ce visage, ce souffle d'enfant et cette voix intérieure qui apprivoisait ce nom-ci, Patrick. Enfin,
il ouvrit les yeux à regret, déchira la feuille qua-
drillée et, sortant de sa poche une boîte ronde en
métal et, de la boîte, sa grosse montre de cheminot,
il la remonta avant de la caler devant lui sur la
table. Minuit 25... La respiration courte et béate
de Quatre de trèfles... La petite plainte, à bout de
souffle, de Patrick... Le crapaud qui jouait de la
flûte sous la lune... La nuit serait longue, et comment rattraper ses huit heures de sommeil ? Pourtant, il fallait veiller. Contre les S.S., bien sûr ;
mais surtout contre *la colonne de gauche :* contre
les mauvais conseils que porte la nuit, ce troupeau de bonnes raisons qui vous font, la main sur
le cœur, rejeter aux ténèbres les enfants perdus.

C'était juillet ; le jour se levait bien avant les

hommes. « Quoi ! je perds tout ce temps chaque
matin ? » pensait Kléber impatiemment. Il arpentait sa chambre, n'osant guère quitter de l'œil
Patrick endormi, faisant volte-face vers son lit à
la moindre rumeur. Enfin le Plessis Belle-Isle (ses
coqs, ses poubelles, ses facteurs) ressuscita du long
sommeil. « Enfin ! » Mais comment prendre conseil
de ses amis ? Fallait-il donc laisser Patrick tout
seul dans cette maison inconnue ? Le vieux saisit
Quatre de trèfles qui s'étirait en bâillant, le planta
en faction devant le lit et lui fit la leçon. L'autre
penchait sa tête de clown blanc, fronçait son œil
grimé de charbon. Puis il vit avec stupeur ce maître
toujours si solennel partir en courant et il faillit
bien, transgressant l'ordre reçu, le suivre d'un trot
allègre. A peine le temps d'essayer de comprendre,
que déjà l'autre s'en revenait, hors d'haleine, pré-
cédant de peu Théophane, dit « Trompe-la-Mort »,
ancien capitaine au 74ᵉ R.I. : casquette plate, barbiche, lunettes ; puis Mme Irma, majestueuse
dès l'aube, et dont le regard souverain vous interdisait bien de dénombrer ses mentons ou d'évaluer
son tour de taille.

Lorsqu'elle pénétra dans le pavillon, précédée
et suivie d'elle-même, Trompe-la-Mort retira
sa casquette, ce qui désarmait entièrement son
visage.

« Voilà », se contenta de murmurer Kléber en
désignant le petit lit d'un doigt qu'il posa aussitôt
sur ses lèvres.

Il leur raconta à voix basse la division *Graf von Bismarck,* le casque, le revolver; puis cette crise de larmes, ce refus de parler, sa longue patience; le récit incohérent et soudain l'effondrement dans le sommeil. Il avait fallu dévêtir l'enfant comme un blessé, improviser un lit. La nuit, sa longue veille; enfin sa décision. Voilà. Qu'en pensaient-ils?

Quatre de trèfles s'affairait joyeusement dans ce monde d'odeurs nouvelles : de Paris où il partait chaque matin travailler, une lourde valise à la main, Théophane rapportait un trésor pour sa truffe frémissante; et Mme Irma, ouvreuse à l'Opéra-Comique, n'était, à hauteur de chien, qu'un bouquet de parfums.

« Vas-tu nous laisser tranquilles », gronda Kléber, mais c'était seulement pour rompre le silence.

Mme Irma parla d'abord. D'une voix basse mais sans réplique, elle entama une litanie que Kléber connaissait trop bien : la colonne des CONTRE. « Bien sûr, se disait-il bonnement, c'est elle qui consent à laver, repasser, ravauder mes affaires : ce lui ferait double besogne... »

Mais, tandis que la bouche hautaine (une grosse fraise plissée, un peu trop mûre) énonçait des prétextes si logiques, le vieux cœur de Mme Irma divaguait : « Il ne va plus penser qu'à cet enfant. Quelle place tiendrai-je? Cette présence ici le rajeunira et me vieillirait. »

L'écolier à cheveux blancs recevait l'averse, tête basse. « Tâchez donc d'être un peu raisonnable à

votre âge ! » A votre âge ? mais ne le lui répétait-on
pas depuis l'enfance ?

Soudain, il fronça les sourcils et releva la tête
pour dévisager l'oracle. Car le ruisseau changeait
de cours ! Et voici que, sans quitter le ton grondeur,
on énumérait tous les POUR que lui-même n'avait
pas su énoncer : « Enfin un peu de vie dans la
maison... rompre ces manies de vieux garçon... le
forcer à s'occuper un peu *des autres*... » Mme Irma
débondait ses propres griefs sous le couvert de
l'innocent endormi.

Comment l'ancienne habilleuse, formée aux sub-
tilités du répertoire, n'avait-elle pas aussitôt
compris que cet enfant tombait du ciel ? qu'il rani-
merait l'amour dans ce vieux cœur, et qu'il vaut
mieux partager une petite source vivante que veiller
seule devant une fontaine scellée ? Cet enfant, si
elle s'en mêlait, deviendrait *le leur* et lui ménage-
rait enfin sa place ici ; car le Kléber qu'elle aimait
en secret depuis douze ans était bien incapable de
l'élever seul. Kléber... Pour l'instant, celui-ci recevait avec gratitude ces reproches passionnés : oui,
il n'était qu'un vieil égoïste, un cœur fermé, un
maniaque, oui, oui !

Théophane, plus subtil, portait de l'un à l'autre
un regard de souris. Lorsqu'on lui demanda son
avis, il retrouva sa gravité de chat et prononça,
suivant son habitude, quelques paroles singulières :
il parla de Grâce, de Noël (en juillet, je vous demande un peu), pour aboutir aux voies de Dieu.
Patrick dormait toujours. Mme Irma le regarda

enfin, puis saisit d'autorité les petits vêtements sur
la chaise, bougonna quelques : « Ni fait ni à faire...
manque un bouton sur deux... pas lavé depuis l'année de la Comète !... » et emporta le tout. Son rôle
commençait.

Kléber attendit impatiemment midi pour se
mettre en chasse du « petit homme noir ». C'était
un ancien avoué qui avait mérité quelques ennuis
et gagnait désormais son pain gris en donnant, à
la sauvette, des consultations juridiques dans les
bistrots où les petites gens prenaient leur repas.
Tout de noir vêtu, portant jusqu'au bout des ongles
le deuil crasseux de sa charge perdue, chauve, l'œil
cruel mais la bouche mielleuse, épousant aussitôt
votre querelle pourvu qu'elle lui permît de tourner
impunément les lois et de se venger ainsi d'une
société qui, trente ans plus tôt, l'avait banni. Di-
vorce, captation d'héritage, évasion fiscale, tout ce
qui était illicite mais légal, lui procurait une revanche personnelle. Il frottait alors, l'une contre
l'autre, ses mains de vieille fille, faisant jaillir des
manchettes de celluloïd qui lui servaient à prendre
des notes et, de jubilation, ses yeux se fermaient,
révélant ainsi ce que serait son pitoyable visage de
cadavre.
    Kléber le pourchassa de café en restaurant au
Plessis Belle-Isle, à Villeserve et jusqu'à Maisons-
Rouges — personne... « Comment régler sans lui
mon affaire ? » Il prenait figure de bon Dieu,
cet avorton introuvable ! Ce fut à la guinguette

D'Yveline-le-Pont, contre l'écluse, que Kléber l'aperçut enfin qui sirotait une anisette frauduleuse en
fumant — les mégots l'attestaient — son troisième
cigarillo.

Le vieux déballa son paquet en vrac. « A vous
de jouer, à présent ! » L'autre lança d'abord une
diatribe contre les aviateurs, les Allemands et les
résistants qui « n'avaient même pas été fichus de
saccager, une fois pour toutes les archives du palais
de justice et celles de la préfecture de police ! »
Leurs fiches détruites et dispersées, des milliers,
des dizaines de milliers de braves gens (mais il ne
pensait qu'à un seul) auraient pu enfin repartir du
bon pied sans traîner derrière eux un casier judi-
ciaire...

« Une fois par siècle, une telle occasion — et
encore ! La Révolution de 89, la Commune de 71,
la Libération de 44... Pensez-vous ! Ces imbéciles
bombardent les hôpitaux mais pas les archives !
massacrent les enfants et respectent les papiers ! »

Kléber, à qui l'éloquence imposait, laissa passer
le feu de l'anisette puis ramena le bonhomme à
son affaire à lui : Patrick... l'orphelinat de G...

« De G. ? exulta l'autre (et les manchettes bon-
dirent). La ville la plus sinistrée de France ! Rien,
il n'en reste rien, répéta-t-il avec une sorte de
nostalgie : ni état civil, ni fichier d'Assistance publique, certainement. Ah ! on peut dire que vous avez
de la chance !

— De la chance ? Mais je ne demande qu'à
adopter l'enfant à la face du monde », proclama

Kléber, gagné par l'éloquence et auquel répugnait
toute complicité avec cet homme noir.

L'œil cruel se fixa sur lui :

« Facile à dire ! Mais écoutez donc... »

Il énuméra toutes les conditions d'une adoption
régulière : d'évidence, le vieil homme n'en remplissait aucune. Kléber baissait la tête sous ce souffle
empesté de liqueur ; et l'autre lui assenait, une à
une, les interdictions, les formalités, heureux de
l'accabler, de jouer les justiciers, de se trouver du
bon côté du comptoir.

« Voilà, pensait Kléber, voilà donc le monde
qu'ils sont en train de nous fabriquer : des paperasses ! des paperasses à remplir pour une bande
d'embusqués qui ne lèvent même pas les yeux sur
vous et flanquent gravement leurs tampons n'importe où. « Repassez dans quinze jours ! » On
revient, et ce sont d'autres papiers à remplir. A
moins que... non ! trop tard : il fallait passer la
semaine dernière ! Ou encore on exige deux
témoins... — Et à Verdun, qu'est-ce qu'on nous
demandait comme formalités, hein ?... « Bien, mon
capitaine ! Oui, mon capitaine !... » Ah ! j'aurais
mieux fait de mourir à Verdun... » Cette pensée
marquait en lui la cote la plus basse : désespoir
absolu.

L'autre vit ce visage désolé et il en jouit profondément. Il alluma un quatrième petit cigare
de marché noir, mais qui lui sauta des lèvres quand
le sergent-chef Kléber Demartin se leva, frappa la
table du plat de sa main blanche :

« Et vous, alors ?

— Moi ?

— Oui. A quoi servez-vous ?

— Mais...

— Leurs histoires d'adoption, je m'en moque. Ni vu ni connu, je t'embrouille ! Tournez-moi ça comme vous l'entendez ; je ne sais qu'une chose : je veux garder ce petit et je le garderai.

— Revenez demain, murmura le renard, je vous aurai préparé quelque chose. »

« Je vous aurai préparé quelque chose... Il parle comme un pharmacien, pensa le vieux, partagé entre le mépris et l'admiration. Combien cela va-t-il me coûter ? Bah ! tant pire... » Il lui semblait naïvement que, plus cher il paierait, plus sûrement Patrick lui appartiendrait.

L'homme noir lui fit répéter toutes sortes de détails qu'il nota sur sa manchette. Comme Kléber s'excusait du désordre et des lacunes de son récit :

« Au contraire ! Plus c'est vague et embrouillé, plus *ils* auront de mal à s'y retrouver. »

« C'est vrai, pensa Kléber. On les aura ! » Et il s'obligea à serrer la main à la fois sèche et molle que lui tendait son complice.

Le lendemain, le petit homme lui apporta la preuve indiscutable — « Ecrivez, écrivez ! » — que Patrick était son petit-neveu : que lui seul pouvait le recueillir et détenait de droit la puissance paternelle. Il avait tout prévu ! Un quart d'heure durant, Kléber se fit policier, employé d'état civil, avocat du diable ; l'autre, les yeux clos d'assurance, le petit

cigare brasillant de satisfaction, trouvait réponse
à tout.

« Seulement voilà, finit par avouer le vieil homme,
j'ai déjà dit la vérité à deux amis.

— Quelle « vérité » ? Et comment la sauraient-ils
mieux que vous ? »

La main sur le cœur, écarquillant ses yeux à force
de bonne foi, il personnifiait le mensonge. Kléber
dut le considérer avec un dégoût trop visible,
car :

« Vous me devez cinq cents francs », conclut l'autre
sèchement.

C'était alors une somme importante ; Kléber en
fut ravi. Il sortit cérémonieusement son portefeuille
de sa poche qu'une épingle double interdisait, puis
du portefeuille le billet tout neuf. D'une main plus
vive que la langue du caméléon, l'homme noir le
happa et l'enfouit. Kléber se sentit désarmé.

« Tout de même, vous n'avez pas peur qu'un jour,
on s'aperçoive... ?

— Pensez-vous ! ils en ont pour des années à régler
leurs comptes. Les Allemands ne sont pas encore
partis que déjà ça commence : à Maisons-Rouges,
on a tondu trois femmes...

— Tondu ? Quelle idée !

— Vous verrez, vous verrez ! les dénonciations,
les tribunaux du peuple, les exécutions sommaires :
au mur et rrrran... Avec la mitraillette, même plus
besoin de viser ! » (Il fit le geste d'arroser ; ses manchettes jaillirent.) « Quelle revanche pour les cocus,
les ratés, les débiteurs... Chacun son tour ! Rrrran...

Des mois, cela va durer des mois ! Ah ! on regrettera les Allemands, croyez-moi. » (Il se frottait les mains.) « Et ensuite, il faudra des années pour remettre de l'ordre : pour juger les juges et exécuter les exécuteurs. Alors, vous pensez, votre malheureuse affaire !... »

Il montrait ses dents, se léchait les babines : un loup dans la bergerie.

« Quel âge aviez-vous en 1916 ? lui demanda le vieil homme à brûle-pourpoint.

— Moi ? Mais... vingt-deux ans. Pourquoi ?

— Pour rien. »

« C'est un embusqué, pensa Kléber qui se faisait encore reproche de n'avoir pas couru s'engager en 40, à soixante ans passés. Ce type espérait la défaite pour pouvoir répéter : « A quoi bon ? » Maintenant il attend que les vainqueurs se dévorent entre eux afin de clabauder : « Je vous l'avais bien dit ! »

« ... De toute façon, achevait l'embusqué, on ne pourrait contester votre version que dans des années d'ici ; et à ce moment-là... »

Il n'acheva point, fixa seulement ces mains aux poils blancs et dont les veines saillantes et les taches de son trahissaient l'âge.

« Mais le petit n'a que neuf ans, » protesta Kléber.

Puis il comprit, à son regard, que l'autre parlait de lui ; alors, doublement furieux de s'être mépris et de ce qu'un embusqué le prenne pour un vieux, il se leva, refusa l'anisette et sortit.

Le petit homme noir se trompait : deux ans
plus tard (aujourd'hui), Kléber a plutôt rajeuni.
A quoi pense-t-il, penchant sur l'établi de bois un
visage aussi ridé que lui ? Le geste suspendu,
son regard d'un bleu doux traversant la croisée,
dépassant le jardin, et le sourire aux lèvres, à quoi
pense-t-il ? Peut-être se remémore-t-il justement ces
premières journées du règne de Patrick, ses anxiétés,
ses tractations ?... — Jamais ! Lui dont la mémoire
était légendaire parmi les cheminots : lui qui pourrait, sans en omettre, citer les stations, les haltes
et même les signaux sur cinq cents lieues de rails ;
lui qui, chaque année, réapprend les horaires de
toutes les grandes lignes, a complètement oublié
les mystères de Patrick l'orphelin. Le seul qui subsiste
est que ce petit-neveu l'appelle « papa ».

De tout ce qu'il craignait (colonne de gauche) :
désordre, bruit, retard — rien n'est advenu. Un
enfant élevé dans un orphelinat est, hélas, ordonné,
ponctuel, silencieux. Mais Kléber ne sait pas que le
petit tressaille encore au son de la cloche ; ni
qu'avant-hier, il a bombardé de cailloux des garçons parce qu'ils marchaient en rang ; ni qu'il
étouffe de sanglots dans son lit, certains soirs, parce
qu'il pense à Philippi. « Les avions, crétin ! »
Oh ! Philippi...

« Tu ne dors pas, bonhomme ?

— Si, papa. »

Papa a réappris à vivre à deux : acheter au
marché deux fois — non, trois fois plus (car le
garçon montre un appétit de chasseur) ; utiliser

les couverts, les bols, les assiettes qui, depuis la
mort de sa femme, s'empoussiéraient dans le placard. Et voici, d'ailleurs, qu'il pense à elle bien
plus souvent depuis que Patrick a ramené dans sa
maison un pas et une voix, et depuis que les portes
s'y ouvrent ou claquent sans la main du vent. « Si ta
mère nous voyait » ou bien « Ta mère n'aimerait pas cela », dit-il parfois à l'orphelin. Il a
échangé le grand lit où elle a trépassé contre deux
petits qui ne font pas du tout figure de lits de
morts ; déménagé « l'atelier » dans sa propre
chambre afin d'en laisser une au garçon. La besogne
de ménage s'est répartie entre eux, en silence,
comme sur un bateau ; et Patrick est entré avec
admiration dans toutes les manies du vieil homme,
au désespoir bougon de Mme Irma. « Deux vieux
garçons ! » accuse-t-elle. Mais lorsque Kléber lui
confie humblement : « *Il est mon regard* », confuse, un
peu jalouse, elle retourne à ses chats perdus
qui, s'ils ne l'aiment guère, du moins ne chérissent
personne d'autre...

Patrick est son regard, et ses jambes. Kléber lui
confie des commissions ou plutôt des « missions de
confiance » que l'enfant reçoit gravement : les longs
cils noirs battent précipitamment sur ses yeux
d'orage tandis qu'apparaît, au confluent des sourcils
froncés, cette ride d'attention que Kléber efface du
pouce. Ou encore : « *En t'amusant*, passe donc à la
laiterie... » Chaque fois que le garçon va en course,
il sait qu'à quinze pas du seuil, il entendra la voix
un peu sourde :

« Hé, petit ! *Tu me raconteras !* »

Il se retourne : sous la glycine, en chemise bleue
de cheminot et béret de chasseur alpin, la main
gauche (l'habile) dans la poche kangourou de son
grand tablier bleu, Papa lui adresse un salut militaire. Patrick s'arrête, le lui rend — « De l'autre
main, bigrebougre ! » — et, les dents serrées, fait
demi-tour à droite en trois temps.

Au début, le vieil homme se réveillait aux coqs,
marchait pesamment jusqu'à l'évier, se barbouillait
de savon, saisissait son rasoir 1917 (un vieux modèle
mécanique de l'armée américaine) et... Et brusquement se rappelait l'existence de Patrick. Il fixait
alors au miroir ce Victor Hugo de mousse où
seuls les yeux bleus exprimaient une joie toute
proche des larmes. « Je l'avais oublié... Comment
avais-je pu l'oublier ? » Aux premiers jours de son
veuvage, il oubliait ainsi son chagrin à l'aube. Posant
alors son rasoir et foudroyant du regard Quatre de
trèfles : « Si jamais tu le réveilles !... » il allait,
sur la pointe des pieds, voir dormir le petit
garçon.

A présent, il s'est habitué à ce bonheur ; il lui
en vient seulement, par instants, un flot de sang
plus chaud. Il voit, il croit voir Patrick traversant
la rue ou pénétrant dans une boutique. Il murmure alors : « Regarde à gauche, voyons ! »
ou « Retire ton béret en entrant ! » Ou encore, il
frissonne d'inquiétude, sans raison : le voici
persuadé que Patrick s'est fait renverser par une
voiture.

« Avec sa manie de traverser de biais, au trot allongé, comme un chien perdu ! » Il imagine déjà toutes les démarches : la mairie... Non, d'abord le poste de police. Non, d'abord...

« Ah ! te voici, bonhomme... Je me faisais un sang de pieuvre ! Tu n'as donc pas vu l'heure ? (La boîte, la montre.) Remarque... euh ! c'est l'heure habituelle ; mais ce soir, je... Viens m'embrasser ! »

Les deux yeux verts le considèrent, stupéfaits. Comment Patrick l'orphelin devinerait-il que ce vieux cœur s'ouvre aux prophéties, aux délices, aux angoisses : à l'amour maternel ? Mais le Ciel n'est-il pas imprudent d'allumer un si grand feu dans une aussi vieille cheminée ?

Sur l'établi, qui n'est qu'une table complaisante, les objets à réparer, bricoler, « trafiquer » sont disposés comme à l'hôpital : les chroniques, les urgences, les convalescents. Le docteur Demartin régente cette clinique de fer, de bois et de porcelaine avec une rude tendresse. Il y a des objets qu'il n'aime point et qui resteront longtemps à sa droite (car la gauche est son bon côté) ; et d'autres dont il s'éprend et qu'il a peine à restituer. Aussi les cures sont-elles toujours longues, et la pratique doit-elle réclamer longtemps.

Ce métier de gagne-petit complète sa retraite de cheminot. « Bah ! Qu'est-ce que je te demanderais bien pour ça, Fabien ? Cent sous et on en voit la farce ! » A soupeser un bibelot sans quitter des

yeux qui le lui confie, il estime aussitôt son poids
d'amitié, d'habitude. « On va te le bricoler, Albert :
il durera aussi longtemps que toi... »

Le Temps s'arrête donc devant la porte enca-
drée de lilas et qu'enjambe une glycine ; devant
l'écriteau « Prenez garde au chien » (et dont on
ne sait pas s'il est fait pour protéger Quatre de
trèfles ou le visiteur) ; devant le cerisier dix fois
greffé lui-même ; le Temps s'arrête devant l'atelier
où, tirant la langue et s'accordant chaque heure
une cigarette qui fume toute seule, Kléber prolonge
patiemment la vie de tout ce qui est *précieusement
inutile* au Plessis Belle-Isle.

Ce métier satisfait encore sa passion pour l'économie. A chaque jour suffit son budget, qu'il prévoit le matin et vérifie le soir ; à chaque jour, son
emploi du temps qu'il inscrit à l'avance sur des
quarts de feuilles quadrillées : jardinage, marché,
atelier, visites... Mais « Patrick » s'y lit entre toutes
les lignes : à chaque jour, désormais, suffit sa joie.
Est-ce que les arbres, est-ce que les oiseaux font
des économies ?

Ce matin donc, Kléber, adoubé de son « tablier
à tout faire » lequel sent encore un peu le terreau
du jardin et le bœuf bourguignon qui mijote déjà,
travaille à son atelier (troisième ligne de l'emploi
du temps). Les deux mains parsemées de rousseur se
ferment en étau sur une statuette de danseuse que
le boucher lui a confiée. Il a, sans hâte, appliqué
la colle paresseuse qui chauffait au bain-marie ;
il a soufflé dessus, emmortaisé les fragments brisés

— bon ! Maintenant, il suffit de tenir serré... Les doigts travaillent mais le regard peut quitter l'ouvrage et sourire au loin ; le sourire des lèvres ne survient qu'un moment après, lorsqu'il songe : « Patrick... » Il se remémore toutes les missions de confiance dont il l'a chargé ; il le promène en pensée, décide qu'à cette heure-ci le garçon se trouve au bureau de poste *et aussitôt l'y voit.* Kléber se joue le « cinéma-Patrick », spectacle permanent... Lorsque, dans quelques instants, il s'en réveillera, la colle aura pris mais à ses doigts seulement et le tutu de la danseuse y demeurera accroché par lambeaux. Tant pire ! c'était l'un des objets qu'il n'aime pas.

Non, Patrick n'est point passé à la poste « en s'amusant ». Mais comment le vieil homme pourrait-il s'imaginer qu'un jeudi, c'est autour de l'école que rôde le dernier de la classe ?

Demartin Patrick (dont le carnet, chaque semaine, affirme sans se lasser qu'il « pourrait mieux faire ») a enjambé le mur bas et s'avance dans le désert de la cour de récréation. On y lit encore, dans le sable gris, les poursuites des garçons, leurs feintes, leurs chutes et, à l'écart, les marelles des filles. Patrick s'avance à pas feutrés jusqu'à la cloche dont il n'ose toucher la corde, jusqu'à la porte de la classe qu'il entrouvre. Oh ! l'aigre odeur d'encre, de craie, de crasse... C'est pourtant cela qu'il est venu chercher : afin de s'y apprivoiser. Rien à faire ! une brève nausée lui poinct le ventre. Il se rejette

en arrière, s'enfuit; mais se ravise et revient faire
sonner la cloche : un coup timide, afin de
l'exorciser.

De l'autre côté du mur, sa moto imaginaire
l'attend. Il l'enfourche, le voilà parti; il fait un
moment la course avec l'autobus qui s'arrête au
lieudit « La Prolétarienne », juste devant le
bureau de poste. Juste devant le bureau de poste,
Patrick ! Cela ne te rappelle rien ?

Il se souvient à temps de sa mission de confiance
et pousse la porte (« TIREZ ») qui fait accéder à ce
royaume de mégots écrasés, de buvards étoilés de
violet, de godets bavant l'encre. Les murs sont gris,
semés d'empreintes digitales, couverts de numéros
de téléphone : ils servent d'aide-mémoire au Plessis
Belle-Isle tout entier. L'odeur est celle de la classe ;
mais ici les élèves sont derrière des grillages, ont
les cheveux gris et jouent avec des balances, des
tampons et des papiers de couleur. Parmi les
affiches veloutées de poussière et des avis qu'un
public jovial a hérissés de « Tu parles ! » et de
points d'exclamations, cet écriteau intact : SI VOUS
VOULEZ QUE CE BUREAU RESTE PROPRE NE LE SALISSEZ
PAS...

Sa mission remplie (acheter trois timbres),
Patrick franchit un rideau de peupliers et débouche
sur la place de la Mairie. Le temps de faire *ding*
à tous les vélos qui stationnent, d'ânonner l'affiche
annonçant la commémoration du 14 juillet, de tirer
à tout hasard la manette du distributeur automatique, le voici rue de la Libre-Pensée. Il ne s'étonne

pas d'y cheminer entre de petits vergers, des haies
taillées, des clapiers branlants ; ni d'entendre un
coq se dérouiller la voix derrière une grille ; ni
de voir un pensionnat de poussins traverser la
route. Il n'a d'yeux que pour l'horloge qui se
dresse au carrefour de la route d'Yveline-le-Pont, de
l'avenue du Bel-Air et de la rue de la Libre-Pensée :
une horloge à trois faces mais dont aucune ne dit
la même heure, vestige d'une municipalité progres-
siste à laquelle on doit également les bains-
douches et l'interdiction des processions de la Fête-
Dieu.

Côté Patrick, l'horloge annonce midi vingt-huit.
« Il faut que j'arrive sous l'arbre de Théophane
avant que l'aiguille soit tout en bas, décide le garçon, sinon... » Il cherche le pire, et le pire remonte
du fond de ses marais : « *Sinon les avions me rejoin-
dront !* » Le bolide part, les bras étendus comme
des ailes. Ce n'est qu'un jeu, bien sûr ; mais parce
que, lassées d'une matinée de galop, de moto, ses
jambes le trahissent, et parce qu'un singulier ronflement remplit le ciel, et que c'est la même solitude
torride que l'autre été, Patrick sent son cœur
grossir, prendre toute la place, l'étouffer. Ce ronronnement, cette marée aveugle, est-ce le sang qui
bat dans sa grotte têtue ? Non, mais au ciel
paisible un véritable avion (12 h 28 : le Paris-
Amsterdam) qui suffit à ressusciter l'enfant des
ruines.

« Au secours ! Au secours, Philippi ! »

Patrick s'abat, gibier tremblant, sous l'arbre de

Théophane tandis que l'avion s'éloigne, imperturbable.

« Oh ! papa, papa... »

Si Kléber était là, son garçon le couvrirait de baisers : Papa le Sûr, Papa le Fort, Papa refuge...

Patrick reprend son souffle ; et tandis que son propre cœur semble s'éloigner à grands pas, il pense à Théophane qui habite juste de l'autre côté de l'arbre. Théophane dit « Trompe-la-Mort », sept fois blessé — mais où ? Patrick, à la dérobée, l'observe à chaque rencontre : cherche en vain une trace de balle, de poignard, de boulet.

Tous les matins, Théophane part très tôt vers Paris, le corps penché comme un navire afin d'équilibrer sa grande valise. A pied jusqu'à la Prolétarienne, puis l'autobus 184.

« Bonjour, jeune homme !

— Bonjour, monsieur le directeur. »

Tel est, avec le receveur, son dialogue quotidien ; puis il s'assied, cale sa valise sous ses jambes, tire *Le Parisien* de sa poche, ne le déplie qu'à moitié et, les sourcils arqués, considère ces titres avec méfiance comme s'ils l'insultaient personnellement. « Il abat son beau-frère d'un coup de hache... L'assassin de la jeune femme du square Montholon serait l'encaisseur dévalisé... » L'encaisseur ? — Non ! Théophane a seulement enjambé une colonne... « Lasse des scènes continuelles que lui faisait son ami, une rentière... » Derrière les lunettes, les yeux gris affrontent froidement tout le malheur, toute la méchanceté des gens. Hélas !

non ! la moitié seulement. Théophane pousse un
soupir, hoche la barbiche et déplie le reste du
journal.

Tout de même ! « Un enfant sauve un de ses
camarades qui se noyait dans le canal... Au péril
de sa vie une garde-barrière... » Allons. le monde
n'est pas si mauvais, Théophane... Il replie sa
gazette (la journée entière pour la lire !), assure
sur son chef la casquette bleue du patron
pêcheur, ferme les yeux. « Et dort », pense Patrick
qui, plusieurs fois, l'a suivi afin d'éclaircir le
mystère Théophane. Non, mon garçon, il ne dort
pas : il prie ; pour toi, notamment. Quant au contenu
de sa valise, tu lui passerais sur le corps avant de
l'explorer...

Sur l'autre trottoir herbu de la rue de la Libre-
Pensée, presque en face de la maison de Théophane,
voici le pavillon de Mme Irma assiégé de rosiers
qui lui ressemblent : plus vieux qu'ils n'en ont
l'air, toujours coquets, piquants. Elle a suspendu
dans ses arbres de petites boîtes pour nourrir en
hiver les oiseaux de passage. Son grand cœur conci-
lie l'amour des oiseaux et des chats qui les croquent,
l'amour des chats et des chiens qui les coursent.
Mme Irma préfère les bêtes aux gens car elles ne lui
résistent point.

Patrick regarde l'horloge : midi quarante ; mais
il sait que, de sa fenêtre, Kléber sur l'autre face lit
midi quarante-trois. Debout, garçon !
« Midi quarante-trois ! Qu'est-ce qu'il fabrique ?...
Quatre de trèfles, veux-tu rester ici ! »

Mais le chien a flairé l'enfant qui, d'un doigt sur ses lèvres, le supplie de se taire, de se taire, de se taire...

« OLEMIN !

— Tu m'as fait peur ! Combien de fois t'ai-je demandé... ?

— Je ne sais pas.

— Tu ne sais pas quoi ?

— Combien de fois vous me l'avez demandé. »

Nulle impertinence : c'est la réponse exacte, et Patrick est sérieux comme un chat. Mais « combien de fois » Kléber lui a-t-il aussi demandé de le tutoyer ? *« Papa, vous,* à quoi cela ressemble-t-il ? »
— A Patrick, justement.

« Je vais mettre le couvert », annonce le garçon.

Il le met chaque jour ; mais s'il le claironne aujourd'hui, c'est pour masquer un autre dessein : courir à la poubelle dont il fait l'inventaire.

« J'en étais sûr ! »

Sa boîte noire à laquelle manque le fond, son fil de fer tordu, et cette éponge si vieille qu'elle n'aime plus l'eau, les voici. Papa jette donc ici, en faisant le ménage de leurs chambres, ce qui lui paraît inutile. Inutiles, les matériaux de ses inventions ! et notamment de ce mouvement perpétuel que Patrick est sur le point de découvrir !

« A table, bonhomme. As-tu lavé tes mains ?

— Oui, papa. »

Et il est vrai qu'au passage, il a donné ses doigts à lécher à Quatre de trèfles. « Aaah ! » fait Kléber en s'asseyant pesamment — et voilà pour le *bene-*

dicite. Tout à l'heure, en se relevant : « Encore un
que les boches n'auront pas ! » et ce sera sa façon
de dire *les grâces.* Il mâche posément, comme les
ouvriers et les paysans mangent leur casse-croûte ;
Patrick l'orphelin dévore à la manière des renards,
l'œil aux aguets.

« Prends ton temps, bonhomme : tu n'es plus au
réfectoire, bigrebougre ! »

Kléber regrette sa phrase à peine dite ; car l'enfant s'est immobilisé, parcouru par un frisson de
mémoire. Papa pose sa grande main sur la sienne
en signe de protection (comme, sur le sien, le corps
de Philippi). Au bout d'un instant :

« Qu'est-ce qu'il y a encore ?

— C'est ma dent qui *brangue.*

— Quand elle tombera, la petite souris
viendra... »

Cette « petite souris » qui, sous l'oreiller, échange
la dent tombée contre une pièce de deux francs,
Patrick sait qu'elle n'existe pas ; et Kléber sait bien
qu'il le sait — mais l'un et l'autre jouent le jeu :
ils préfèrent leur complicité à n'importe quel prodige, à n'importe quel cadeau.

Quatre de trèfles frétille d'une chaise à l'autre
quêtant des bribes d'un nez exigeant et les avalant
tout rond. « Quand tu manges, lui dit son vieux
maître, tu penses seulement à ce que tu mangeras
ensuite : tu me fais penser aux ambitieux... »

C'est le 9 juin, un mois plus tôt, qu'ils ont fait
leur *repas de cerises.* Car le seul arbre fruitier du
jardin ne fournit guère, une fois servis les oiseaux,

qu'une platée par an. Ce jour-là — et c'était le
9 juin — on en fait tout le repas et l'on porte cérémonieusement le reste à Mme Irma et à Théophane.
De toute la saison, Kléber ne rachètera pas une
cerise : ce serait insulter au vieil arbre. Aujour-
d'hui, ils achèvent donc leur déjeuner sur quelques
abricots qui viennent peut-être du Lot-et-Garonne
alors que des armées d'abricotiers campent à deux
tickets d'autobus de là, sur les pentes de Fontaine-
au-Bois. Je te demande un peu !

« Et maintenant un bon jus... »

Le bon jus est marron clair : ce n'est que du
malt grillé ; mais Patrick, en l'avalant, se sent un
homme. Comme il voudrait pouvoir, lui aussi, en
imprégner ses moustaches... Tandis que Kléber
roule attentivement la cigarette la plus réussie
de la journée, deux yeux verts suivent chacun de
ses gestes et, sous la table, deux petites mains les
répètent.

L'horloge marque 13 h 14, 13 h 18 et 13 h 21
quand Kléber peut enfin retirer sa cuirasse de toile
bleue, se rencogner dans son grand fauteuil et
s'assoupir. D'habitude, le garçon galope déjà sur le
chemin de l'école ; mais, aujourd'hui, jeudi, il considère avec malaise puis avec angoisse le visage de
Papa que le sommeil désarme ; il considère *Papa
s'éloignant de son visage,* cet inconnu qui ressemble
à Papa — à Philippi aussi, immobile et les yeux
fermés... Patrick frissonne comme s'il s'éveillait,
tourne les talons, va dans sa chambre et... — Non !
il ne se sent pas en train d'inventions. Il essaie, avec

sa langue, avec ses doigts sales, de faire tomber sa
dent ; rien à faire. Alors, enjambant Quatre de
trèfles, il sort dans la torpeur de juillet.

Le soleil aussi fait la sieste dans le ciel hébété.
Patrick traîne une longue planche jusqu'à l'ombre
du buis taillé (un coq sur une pyramide) de la maison voisine : placée en son milieu sur un tas de
pavés, la planche devient balançoire et, pour équilibrer son propre poids, le garçon place une grosse
pierre sur l'autre extrémité. Par ce jeudi torride,
de tout le Plessis Belle-Isle, cette pierre est son seul
compagnon de jeu.

Patrick s'élève et s'abaisse lentement — dans
l'ombre, hors de l'ombre — en se poussant d'un
pied négligent. Il suce son pouce et, les yeux perdus, pense : « Dire, dire, dire que quand ma dent
sera tombée j'aurai deux francs... Avec les huit que
j'ai déjà, cela fera onze... (« Pourrait mieux
faire... ») Avec onze francs... » Il calcule leur équi-
valence en chewing-gum, en *Journal de Mickey*, en
tours de manège. L'ombre, le soleil... L'ombre, le
soleil... « Chic ! cet après-midi papa m'emmène avec
lui... Chic ! dans deux jours c'est dimanche. (Car il
a déjà en esprit, consommé ce jeudi.) Barbe ! demain,
arithmétique et dictée... » Un oiseau s'est perché sur
la crête du coq de buis taillé. Patrick l'observe qui
l'observe. Silence. Soleil.

Dans la maison ombreuse, Kléber remonte doucement du fond d'un sommeil le plus souvent hanté
de patrouilles et d'aiguillages. Il fait enfin surface,
retrouve son visage d'homme vivant, bâille comme

son chien et se frotte les yeux comme son petit.

« De quoi s'agit-il ? »

C'est l'une des phrases qui parfois lui tiennent
lieu de pensée. De la boîte en fer émerge la montre
ronde :

« Quatorze heures sept ? Bigrebougre ! »

L'emploi du temps quadrillé lui prescrit : toucher la retraite du combattant. Le voici contrarié
à la pensée d'affronter l'embusqué de la mairie ;
mais brusquement tout tourne en joie : « Jeudi, pas
d'école : Patrick m'accompagne... »

« Où est-il ? Cherche, Quatre de trèfles,
cherche ! »

Flatté de s'entendre alerté comme un chien de
chasse, comme un policier, le petit fox s'affaire sur
trois pattes seulement, signe d'allégresse. Kléber
qui l'escorte, le béret sur les yeux, aperçoit bientôt,
dans un théâtre de soleil, le balanceur solitaire.
« Il ne possède aucun ami, pense le vieux ; il lui
faudrait... » Mais il sait bien que ce serait à son
détriment et il n'est pas prêt à partager Patrick
avec quiconque. Cette pierre, qui lui tient compagnie à l'autre bout de la planche, Kléber n'en est
pas jaloux, mais tout juste !

« Papa, qu'est-ce que vous faites cet après-
midi ?

— Ce que *nous faisons ?* rectifie le vieil homme
avec bonheur. D'abord la mairie. Donne-moi la
main... Non, à gauche, c'est mon bon côté. »

Liées par une main, les deux ombres inégales
passent en silence sur les pavés chauffés à blanc.

Avant d'arriver à la mairie, Patrick retrouve le distributeur automatique et tire la manette.

« Combien de fois t'ai-je dit... ? »

Il n'a pas le temps d'achever sa phrase : tombe un étui de caramels que Patrick s'approprie d'un coup de patte.

« Ils ne sont pas à toi !

— A qui alors ? »

Allez donc répondre !

« D'ailleurs, reprend le garçon, j'en ai besoin, moi.

— Besoin ?

— Pour faire tomber ma dent qui brangue. »

En gravissant l'escalier de la mairie, Kléber prépare ses phrases. Terré derrière l'appui de bois, son vieil ennemi l'attend depuis six mois et feint de ne pas le reconnaître.

« C'est pour quoi ? »

Du pouce, avant d'entrer, l'autre a mis en valeur les rubans de ses deux décorations qui se chevauchent : la croix de guerre monte et descend sur la médaille militaire comme l'océan sur sa plage. A présent, il fixe, d'un regard que la fureur rend étroit, les rubans que cet embusqué ose afficher : larges comme le petit doigt, vaguement mauve et rose.

« C'est pour quoi ?

— Pour toucher ma retraite du combattant, *si vous n'y voyez pas d'inconvénient.* »

Pas mécontent de ces derniers mots, le vétéran jette un coup d'œil glorieux à Patrick qui n'a rien

entendu ; trop attentif à mâcher douloureusement
sur sa dent branlante.

« Vous avez une pièce justificative ? »

« Le salaud ! Me demander cela à moi... et devant
le petit ! » Alors, pris d'une fureur blanche :

« Et ça ? hurle le sergent-chef Demartin en montrant ses décorations. Et ça ? (L'éclat d'obus sur sa
nuque, l'avant-bras raviné : Argonne 1918.) Et ça ?

— Ce n'est pas officiel », répond sèchement
l'employé.

« Il a raison, se dit le vieil homme. Patrick non
plus, ce n'est pas *officiel*. Kléber, prends garde ! »
Comme deux ans plus tôt face au petit homme
noir, le voici brusquement sans défense devant ce
monstre aveugle : l'administration. Est-ce que c'est
« officiel » de vivre ? de survivre ? Il ne répond rien
mais s'en veut : prudence et lâcheté, pour lui,
c'est tout un... Il fouille nerveusement dans son
portefeuille plus usé qu'un genou d'éléphant,
extrait sa carte d'ancien combattant (en fait tomber
deux autres, dit « pardon », mais à qui ?) et la jette
sous le nez de l'embusqué. Pourvu, du moins, que
le petit...

« La voilà ! s'écrie Patrick, étranger à tout autre
combat qu'à celui du caramel et de la dent. La
voilà ! »

Il présente, entre deux doigts gris, un petit bout
d'ivoire enrobé de sang. Par-dessus ses lunettes
sales, l'employé lui jette un regard à la fois indifférent et hargneux : un regard d'âne.

On passe à un autre guichet, grillagé celui-là,

pour toucher la somme. Patrick n'a jamais vu autant d'argent.

« Franchement, tu y crois encore à « la petite souris ? » demande brusquement Kléber.

— Non.

— Alors, ne perdons pas de temps. »

Il lui remet une pièce de deux francs toute neuve qui, avant tout merci, disparaît dans le « porte-monnaie cuvette », et lui-même empoche la dent. Elle enrichira son musée Patrick, lequel contient déjà le pistolet de juillet 44, deux dents plus petites encore, et une certaine rédaction : *Décrivez la personne que vous aimez le plus au monde* (« Du sentiment mais pas d'expression, et quelle orthographe ! ») que le vieil homme n'a jamais pu relire sans pleurer.

Ils redescendent l'escalier, enchantés l'un de l'autre ; mais Kléber se ravise, entraîne de nouveau le garçon vers le bureau de son ennemi, et royal, venimeux, pousse vers celui-ci une poignée de monnaie :

« Tenez, ce sera pour vos frais... Viens-t'en, bonhomme ! »

L'employé dispose de six mois pour digérer un affront que redouble sa propre stupeur ; mais sans doute apprête-t-il déjà son venin. Allégé du sien, Kléber retrouve avec délice le chemin torride ; il s'y arrête afin de mieux respirer cet air du Plessis Belle-Isle dont il affirme qu'il est célèbre dans toute la région parisienne pour sa légèreté, sa pureté, sa...

« Respire, bonhomme : une, deux... J'aspire, je souffle... La fleur, la bougie... »

Bonhomme remplit docilement ses poumons étroits à la fournaise de l'été. La fleur, la bougie... Sur le chemin du retour, tous les « chiens méchants » qu'annoncent les plaques émaillées dorment benoîtement.

Voici nos gens rentrés ; l'emploi du temps prévoit : Atelier jusqu'à dix-huit heures.

« Et toi, petit, que vas-tu faire ?

— J'ai du travail. »

Ce seul mot suffit à creuser la ride de son front ; le vieux pouce l'efface. « *Pourrait mieux faire ?...* Il me semble qu'il en prend le chemin, bigrebougre ! S'il travaille enfin davantage, il pourra devenir... est-ce que je sais ? Instituteur, peut-être ! » Kléber considère avec fierté ce petit dont, comme tout Français, il rêve de faire l'un des personnages qui ont contrarié son enfance buissonnière. Et tout à l'heure, pour ne pas déranger le bon écolier, il enveloppera d'un chiffon son marteau. Bien mieux ! ses refrains de travail favoris, il les abattra en plein vol : *Est-c'vous la petit'dame — qu'était l'autre tantôt — près d'moi dans l'métro...* Tais-toi donc, Kléber ! Le petit est à l'ouvrage.

Pourtant, vers l'heure du goûter, il n'y tient plus : entrouvre la chambre de l'écolier... Quoi ? Ni livre, ni plumier ? La table transformée en établi et Patrick, un semblant d'outil à la main...

« Mais... qu'est-ce que tu fais ?

- Comme vous, papa. »

Hélas non, tout le contraire ! Il glane ses matériaux dans la poubelle parmi les rebuts de l'artisan.
L'un restitue, reconstitue ; l'autre, aussi tena-
cement, démonte, démantèle. Les objets n'intéressent
point Patrick, *seules les apparences.* Il s'agit de
fabriquer hâtivement un semble-phare ou un
semble-avion avec les entrailles d'une bouilloire
électrique, puis une illusion de navire avec les vestiges des deux. Fragiles et nerveuses comme des
pattes d'oiseaux, les petites mains tremblent d'impatience et de maladresse en tordant, crochetant, fice-
lant, malaxant... Instituteur, Patrick ? Jamais :
un « homme-mains », comme Kléber. Quelle
déception...

« Je fais comme vous, papa ! »

D'un seul regard à la table, Kléber a compris que
c'est tout l'inverse et, d'un seul à l'enfant, qu'il suffirait d'un mot pour le désespérer. Dans ses yeux
bleus, Patrick guette l'orage ou le beau temps. Si
fier, l'instant d'avant, si anxieux tout d'un coup.

« Papa...

— Mon petit ? »

Sa main patiente, habile : cet outil tiède et sûr
qu'est sa main, celles de Patrick s'y réfugient soudain, comme deux petits sous l'aile de leur mère.

« C'est bien, murmure-t-il enfin avec effort, c'est
très bien, tout ça... »

Il hoche la tête, se sachant observé ; hoche la
tête, plisse les lèvres en connaisseur.

« Et là, qu'est-ce que tu as voulu faire ? Je veux
dire : qu'est-ce que c'est ?

« — Le mouvement perpétuel, répond Patrick d'une voix altérée, j'y suis presque arrivé. Regardez, papa ! »

Il explique son invention ; puis une autre ; puis toutes. Sa voiture à eau, sa gare automatique. « Oui, mais tu devrais plutôt... » commence Kléber. Paroles magiques ! Patrick se sent absous, sauvé. Le vieil homme, qui l'observe à la dérobée, découvre pour la première fois le visage qu'il aura dans deux ans, dans dix ans. Car, dans le feu de l'invention, Patrick en ce moment lui parle d'égal à égal. « Il grandira, il deviendra un homme », songe Kléber, et son cœur se serre ; il se voit vieux, faible, si faible. Mais dans le même instant — allez donc comprendre ! — ce cœur se gonfle de fierté : « Je lui apprendrai... Il aura mes outils... Il fera mieux que moi... » Il se voit dépassé, démuni, mais aimé. « Et peut-être qu'à leur tour, ses propres enfants... » Cette pensée le paie de tout. Il vient de découvrir l'amour paternel.

Quatre de trèfles hurle à temps pour l'empêcher de s'attendrir.

« Allons bon (un vrai barrage d'aboiement), qu'est-ce qui se passe encore ? Vas-tu te taire !

— Excusez-moi... »

Celui qui se tient sur le seuil, humble mais insistant comme un chien — et contre lequel, cependant, s'arc-boute Quatre de trèfles — est vêtu d'un pantalon dont il suffit de le voir pour deviner qu'il n'en possède point d'autre, et d'une chemise aux aisselles douteuses. Il sourit d'avance, comme les quémandeurs, comme les éconduits. D'une main un peu sale ou velue, on ne sait, il rassure de loin.

« Excusez-moi... »

Sa personne tout entière exprime qu'il n'est là qu'en passant, qu'il va partir tout de suite. Patrick observe qu'il est maigre, Kléber que bedaine et menton ne demandent qu'à engraisser.

« C'est pour quoi ? » commence-t-il d'une voix bourrue ; mais il s'avise que ce sont les paroles mêmes de son ennemi l'employé et se radoucit :

« Que peut-on faire pour vous ?

— Je passais voir... (« Quel drôle d'accent », pense Kléber ; « Un accent drôle », pense Patrick.) voir si vous n'auriez pas des vieux objets, de la ferraille à vendre. »

Il tombe mal ! La seule maison du Plessis Belle-Isle où le moindre débris est sacré... Et le jour même où les deux usines, Démolition et Réparation, viennent de fusionner...

Kléber le lui expose à sa manière. Le visage mou du visiteur exprime exagérément combien il est navré. Sur le mode militaire, le vieux lui demande son nom. Mais ce nom (quelque chose comme « Venividivici ») l'autre l'escamote au profit de son prénom, de son surnom : Roger-la-Brocante. C'est lui qui vient de s'installer sur la décharge, près de la route qui mène à Fontaine-au-Bois.

« Qu'est-ce que c'est, une décharge ? »

N'était ce visiteur, Kléber répondrait à Patrick

« L'un de ces champs où Paris vient vider ses ordures, et ne t'avise pas d'y mettre les pieds : c'est malsain et ça pue. »

« ... Toutes sortes d'objets qui ne servent plus mais pourraient encore servir », explique-t-il avec un embarras courtois.

Roger-la-Brocante lui en est bien reconnaissant et ajoute humblement :

« On croit que ça sent mauvais et que c'est malsain. Pas du tout ! »

Il campe à même la décharge, raconte-t-il avec volubilité, et jamais ne s'est aussi bien porté. A midi, une caravane de camions verts, un bataillon de boueux viennent étaler leur butin ; vers quatre heures, la poussière est retombée : on peut travailler. Plairait-il au petit garçon de lui rendre visite ? Rien de plus facile : station d'autobus « Ancien château de Piermont » (et le contraste ne semble nullement l'étonner). Le petit garçon pourra fouiller, emporter tout ce qu'il voudra...

« Le petit garçon » tourne un visage rayonnant vers Kléber qui commence à regretter sa courtoisie. Roger-la-Brocante repose sur ses cheveux bouclés et gras une petite casquette sale, la retire pour s'excuser encore, et sort à reculons à cause de Quatre de trèfles qui, flairant son départ, aboie impunément.

« Pauvre diable, murmure Kléber en haussant les épaules.

— Pourquoi ? »

« Parce que je te le dis ! » pense le vieil homme

exaspéré qui se contraint à expliquer posément que « Chiffonnier, voyons Patrick ! Tandis qu'instituteur, par exemple... ». Les yeux fixes, la bouche légèrement ouverte, ses deux interlocuteurs inclinent la tête vers son discours — mais le chien l'écoute mieux que le garçon.

Quand le soleil se retire du coin où il dort, Quatre de trèfles frissonne, ouvre l'œil, reconnaît l'heure. Il se lève, bâille et s'en vient geindre derrière la porte de Patrick jusqu'à ce que...

« Papa, je pars chez Mme Irma.

— Déjà ? Ne rentre pas plus tard que dix-neuf heures. »

« Dix-neuf heures » ! Si le petit ne revient qu'à dix heures, ou à neuf heures, Kléber ne devra s'en prendre qu'à son langage cheminot...

Garçon et chien sortent au moment où le soleil abdique : souverain déchu, il se laisse regarder en face et descend les degrés de marbre rose. Patrick ressent soudain une inexplicable mélancolie qu'il traduit de façon rassurante : « Demain, math et dictée... barbe ! »

« Je vous attendais », déclare noblement Mme Irma sans même les regarder.

Après deux ans, Patrick frémit encore à sa vue. Il l'admire et la craint passionnément, ce qui pourrait passer pour le contraire de l'amour.

Mme Irma rafle ses cabas d'un geste impérieux ; les objets alentour, ses esclaves, paraissent atterrés. « Allons ! » commande-t-elle, et la voici partie devant, sans paraître se soucier d'être suivie, mais l'œil aigu regarde par-dessus l'épaule. « Elle a un gros derrière », pense Patrick qui, d'instinct, lève le coude en pare-gifle : car il a toujours cru Mme Irma capable de deviner les pensées elles-mêmes. Puis, enhardi par l'impunité : « Un énorme derrière », constate-t-il.

« Que je te voie un peu ! » décide-t-elle soudain en s'arrêtant.

Et Patrick sent avec joie la main rude et douce vérifier le col de sa chemise, les boutons de sa culotte, les...

« Change de chaussettes !

— Mais c'est après-demain que...

— Dès demain, et apporte-moi celles-là. Oh ! ce fond de culotte ! Mais tu cires les bancs de l'école avec, ma parole !... » Et, presque aussi brutalement : « Embrasse-moi ! »

Il éprouve plaisir et dégoût mêlés à sentir sur sa peau ces lèvres humides et molles, et sous ses lèvres ce satin fripé, ce velours farineux ; à respirer de près cette odeur qui, chez Kléber, n'existe qu'au printemps, dans leur petit jardin.

« Et ton *père ?* demanda Mme Irma en insis-tant bizarrement sur le mot.

— Papa va bien.

— Je m'en doute. Sinon, je serais la première à le savoir. Tout de même ! Mais raconte un peu... »

Elle exige toutes sortes de détails sur leur exis-tence. Ceux dont Patrick a fait provision parce qu'ils devraient intéresser une grande personne :

cuisine, ménage, l'irritent plutôt. Elle le laisse dire, afin de ne pas désamorcer la pompe, mais ne cesse de marmonner cependant. Ce qu'elle voudrait connaître ? Tout ce que l'enfant n'a pas remarqué : les moindres nuances du visage et de la pensée de Kléber. Mais comment le devinerait-il ? Pour lui, les grandes personnes ne s'aiment que lorsqu'elles sont jeunes, ou mariées ensemble.

Le récit hésitant et le murmure bougon accompagnent la tournée de Mme Irma, mère de tous les chats abandonnés. Car voici qu'il en sort de partout au simple froissement de sa robe majestueuse : de sous les roulottes aménagées en logis et des abords herbus des pavillons sans chiens ; du faîte des murs ruinés et d'entre les barreaux des grilles d'anciens domaines. Les jeunes accourent et, la queue dressée, se frottent aux jambes de leur fée ; les anciens se contentent d'ouvrir les yeux, ce qui constitue, chez les vieux chats, un signe appréciable d'amitié. A chacun son petit tas de déchets choisis et apprêtés selon son goût. Cela leur semble tout à fait naturel et, repus, ils disparaissent ou se rendorment sans autre merci. Patrick fait part à Mme Irma de son indignation.

« Les enfants et les bêtes, on ne leur demande rien d'autre que de se bien porter et d'être gracieux... Et fidèles », ajoute-t-elle plus bas en enveloppant le garçon d'un regard douloureux. « Que veut-elle dire ? »

Quatre de trèfles suit la procession en geignant et en levant haut chaque patte comme si le sol

le brûlait. C'est qu'il le brûle ! Pour lui, quel enfer
quotidien, tous ces chats qu'on honore au lieu
de les courser, nourrit au lieu de les croquer... Il
geint, dresse vers Patrick une truffe suppliante,
prend à témoin la reine Irma qui le foudroie des
yeux, l'injurie noblement et le battrait sans doute,
n'était son embonpoint. Mais, pour Quatre de
trèfles, le plus humiliant est qu'il se surprend à
éprouver une sorte d'amitié pour ces ennemis. Des
pelés, des galeux, des bâtards de tout poil, orphelins d'oreille, de queue ou même d'une patte, borgnes,
estafilés...

Quand le dernier des chats, gavé, lèche ses babines
et lisse ses moustaches, alors s'achève le supplice
du chien.

« A demain, mam Irma. »

Elle lui a demandé, avec une gêne qui le gênait
bien plus encore, de l'appeler maman — « mais
pas devant ton père, tu comprends ? » Non, il ne
comprend pas et surtout ne s'y résout point. Alors,
hypocritement, il dit « mam Irma » : il pense
madame ; elle entend *maman*...

« Tiens, petit, voici ce que tu m'as demandé. »

D'une poche secrète, elle tire une longue liane
de laine tressée : c'est une laisse « pour si je rencontre une bête perdue, mam Irma ! » Patrick
l'enfouit gravement dans sa poche avec le porte-
monnaie cuvette, le morceau de craie, et la noix
de l'autre saison. Papa ne désespère pas de lui
apprendre à sauver les objets au lieu de les mettre
en pièces ; mais mam Irma l'a déjà convaincu de

sauver toutes les créatures : bêtes et fleurs. Au printemps, lorsqu'il voit tant de graines voler et se perdre, il les suit d'un œil soucieux.

« Merci, mam Irma. A demain ! »

Les souverains ne répondent que d'un geste bienveillant. Pourtant, celle-ci daigne, après quelques pas, se retourner :

« Tes chaussettes, n'oublie pas ! »

Mais déjà Patrick galope vers la maison, vers l'heure de l'écluse : se hâtant d'un rite à l'autre, comme l'enfant de chœur inscrit à deux paroisses.

Kléber ferma la porte, tourna deux fois la clef, regarda le ciel, observa son cerisier, sa glycine — Bien ! Puis il prit dans la sienne la main de Patrick sans même avoir à s'assurer que le garçon l'attendait à la barrière : c'était ainsi chaque soir à sept heures (dix-neuf heures). Kléber s'arrêta, face à la maison, devant le verger de Soucy dont il passa en revue les espaliers avec une gravité de nouveau ministre. De sa canne à pommeau de cuir, de sa canne de guerre, il désignait à Patrick les fruits les mieux noués. « Bel automne, prophétisait-il, bel automne... »

Puis ils s'engagèrent, à droite, sur le chemin d'Yveline-le-Pont qui, tournant le dos au Plessis Belle-Isle, descendait vers le fleuve et l'écluse. La rue devenait route insensiblement, semait ses derniers réverbères, abolissait ses trottoirs — une dernière plaque d'égout, une borne coiffée de jaune : adieu commune, bonjour village ! On longeait d'anciens domaines, morcelés et lotis, mais dont de très vieux arbres ou quelque grille monumentale portaient encore témoignage. Les foins venaient tardivement d'être coupés, et leur odeur puissante niait le voisinage de Paris et ce long cri des trains qui parvenait parfois de Gravelle-triage, comme un appel au secours. De l'ancienne conciergerie d'un château disparu, une famille nombreuse avait fait sa demeure, et les enfants piaillaient, sans autre raison qu'un peu trop de bonheur, comme font les oiseaux le soir. Patrick les observait avec envie. Il ne savait pas s'il eût préféré posséder un grand frère, une sœur, ou un petit frère ; mais il avait envie de pleurer. Kléber l'entraîna doucement :

« Passons donner le bonsoir à Ernest. »

C'était un ancien cheminot, reconnaissable à la chemise bleu-nuit, à la casquette, à la grosse montre. Dans son jardin-musée on ne pénétrait que sur la pointe des pieds. Il y avait fait grimper des clématites après de petits arbres morts, courir sur des rocailles des plantes inconnues, surgir dans le gazon des coussins de couleurs. Un tunnel de rosiers conduisait à sa petite maison que gardait une rangée de lis. Mais Ernest tournait le dos à ces merveilles :

« Ma vigne me donne du souci, Kléber. »

Aucun des deux vieux compagnons ne savait encore que cette sorte de soucis s'appelle le bonheur. Patrick, seul, prit peur soudain et s'agrippa, tel un noyé, à la grosse main :

« Papa ! »

— Quoi donc ?

— On est heureux, n'est-ce pas ?

— Bien sûr », dit Kléber, et il ne comprit pas pourquoi le petit garçon fondait en larmes. « Philippi, oh ! Philippi... »

Tout à sa vigne, Ernest ne s'aperçut de rien. Le parfum enivrant des lis, les cris aigus des martinets qui semblaient nager dans le ciel, une cloche villageoise de l'autre côté du fleuve...

« Adieu, Ernest », fit Kléber d'une voix plus sourde qu'à l'habitude ; et il entraîna ce petit enfant qui pleurait doucement en répétant : « On est heureux, papa, on est heureux... » Pour toute réponse, la vieille main serrait à l'étouffer sa tiède proie.

Quand ils parvinrent à l'écluse d'Yveline-le-Pont, une péniche s'y trouvait en transit. « Chic ! » pensa Patrick qui s'envola de sa tristesse aussi soudainement qu'un oiseau d'une branche ; et Kléber s'en réjouit plus encore : il allait pouvoir lui faire un cours.

« Pour qu'une rivière soit navigable, comprends-tu... »

Ce mécanisme lent, fatal, évident, satisfaisait pleinement l'ingénieur Patrick. « J'aurais pu l'inventer », songeait-il avec une graine d'amertume. Heureusement, il lui restait la voiture à eau et l'avion sous-marin.

Du système d'éclusage, Kléber était passé aux principes des chemins de fer : triage, échelonnement, sécurité... Et, peu à peu, se dessinait devant

Patrick l'image d'un monde mécanique, régi par
la pesanteur, l'inertie et quelques découvertes très
simples ; un monde de vannes, d'aiguillages, dont les
signaux paisibles veillaient haut dans la nuit. Dans
le double filet de ses chemins ferrés et de ses voies
navigables, le pays pouvait s'endormir avec
confiance. Cette péniche qui s'élevait sans effort
et dont les mariniers chantonnaient dans le soir,
de longues heures d'eau calme l'attendaient, des
crépuscules de paix pareils à celui-ci. Tout respirait
la sécurité, la certitude du lendemain ; et Patrick,
l'enfant perdu, remontait doucement lui aussi.

Quatre de trèfles les attendait en se dandinant
d'une patte sur l'autre, car il ne vivait jamais que
dans l'impatience ou la somnolence.

Après le dîner, Kléber endossa son veston de
cérémonie, épingla sur son béret l'insigne de
son ancien régiment (il avait commencé la Grande
Guerre comme chasseur alpin), car les anciens
combattants tenaient réunion ce soir, au café de
la mairie.

« Je passe prendre Théophane.

— Si j'allais avec vous jusque-là ? Oh ! papa, s'il
vous plaît... »

« Cet enfant ne me demande jamais que ce qui
me fait plaisir », pensa le vieil homme. C'est la
définition même de la Grâce, mais il l'ignorait
aussi. Il faisait tiède ; Kléber se sentait débordant
de gratitude. Lorsqu'ils atteignirent la petite maison de Théophane, la première étoile semblait

s'être arrêtée juste au-dessus d'elle, seule mais non perdue dans le ciel immense.

L'autre vieux attendait en lisant .et, comme il articulait chaque syllabe, sa barbiche accomplissait une tâche harassante : il avait l'air de dévorer son livre, ligne à ligne. Il le referma posément, le replaça dans une bibliothèque aussi serrée et ordonnée qu'un cimetière militaire et dont tous les volumes avaient trait à la Guerre de 14-18. Depuis, personne n'avait rien écrit d'intéressant. « D'ailleurs, quand on a connu ce temps-là... hein Kléber ? »

« *Oncle* Théo, demanda Patrick (toutes les fois que, mère exceptée, il pouvait se constituer une famille, il se sentait mieux assuré), est-ce que je peux faire jouer votre phonographe ? »

Oncle Théo n'aimait guère qu'on y touchât, mais quoi ! c'était visiblement le but de la visite.

« Tu exagères, gronda Kléber.

— Va, va », permit l'autre.

Il parlait peu, vous observait beaucoup ; puis baissait les paupières longuement afin de prier, mais lui seul et Dieu le savaient.

« Pour l'élection de ce soir, Kléber, j'ai l'intention... »

Mais l'appareil couvrit sa voix :

> *Le régiment de Sambre-et-Meuse*
> *Chargeait toujours au cri de « Liberté »...*

Patrick, en choisissant ce disque, jouait à se

faire frissonner. Tandis que « Salut au 14e de ligne » ou « A nous, un, deux ! » le faisait seulement galoper à la tête de ses troupes, « Le rêve passe » et « Sambre-et-Meuse » lui donnaient, de plus, la chair de poule avec l'inébranlable intention de mourir pour la patrie. Oh ! être le plus jeune mort de cette guerre... Hélas ! elle était terminée ; Patrick ne s'en consolait pas. Le disque grattait, mais en cadence : les rauques tambours de l'usure menaient à la victoire le régiment de Sambre-et-Meuse derrière un ténor obèse.

« Partons maintenant », dit Théophane, le disque achevé.

Lui aussi avait changé sa veste pour un vêtement dont la boutonnière portait un ruban rouge. Patrick, dans un recoin obscur, aperçut la grande valise. « Si je pouvais rester un moment derrière eux... »

« Passe devant ! Et couche-toi aussitôt, mon petit. »

Les deux hommes l'embrassèrent. La barbiche de l'un lui parut plus douce que les moustaches de l'autre : « C'est qu'il est plus vieux que papa », pensa-t-il.

Avant d'atteindre l'horloge où leurs chemins bifurquaient, il fit, tout en courant, plusieurs volteface afin de les voir encore ; ils marchaient au pas. Kléber aussi se retourna, mais jamais au même instant. Chacun des deux crut que l'autre ne pensait déjà plus à lui et souffrit un peu.

Seul dans la maison (ce qui n'arrivait presque

jamais) Patrick, le cœur battant, entreprit d'explorer. Mais le premier placard qu'il ouvrit, un uniforme bleu-ciel avec fourragère et décorations en interdisait l'accès, telle une sentinelle, et le garçon se retira à reculons, sur la pointe des pieds.

Devant la glace de cet évier qui leur servait de salle de bain, Patrick demeura longtemps, bien trop longtemps au gré du chien qui couchait là. Quatre de trèfles se levait d'un coussin creusé à sa forme, comme un écrin, et faisait deux ou trois tours sur lui-même avant de reprendre exactement la même place. Mais Patrick ne comprenait pas : bien trop attentif à compter ses cheveux, tâche sans cesse entreprise puis abandonnée avec désespoir (comme celle d'apprendre à siffler). Quatre de trèfles, qui le suivait d'un œil rancunier, le vit soudain s'immobiliser devant son reflet, répéter plusieurs fois le même geste et rire de plaisir. Il venait de s'aviser d'une merveille : sa main droite, dans la glace, devenait main gauche ! Son œil droit... son bras droit... — Pas de doute : un gaucher, son jumeau habitait le miroir. Il se mit alors à gesticuler pour deux, fasciné par l'adresse et la vélocité de ce Patrick. Gaucher comme papa ! Capable de déjouer tous les adversaires au tir, à l'escrime, à la guerre. Il resongea à « Sambre-et-Meuse » et frissonna. Ainsi, il lui suffisait désormais d'y penser pour avoir la chair de poule : il était devenu un vrai patriote...

Soudain, sans autre mobile que la géniale intuition des savants, il sortit de sa poche la pièce de

deux francs et la posa sur l'eau : *elle flottait.*
Elle perdit, aussitôt toute valeur à ses yeux. « Il
faudra que je le dise à papa... — Non ! ce ne
serait pas délicat. » Ce scrupule de conscience
l'enchanta et le consola à demi. Quatre de trèfles
tourna sur lui-même, une fois encore, en geignant.

« Oui, promit le garçon, je me dépêche. »

Il tint parole et, généreusement, se borna, pour
toute toilette, à mouiller sa brosse à dents. Chaque
soir, Kléber s'assurait, en y passant le pouce, que
cette brosse venait de servir ; et Patrick, qui l'avait
observé, se contentait de la tremper dans l'eau.

Le clocher du Plessis Belle-Isle et celui d'Yveline-
le-Pont sonnèrent la demie de neuf heures à quelques
secondes d'intervalle, pareils à deux vieux qui se
répondent posément, réflexion faite. Revenu dans
sa chambre, Patrick barra JEUDI 7 JUILLET sur tous
les calendriers épinglés au mur au-dessus de son
lit : six calendriers ! car il n'avait pas encore peur
du Temps notre ennemi. « Barbe ! demain vendredi : math et dictée », songea-t-il une fois de
plus, et presque au même instant : « Chic ! l'autre
lundi, les vacances...» Il se déshabilla, décolla avec
peine des chaussettes que, demain matin, il retrou-
verait pétrifiées, les porta à son nez pour les humer.
« Mam Irma a raison... Mon caleçon ? (Il le flaira.)
Mon caleçon aussi ; mais elle ne m'en a pas parlé :
je le garde. »

Pareil au chien, il se retournait dans son lit à
la recherche du sommeil. Ce soir, papa n'était
venu ni le border ni, sur son insistance, le *bougonner* :

l'embrasser une seconde fois en grognant. Papa,
en ce moment... Patrick s'imagina la réunion
d'anciens combattants : une assemblée de héros
aux surnoms légendaires ; on y lisait des citations
à l'ordre de l'armée, on y faisait l'appel des morts,
on y chantait « Sambre-et-Meuse » au garde-à-
vous.

En fait, dans l'arrière-salle du café, parmi la
pauvre tabagie et les relents de la cave, voici quinze
bonshommes de poil gris ou blanc qui s'observent
avec amitié mais dont chacun pense que les autres
ont bien changé depuis la dernière fois. Aujour-
d'hui, ils ont touché leur retraite : l'Etat, en rechi-
gnant, s'est souvenu, comme deux fois l'an, que
sans eux, il n'existerait plus. Quinze survivants
(dix-huit, l'année passée) dont certains se disent
peintre, comptable, ébéniste ; mais celui-là ne sert
plus qu'à garder l'atelier, celui-ci à porter des bor-
dereaux entre deux étages, et cet autre, un bâton
à la main, à empêcher les piétons de passer sous
l'échafaudage. Chacun d'eux ment, par dignité,
mais d'abord à lui-même. Il refuse cette image d'un
héros que lui renvoie le miroir déformant du
Temps. « J'étais au Chemin des Dames... J'étais
au Mort-Homme... » Ils discutent retraites et pen-
sions. Parvenus à concilier la nostalgie et la glo-
riole, l'amertume avec la satisfaction, ils vivent en
équilibre : plus dangereusement que sur la Marne
ou l'Yser, mais ils l'ignorent. Patrick les protège ;
des centaines de mille de Patrick sont les gardiens
de leur légende. Tant qu'il y aura des petits garçons

pour écouter leurs récits, bouche ouverte, leur
poser des questions au lieu de consulter l'heure
à la dérobée, demander la permission — Grand-
père, rien qu'une minute ! — de coiffer le calot
bleu horizon, le Temps n'aura pas de prise sur
eux.

Patrick s'endort enfin, sous un arc de triomphe.
A moins d'une lieue, de l'autre côté du plateau,
un autobus tardif remonte de Paris. Gravelle-triage,
rond-point des Veuves, Villeserve-mairie, la Prolétarienne... il ramène dans leur banlieue enchantée
les derniers otages de la ville, dont Mme Irma.
Elle aussi ment, se ment, survit : laissant croire,
quand on l'a nommée habilleuse, qu'elle était toujours choriste ; ouvreuse, qu'elle était encore habilleuse. A présent que son embonpoint la relègue à
la garde des lavabos, elle se dit ouvreuse. Ces fonc-
tions humiliantes lui permettent, du moins, de
quitter le théâtre aussitôt après le dernier entracte.
De son strapontin, qu'elle déborde de toutes parts,
elle n'a plus le déchirement de voir mourir
Mélisande ou poignarder Carmen. Tout le répertoire lyrique s'achève sur un duo d'amour depuis
qu'elle a rétrogradé. Ce soir encore, c'était elle qui,
sur cette scène poussiéreuse, aimait et chantait sous
la robe de Mimi, elle que le public applaudissait.
Et Rodolphe (comme hier Don José, comme Pelléas
avant-hier) ressemblait singulièrement à Kléber
Demartin...

Lui-même, en ce moment, vient de serrer la main
de son vieux compagnon Théophane — Bonsoir.

mon capitaine — et rentre chez lui au pas cadencé. Il vient d'être élu président de la section des anciens combattants du Plessis Belle-Isle, et il bombe le torse. « La fierté de Patrick quand je le lui annoncerai... Bigrebougre ! » Il sourit tout seul, le vieux Kléber : Une, deux... Une, deux... Il avance, le regard aux étoiles, la mémoire soudain assiégée par tous les camarades disparus. Debout les morts ! Il avance, entraînant derrière lui des armées, des armées, toutes les armées de Verdun...

III

« JEUDI MATIN, L'EMP'REUR
ET LE P'TIT PRINCE... »

Le matin du 14 juillet, les coqs du Plessis Belle-Isle, pris de frénésie révolutionnaire, annoncèrent ce grand jour avant que le soleil en fût levé. Leur trompette rouillée, ils se la transmirent l'un l'autre — de l'Ancien Château de Piermont à la Prolétarienne, de la Maraîchère à l'écluse — jusqu'à réveiller au moins un humain, et ce fut Kléber. De son lit fait « au carré » et où il dormait allongé sur le dos tel un mort, le vieil homme s'extirpa non sans quelques « bigrebougre ! » parce que ses douleurs aussi s'éveillaient une à une. Ce mal aux reins surtout, qu'il appelait « mon aiguillon » et qui servait à son corps de conscience : « Kléber, tu ne dors pas assez... Kléber, tu restes assis trop long-temps... »

« Tant *pire !* » lui répondit-il à mi-voix.

La croisée lui ouvrit ses bras, les volets ouvrirent les leurs à la naissance du jour et la jeune brise s'engouffra. « Il fera beau. Un peu orageux vers le soir... » Quand le ciel prenait, comme ce matin, la couleur de ses yeux, il se sentait d'accord avec la Création tout entière. Il lut 4 heures 11 à l'horloge livide ; mais son autre versant (4 heures 14) rosissait déjà au levant. Kléber prêta l'oreille dans cette direction : chat noir en fureur, une locomotive crachait rageusement sa vapeur à Gravelle-triage. Kléber imagina le mécanicien, son compagnon, au visage salpêtré par une longue veille. Il songea aussi que, dans les casernes épaisses qui, le matin, ont si mauvaise haleine, des soldats fourbissaient déjà leurs chevaux et leurs armes pour être prêts, trois heures d'avance, à défiler.

« Je devrais bien emmener le petit saluer les troupes et les drapeaux sur les Champs-Elysées... Bah ! plutôt le 11 Novembre. »

« Bah ! plutôt le 14 Juillet », avait-il décidé le 11 Novembre dernier, car la ville était son ennemie.

Une corneille traversa la route d'Yveline-le-Pont ; elle se rendait à pied jusqu'aux jardins maraichers que seuls les oiseaux hanteraient aujourd'hui. Kléber et l'animal s'observèrent sans crainte mais sans amitié.

La fleur... la bougie... Avec des gestes de danseuse, il préludait à sa culture physique matinale par de vastes exercices respiratoires. L'air sentait les foins humides de la nuit, le fleuve proche, les roses du voisin. Kléber appliquait une vieille méthode et ses mouvements saccadés dataient du cinéma muet.

« Une, deux, ...ois, quatre !... Une, deux... Tiens, par exemple ! »

Roger-la-Brocante et quelques compagnons progressaient de poubelle en poubelle, remplissant de leurs détritus les plus précieux une voiture d'enfant aux roues crissantes. Roger distribuait des ordres nonchalants et des regards vifs mais gardait les mains aux poches. « Il a déjà pris du galon, persa Kléber. Pourquoi diable est-ce que je ne l'aime pas ? » Tout à l'heure, quand les boueux passeraient à leur tour, ils se demanderaient quels chiens affamés les précédaient depuis quelques jours, éparpillant autour de chaque poubelle une corolle de papiers gras. Telle une bête de la forêt aussi longtemps qu'elle entend le promeneur, le vieux gymnaste s'immobilisa jusqu'à ce que les chiffonniers aient disparu de sa vue. Ensuite seulement, il reprit : « Une... eux ! » Ces exercices, les mêmes depuis quarante ans, l'essoufflaient cependant de plus en plus : il éteignait des candélabres entiers, aspirait des parterres de fleurs. Lorsqu'il eut achevé, il bourra son ventre de coups de poing — « aïe donc ! » — afin de se prouver que celui-ci demeurait musclé, puis se recoucha. Il maudit encore. Quatre de trèfles, lequel geignait à sa porte, et lui entrouvrit celle du jardin : « Et n'aboie pas pour rentrer ! » C'était, tous les matins, la même comédie. Enfin il se recoucha plus béatement encore et tomba en songerie. Un peu de passé, encore moins d'avenir, beaucoup de présent en formaient la trame ; passé un certain âge, c'est la recette même du bonheur.

Les aboiements du chien l'en arrachèrent : Quatre de trèfles interdisait le seuil — mais à

qui ? Qui pouvait se lever si tôt ? « Un autre cheminot », pensa Kléber. Oui, c'était Ernest qui se
planta devant la fenêtre ouverte et porta à ses
lèvres une trompette imaginaire :

« Soldat, lève-toi ! soldat, lève-toi ! soldat, lève-
toi bien vi-te... »

« Comptez, comptez vos hommes ! comptez,
comptez-les bien ! enchaîna la voix sourde. Quatre
de trèfles, ici !

— Ton chien fait plus de bruit que de besogne,
Kléber : il vieillit, lui aussi.

— Parle pour toi, Ernest ! »

« L'aiguillon » le punit aussitôt de sa forfan-
terie. Aïe donc... Tant pire !

« Dis-moi, reprit l'autre vieux, c'est le jour ou
jamais ! »

Et il brandit, d'une main, une tondeuse, de
l'autre, une étrange paire de ciseaux dentus qui
ressemblait à la gueule d'un crocodile.

Leurs cheveux noirs, puis gris, puis blancs, voilà
vingt ans qu'ils se les coupaient l'un à l'autre et
que leur poil repoussait à la même cadence ; vingt
ans que la tignasse des deux vieux écoliers passait, le même jour, du bourricot d'hiver au champ
tondu de juillet.

Kléber sortit la chaise et la serviette :

« Non, non, commence, toi ! »

Le vent du matin, qui patrouillait au petit trot,
s'attarda une dernière fois dans les cheveux de
Kléber et les releva en auréole autour de son
visage aux yeux mi-clos. Le coiffeur attentif respi-

rait très fort, les lèvres serrées ; et l'autre sentait le
souffle, issu des narines, lui chatouiller la nuque en
deux endroits distincts, mais il n'osait rien dire.
D'ailleurs, ils ne parlaient guère ; de temps à autre,
comme une bulle du fond d'un marais, le nom d'un
compagnon remontait à la mémoire de l'un d'eux.

« Et Blaville, dis donc ?

— Hé oui, Blaville... »

Le même soupir ou le même sourire puis, de
nouveau, le silence où crissait la tondeuse vorace,
où chantait un coq attardé. Ce fut le tour d'Ernest
de prendre les outils — « Penche la tête, Kléber.
Là, pas trop... » — et les ciseaux fendirent l'air,
telle une hirondelle.

« Et Verviers ? Tu te rappelles Verviers ?

— Il a dû monter, dit Kléber sans envie. C'était
un malin, lui ; il s'occupait du syndicat.

— Un malin, répéta l'autre amèrement, et qui
avait de la parenté : le président des Chemins de
fer s'appelle Verviers, comme lui.

— Tiens donc ! »

Kléber cueillit sur sa manche un gros flocon de
poils qu'il dispersa dans le vent. « Si blancs ? Allons
donc ! » Au miroir, il ne remarquait jamais que ses
sourcils demeurés tout noirs. Le coiffeur poursuivait sa litanie : « ... et Jardoux ?... Et Forcelin,
dis !... Et le gros Pujol ?... » Insensiblement ils passèrent aux morts, puis aux tués : « ... et Villadon,
le caporal ?... Et la nuit du 17 juin ?... »

« A propos, Ernest, tu assistes à la cérémonie,
tout à l'heure ? »

L'autre esquissa une moue, mais se rappela juste
à temps à qui il parlait :

« Je pense bien ! je ne veux pas rater ton discours,
Président... Allez, adieu. »

« Mon discours ! » Kléber se sentit soudain des
jambes de convalescent. Ernest s'éloignait, une
main faisant signe « au revoir », l'autre passant
son gros doigt dans l'encolure de la chemise : là
où les petits cheveux coupés le taquinaient. « Sacré
Kléber, il perd la main... » L'autre en pensait
autant de son coiffeur et courut offrir sa nuque au
robinet ; ce qui le fit éternuer à sa manière : sept
fois de suite — ce qui réveilla Patrick.

Deux heures durant, le vieux Kléber multiplia
les tâches inutiles afin de chasser de son esprit la
pensée du discours, mais en vain. Les solutions les
plus excessives montaient à ce front moite que le
gros mouchoir à carreaux délivrait bien de sa trans-
piration mais point de sa hantise. Démissionner
avant la cérémonie... Feindre une extinction de
voix. (En juillet, Kléber !)... Se contenter de réclamer une minute de silence... Ou l'appel des morts...

Il s'aperçut tout à coup que ces morts, il ne s'en
souciait absolument pas pour l'instant : pareil
aux hommes politiques, il ne songeait qu'à son
discours. Il en eut honte et, comme toujours lorsqu'il
se déplaisait, il jeta un coup d'œil apeuré vers la
chambre de Patrick. « Bah ! conclut-il, je passerai
chez Théophane », mais ce combat avait duré deux
heures.

A pas feutrés, le sourire aux yeux, il se dirigea

vers la chambre du garçon en chantonnant l'air du
réveil quotidien dont seul le premier mot variait
chaque jour :

Jeudi matin, l'Emp'reur et le p'tit Prince
Vinr' me chercher pour me serrer la pince…

Depuis deux heures — depuis les éternuements
impériaux — le p'tit Prince voguait, volait, galopait en plein héroïsme : les genoux en lutrin et
tout bossu à force d'attention, il dévorait *Les Belles
Images,* collection 1915-1916. Casques à pointe,
uhlans de la mort, aigles bicéphales… Il ne gardait
que juste assez de présence d'esprit pour tourner les
pages avec sa mauvaise main, afin de s'entraîner à
être gaucher.

« Papa, oh ! papa, cria-t-il mais sans quitter le
livre des yeux, vous l'avez connu, vous, le Kaiser ?…
Et tous ces petits enfants auxquels les Allemands
coupaient les mains, que sont-ils devenus ?… Et les
casques à pointe, est-ce que cela servait à tuer les
Français d'un coup de tête ? »

Kléber endigua les questions en proposant une
partie de trésor : fouiller dans le grand coffre où,
depuis près d'un demi-siècle, s'entassaient les *ça
peut* — tous les objets dont il disait : « Je les
garde : qui sait ? *Ça peut* servir un jour… »

L'enfant sauta à bas du lit. Il avait tellement
grandi que, penché en avant vers le coffre, la chemise de nuit lui rasait les fesses.

« Quel âge as-tu donc ? » demanda Kléber
étourdiment.

Patrick frémit : avec son prénom, son âge était son seul bien, sa seule certitude. Si papa l'oubliait...

« Douze ans, murmura-t-il comme on répond à un étranger.

— Tu es grand pour ton âge », fit gravement Kléber.

Il ne possédait aucune notion sur la taille des enfants : c'était seulement la chemise qui devenait trop courte.

« Oh ! s'écria Patrick que sa curiosité consolait déjà, qu'est-ce que c'est, là ? Oui, là...

— Mon poste à galène.

— Un poste de quoi ?

— De T.S.F. » Et devant la mine déçue : « Qu'est-ce que tu espérais donc ?

— La radio.

— C'est la même chose, mais vieux, très vieux : ... tends voir ! »

Les doigts si vifs, si blancs, serrèrent quelques vis, manipulèrent un bouton, un ressort : « ...coute voir ! » Il tendit à Patrick un écouteur, appliqua l'autre contre son oreille, coquillage desséché.

« Tu entends ?... Mais si ! Ecoute bien...

— Ah ! oui... Chut », commanda le garçon mais c'était à lui-même.

Du fond des temps, des entrailles de la terre, une voix achevait d'annoncer :

« ... notre série « La Belle Epoque » : *Idylle,* de Fragson. »

Et, de plus loin encore, une autre voix :

Vous avez, ma gentille,
Pris l'talon d'vot' soulier
Dans le trou de la grille,
La grill' du marronnier.
Ah ! permettez, de grâce,
Souffrez que je l'défasse !
Voulez-vous ? qu'j'lui dis.
Je veux bien ! qu'el' m'dit,
Vous êtes gentil,
Oui !

C'était une voix ténue, à la fois fragile et défi-
nitive : une voix d'outre-monde qui chantait ces
paroles frivoles. Patrick les écoutait, ravi, comme
s'il surprenait un secret. Il se retourna vers...

« Papa ! papa, vous avez mal ? »

Deux larmes lentes cheminaient le long de ses
joues devenues très blanches.

« Non, ce n'est rien... Cette vieille chanson...
Ma jeunesse », ajouta-t-il d'une voix plus sourde
encore.

Les yeux verts le consideraient craintivement.
« Une grande personne qui pleure... et pour une
chanson drôle ! » D'une pichenette, Kléber interrompit l'émission.

« C'est bête, dit-il en reniflant.

— Moi j'aimais bien, fit le petit ; et il tenta de
fredonner à son tour : « Vous avez, ma jolie... »

— Non : « ma gentille »... Tille... Sol, sol !...

Do, ré, mi, fa, sol. Connais-tu seulement ta gamme ? »

Patrick l'ignorait. Le vieil homme la lui apprit comme son propre père (1850-1924) la lui avait enseignée :

> *No, Ma-gen-ta, sol-fé-ri-no*
> *No-ri-fé-sol, ta-gen-ma-no.*

Puis il lui serina les paroles :
« — ...La grille du marronnier. » Après ?
— Ah ! permettez, s'il vous plaît... »
— Non : « Permettez, de grâce. » *De grâce,* tout est là, tu comprends ? »

Son élève, qui l'observait, s'aperçut que le maître à chanter avait les cheveux tondus et se persuada qu'il les avait coupés tout seul : à vrai gaucher rien d'impossible !

On continua d'exhumer des objets du trésor. Ils y reposaient par couches superposées, comme dans une coupe géologique : on y reconnaissait l'ère de l'Exposition universelle, celle de la Grande Guerre, celle des chemins de fer ; et Patrick, d'une main avide autant qu'aveugle, mettait à jour toutes sortes de merveilles mortes.

Soudain, avec cette versatilité qui angoissait tant Kléber, l'enfant s'arrêta, plissa douloureusement le haut de son nez :

« Je me demande... »

Il mettait une sorte de fierté à ne jamais achever ses réflexions, à laisser Papa l'interroger à son tour.

« Tu te demandes quoi ?

— Ce que vous allez dire dans votre discours. »

L'autre sursauta :

« Quel discours ?

— Pour les morts de la guerre : vous êtes leur président. »

Pris de panique, il dévisagea son petit garçon. Les longs cils noirs battirent précipitamment comme pour faire briller davantage l'insoutenable exigence de ces yeux couleur d'océan.

« Nous verrons, balbutia-t-il comme s'il s'agissait d'une récompense. Les morts n'ont pas besoin de discours ! » (C'était l'une des seules phrases qu'il eût réussi à forger, durant ces heures si pénibles.) « Euh... Ce matin, nous passerons ensemble aux bains-douches. Tu... Montre-moi tes ongles ! » commanda-t-il sur le ton de l'homme qui trouve enfin sa revanche.

La patte grise se faisait molle, moite, réticente, Kléber en attaqua chaque griffe à l'outil comme s'il se fût agi d'un objet à remettre en état. Si crasseuse qu'il ne pouvait s'empêcher de faire « Oh ! » à chaque nouveau doigt.

« Papa, supplia Patrick, pas celui-ci : il m'est tellement utile... » Et, comme cette requête laissait l'autre de glace : « C'est mon préféré », ajouta-t-il à voix basse.

Mais les tortionnaires tiennent-ils compte d'aucune préférence ? Celui-ci, les noirs sourcils en bataille, songeait seulement à son discours. « Serait-ce devant le monument aux morts ?... Et la gerbe,

bigrebougre ! N'aurait-il pas dû confectionner une
gerbe ? Les lis d'Ernest, peut-être... Des lis pour
des héros ? Tu dérailles, Kléber !... Ou plutôt à la
fin du banquet... Le maire se tournerait vers lui en
levant un sourcil, un seul, en guise d'invitation à
parler... Ou bien les camarades le réclameraient en
choquant du couteau leur verre : « Un dis-cours !
un dis-cours ! » Il en transpirait de fierté, de terreur ; et le petit garçon, qui l'observait, se prenait de défiance envers un homme qui pleurait en
écoutant de vieilles chansons comiques et dont le
front se couvrait de sueur parce qu'il coupait des
ongles.

    « Celui-ci, papa, ce n'est pas de la saleté : je
l'ai écrasé avec le marteau, vous savez ? »

    Un ongle noir et jaune et dont, soir et matin,
le garçon observait la repousse comme il guettait
sa dent nouvelle.

    « Ah ! fit Kléber en examinant l'ongle patient,
regarde-le bien pousser, bonhomme : c'est le temps
qui passe.

    — C'est rudement long !

    — Tu trouves ? soupira le vieil homme. Mais...
mais qu'est-ce que c'est que ça ? »

    « Ça », c'étaient six élastiques que Patrick avait
passés autour de son poignet droit et qui le ser-
raient si fort que, parfois, le sang affolé y envoyait
ses fourmis rouges. Il fallait bien alors, la droite
s'engourdissant, *ne se servir que de la main
gauche*... Mais le faux gaucher n'osa l'avouer au
vrai.

« Je les ai oubliés, dit-il en rougissant.

— Ou-bli-és ? »

Cette fois, les yeux bleus furent vainqueurs des yeux verts, et les élastiques disparurent dans le gouffre des *ça peut*.

« C'est comme cette bague, poursuivit Kléber à qui son discours rebroussait le poil, un bijou, à ton âge, je te demande un peu ! »

Mais non, il ne demandait rien : il savait qu'il heurtait un secret, et s'arrêtait à temps. Tel un chevreau prêt à charger, Patrick baissa la tête, un peu trop ; Kléber ne vit plus que le tourbillon blond de ses cheveux, s'attendrit mais osa poursuivre :

« Tu sais de quoi tu as l'air ? D'un pigeon bagué : son maître lui a passé une bague à la patte afin qu'on le reconnaisse s'il se croyait libre ! »

« Son maître ? Oh ! Philippi... » Patrick écarquilla les yeux pour retenir ses larmes. Le vieil homme vit seulement la patte du pigeon sauvage se crisper sur sa manche bleue. Et, ce matin encore, il n'osa pas demander : « Qui t'a donné cette bague ? » Seul vestige du passé de l'enfant et dont la vue lui rappelait, chaque fois, que *papa* n'était qu'un surnom... Ils souffrirent, chacun de son côté, chacun accusant l'autre de sa peine ; pourtant Kléber regretta le premier.

« Bigrebougre ! fit-il le plus jovialement qu'il put, fouille dans le trésor, bonhomme : prends-y tout ce que tu veux. Il faut que j'aille chez Théophane ; je reviendrai te chercher. »

Patrick n'avait pas relevé la tête ; Kléber passa sa main dans le champ de seigle et sortit très vite. Le garçon l'entendit appeler Quatre de trèfles, maugréer contre un oiseau pillard, refermer la barrière. Alors, brusquement, il tourna le dos au trésor, porta la bague à ses lèvres et la baisa passionnément. Puis, pour se venger du supplice des ongles, il entreprit de nettoyer chacun d'eux avec la mine d'un crayon.

Théophane hérissait sa petite maison de drapeaux qui dataient de l'autre victoire.

« Mes italiens et mes japonais ne servent plus, dit-il avec mélancolie en remisant l'échelle. C'est vraiment bête, les guerres... Mais quelle tête tu fais, Kléber ! »

L'autre lui exposa son embarras :

« Un discours ! Moi qui n'en ai jamais fait, sauf pour la communion de mon filleul en 21...

— Viens par ici. »

Ils s'assirent dans la maison fraîche, devant la bibliothèque militaire. Les livres s'ouvraient seuls aux pages mémorables. En silence mais dans une grande agitation de barbiche, le capitaine Trompe-la-Mort composa une allocution héroïque dont les vrais auteurs avaient nom Joffre, Foch et Clemenceau.

« On va les reconnaître, hasarda Kléber anxieux.

— Penses-tu. *Ils* ont tout oublié... Et maintenant, passe à côté l'apprendre par cœur.

— Par cœur ? comme... »

Il allait dire : « un écolier », l'autre acheva :

« Comme un ministre ! Eux aussi se les font écrire et les récitent devant une glace.

— Mais alors... » commença Kléber.

Il pressentait, à cet instant, que le monde n'est qu'une immense salle d'école avec ses tricheurs, ses bons élèves, ses dissipés. Théophane, qui le savait depuis longtemps, eut pitié de ce vieil enfant si docile.

« Je plaisantais, dit-il. Va... »

La mémoire de Kléber se prêtait mieux à retenir les aiguillages et les signaux que les citations tricolores. Et puis il pensait au vieux prof, de l'autre côté de la porte, et cela le paralysait davantage encore : il retrouvait des entrailles inquiètes d'écolier. Enfin, il s'en vint réciter humblement sa leçon héroïque.

« Pas mal. Plus d'intonation ! Surtout lorsque Clemenceau... Je veux dire : lorsque tu parles du rouge du drapeau et du sang de nos enfants.

— En bas de la page deux.

— Au dernier moment, repasse l'ensemble et ça ira. »

Debout, tel un chien savant, contre la porte vitrée, jappant doucement de tristesse, Quatre de trèfles regarda s'éloigner son dieu en deux personnes. Quand le buis taillé du voisin (que l'été roussissait déjà) les eut dérobés à ses yeux inquiets, il se consola en faisant le tour de son univers d'odeurs ; puis il se coucha, maussade, sur le sac de linge sale dont la fente odorante était pareille à une bouche qui lui parlait des siens.

Patrick, sur le chemin, s'appliquait à faire des pas aussi grands que ceux de Kléber et à poser ses chaussures comme lui. « Dire, dire, dire que je pourrais, moi aussi, avoir *le pied fantassin !* » Puis il observa cette grosse main qui tenait la sienne prisonnière.

« C'est drôle, papa : nous avons les mêmes taches rousses, moi sur la figure et vous sur les mains ! »

Il ne savait pas que celles-ci s'appellent « taches de vieillesse » ; Kléber non plus :

« C'est de famille », expliqua-t-il sincèrement.

Patrick se rengorgea : « Dans ma famille à moi, on a des taches... »

Il faisait déjà chaud. Dans le ciel, des montagnes de neige dérivaient lentement loin de cette fournaise. Kléber cracha tout blanc ; et son pied fantassin fit un détour pour en écraser la trace. Comme Patrick l'interrogeait du regard :

« Toujours ! énonça-t-il avec gravité : c'est la politesse. »

Le garçon était si attentif à se rappeler le Code de la Politesse (écraser ses crachats, te cacher sous la table quand tu te mouches durant un repas, et « Messieurs-dames ! » en entrant dans une boutique) qu'il avait repris son allure familière : le petit galop.

« Tu as du chien dans le caractère, remarqua

Kléber sans humeur : tu ne peux jamais marcher
longtemps au pas.

— Oh ! papa, regardez le mur de la mairie :
comment a-t-on pu savoir que nous passerions par
ici ? »

Pour lire l'inscription charbonneuse, Kléber leva
les sourcils, puis il les fronça : « MERDE POUR CELUI
QUI LE LIRA. » Par exemple ! Un instant, il se posa
la même question que Patrick ; puis il crut que le
garçon se moquait de lui ; puis il comprit que non.
Mais il était trop tard pour répondre : un nouvel
« Oh ! papa » oblitérait l'autre.

« Oh ! papa, regardez ! »

Au-dessus du *Café des Boulistes,* une enseigne
brillait en plein jour, aussi insolite qu'un homme
en habit dans une rue, le matin. Deux boules s'allu-
maient l'une après l'autre : verte, rose, verte, rose...
Une enseigne au néon, la première au Plessis
Belle-Isle.

« Ils sont bien fiers, grommela le vieux. C'est
encore nous qui allons payer tout ça ! »

D'une poigne, hélas, privée de ses griffes, Patrick
serra dans sa poche le porte-monnaie cuvette qui
contenait vingt-trois francs (« Dire, dire, dire... »)
on lui passerait sur le corps avant d'en prendre un
seul pour payer l'enseigne au néon.

« C'est tout de même joli, murmura-t-il.

— Tu trouves ? demanda Kléber avec une sorte
d'angoisse.

— Je... je ne sais pas.

— C'est peut-être joli, reprit le vieil homme

après un silence, mais c'est inutile. De l'argent
dépensé pour qui ? pour quoi ? Et l'argent, c'est
toujours pris à quelqu'un.

— Mais si ça fait plaisir, s'obstina Patrick.

— A qui donc ?

— A des gens... A moi », ajouta-t-il d'une voix
fragile ; puis très vite : « Oh ! papa, embrassez-moi !

— Je ne vois pas le rapport », dit Kléber qui le
sentait fort bien au contraire.

Afin de ne pas le désobliger à nouveau, Patrick
s'interdit de tirer sur la manette du distributeur
automatique ; mais il ne put résister à la tentation
de faire sonner le timbre d'un vélo. « Combien de
fois t'ai-je dit... ? » pensèrent-ils ensemble.

On faisait queue aux bains-douches ; et comme
certains, à la veille d'un bon repas, se retiennent
de manger, bien des clients avaient cessé de se
laver depuis plusieurs jours afin d'en avoir pour
leur argent. Quatre francs cinquante, avec la serviette diaphane d'usure et une savonnette rose dont
Patrick s'aperçut dans un cri de joie qu'elle...

« Qu'est-ce qui se passe, bonhomme ? »

Kléber, à demi-nu, collait contre la paroi une
oreille anxieuse.

« Papa, elle flotte ! » (Il faillit ajouter : Comme
la pièce de deux francs.)

« Oui ? Eh bien, cesse de jouer avec, et lave-
toi. »

Patrick continua de jouer au naufrage, au radeau,
à l'île rose, mais non sans une inquiétude sour-
noise. Les clapotis, les trombes d'eau et les

exclamations qui montaient des autres cabines formaient le décor sonore de son aventure ; et il crut quelque temps que ces coups frappés à sa porte n'étaient que le choc du navire désemparé contre les récifs.

« Il faut sortir, criait le garçon aux manches retroussées, aux mains rouges : le monde attend ! »

L'eau était devenue si savonneuse que le naufragé eut du mal à se rincer : la serviette, aussitôt éplorée, n'était d'aucun secours. Sa chemise propre, orgueil de Mam Irma, collait aux bulles roses dont son corps restait parsemé et les chaussettes, en crissant, refusaient de se laisser enfiler.

Kléber, cependant, méthodiquement lavé, brossé, peigné, se battait, le menton haut, avec sa cravate à système. « Tant pire ! Bonhomme m'arrangera ça... » Dressé sur la pointe des pieds, Bonhomme arrangea cela de ses doigts encore humides et ravinés d'un si long séjour dans la mer Rose.

Une autre porte les déversa, frais et légers, dans le tumulte du marché du Plessis Belle-Isle, lequel était célèbre. Capital de l'Offre et de la Demande, les maraîchers, dont les espaliers campaient à cent pas d'ici sur les versants de Fontaine-au-Bois et d'Yveline-le-Pont, y apportaient pêle-mêle leurs produits terreux et tièdes. Mais transportés, cette nuit, de l'autre bout de la France, sertis dans leur écrin de papier de soie, ressuscités de leurs cercueils étiquetés, des fruits et des légumes qui paraissaient sortir d'une fabrique, venaient narguer ces paysans. Sur trois rangs (boutiques, voiturettes

et simples éventaires) de part et d'autre du boulevard de Bir-Hakeim, anciennement avenue de Verdun,
on criait sa marchandise sur le ton de la provo-
cation, avec un accent éraillé de la ville, ou bien l'on
se contentait de la désigner d'un doigt gravé de
terre, en hochant la tête.

Patrick aperçut... — « Mais non, je me trompe ! »
Il ne se trompait pas : leur voisin, l'homme au
buis taillé, assis sur un pliant, vendait bonnement
des petites touffes de cerfeuil et d'estragon de son
jardin.

« Pourquoi pas ? » lui répondit Kléber, étonné
de son étonnement.

Mais Patrick avait toujours pensé que le lait des
bouteilles provenait de vaches invisibles, que tous
les magasins s'approvisionnaient dans des usines, et
qu'il n'y avait rien de commun entre les fruits des
jardins et ceux qu'on achetait. Ainsi, l'on pouvait
vendre ses cerises, ses poireaux, et même son per-
sil ! Le monde du Commerce et de l'Industrie bas-
culait devant ces yeux verts et ces sourcils froncés.

« Voici la tomate, la tomate, la belle tomate !...
Y'en a, y'en a de la pêche !... Allons-y, les ménagères : regardez ma salade !... Le tas pour vingt
balles, tant pis !... Goûtez-la, mesdames : de la
Montmorency !... »

Au chant du coq, s'édifiaient déjà les premières
pyramides de tomates et de pêches, les châteaux
forts d'artichauts, des barricades de haricots verts
derrière lesquels disparaissaient leurs marchands.
Les radis tournaient leur barbiche blanche vers la

clientèle, et les salades ébouriffées la racine claire de leurs mèches. On côtoyait toutes les teintes de cerises, du jaune à la pourpre, les deux races de groseilles, les framboises déjà lasses, et l'étalage de velours des abricots aux joues fiévreuses. Par endroits, un melon ou un ananas ouvert attirait des guêpes moins dorées que lui, des figues blessées montraient leur sang coagulé. Assis au milieu de ses salades, un petit vieux balançait ses jambes dans le vide comme font les enfants. Un autre, de la pointe d'un couteau court, mangeait de ses poires et le jus en dégouttait sur sa blouse bleue. Un Arabe tendait en silence ses mains pleines de citrons. Ici et là fusait un feu d'artifice de glaïeuls et de lis — « Ceux d'Ernest, peut-être ! Tout était possible, à présent... »

Kléber, d'un pas lent, fendait cet océan de tentations, accordant un regard débonnaire aux étalages et un coup d'œil vif aux ardoises qui annonçaient les prix. Tandis que Patrick écarquillait les yeux, il se contentait d'arquer le sourcil d'un air de surprise et de réprobation comme un homme vraiment blasé qu'on a dérangé pour bien peu. En fait, il dévorait du regard ces délices qui, quatre ans durant, avaient disparu, dont il avait presque oublié la forme et la couleur et sûrement le goût : mais l'ardoise, fichée comme un poignard au cœur de ces merveilles, les lui interdisait. Alors il cachait sa pauvreté sous le masque du dédain et, comme d'autres en tirent de la hargne ou de la veulerie, il en exprimait seulement un surcroît de

dignité. Mais Patrick, qui épiait et copiait cette
attitude méprisante (cueillant un melon d'or, le flairant et le reposant avec une moue), Patrick se
demanda pourquoi Papa, tournant le dos à tant de
soleil, s'arrêtait enfin devant les tréteaux poussiéreux de « Camille le roi de la pomme de terre ».

Lui ne s'égosille pas : il sait que, loin des étals
multicolores et saisonniers, il a pour lui, à lon-
gueur d'années, l'innombrable pratique des pauvres,
tristes mais fidèles comme sa marchandise.

« Tu m'en mettras cinq kilos de côté, Camille,
commande Kléber en fouillant de deux doigts
d'ivoire dans son porte-monnaie. Je les prendrai
après la cérémonie. »

« Après mon discours », traduit Patrick qui saute
en l'air et bat des mains. Kléber paie d'avance
et — Viens-t'en, bonhomme ! — s'éloigne, suivi du
garçon.

« Au fond, dit celui-ci après quelques pas, il
n'y avait rien de bien intéressant dans ce marché. »

Le vieil homme se tourne lentement vers lui.
« Il se moque de moi », songe-t-il avec plus de
tristesse que de colère. Mais non, Patrick le regarde
loyalement ; seule cette petite ride au-dessus du
nez exprime encore un doute. Kléber, rassuré,
l'efface du pouce. « Si Papa n'a rien acheté, c'est
que rien n'en valait la peine », pense fermement
le garçon. Papa se redresse, respire le bon air gratuit du Plessis Belle-Isle et saisit la main de Patrick —
mais pourquoi si fort ?

Ils poursuivent leur chemin sous les banderoles

naïves, entre les drapeaux retrouvés ; leur chemin parmi tous ces malheureux qui aiment les enseignes au néon, admirent les voitures neuves, achètent des postes de radio et se gavent de toutes sortes de fruits et de légumes. Poursuivent leur chemin de pauvres, parfaitement heureux, parfaitement d'accord, l'Emp'reur et le p'tit Prince...

La cérémonie commença avec un grand retard. Comme toujours, personne ne savait qui l'on attendait : on attendait, voilà tout. Enfin, sans plus de raison, le cortège se mit en marche. Comme il n'existait aux environs du Plessis Belle-Isle aucune garnison qui se souciât de lui prêter un détachement de soldats, c'étaient les pompiers qui défilaient ; et, comme ils n'étaient pas nombreux, ils firent plusieurs fois les mêmes tours et détours dans la commune suivis par la société de gymnastique de Maisons-Rouges, laquelle était communiste, et par celle de la paroisse Saint-Mesmin d'Yveline-le-Pont. Les deux sociétés marchaient bonnement l'une derrière l'autre — foulard rouge, puis ceinture bleue et blanche — d'une jambe semblablement poilue. C'était leur troisième défilé de la matinée ; mais la fanfare de Fontaine-au-Bois, pareille au curé qui dessert plusieurs paroisses, en était à sa cinquième cérémonie, et même le tambour de quinze ans jouait « La Marseillaise » sans émotion.

Au pas cadencé par les rues pavées, les routes goudronnées, les chemins herbus, ils draguent les habitants les plus éloignés comme les plus réti-

cents et débouchent enfin, suivis de la population
tout entière (et de Quatre de trèfles qui a sauté
par une fenêtre ouverte), débouchent sur la place
du monument aux morts où le conseil municipal
transpire patiemment devant la pierre grise.

A LA GLOIRE DES ENFANTS DU PLESSIS BELLE-ISLE...
Cette inscription trouble Patrick : il voit des bataillons *d'enfants* charger contre les casques à pointe
et tomber, fauchés comme blé en herbe. Sous le
nom des morts de 14-18, on a inscrit ceux de 39-45 —
et il reste encore de la place. La gravure est toute
fraîche et rehaussée d'une peinture marron qui
doit être du sang séché, pense Patrick. « A la gloire
des enfants... » La Gloire n'est ni cette palme,
ni ces couronnes de bronze ; ni cette femme voilée
qu'on déguise aussi bien en Vengeance, en Patrie.
La vraie Gloire des enfants du Plessis Belle-Isle,
morts de tragiques enfantillages, c'est tout ce qui,
grâce à eux, leur survit ici : ce marché merveilleux,
ces gens émerveillés...

A la gauche du conseil municipal et sur plusieurs
rangs, les anciens combattants de la Grande Guerre ;
à sa droite, ceux de la dernière, subtilement divisés
en prisonniers, déportés, gens de Londres et gens
d'Alger. A force d'attendre face à face, on se dévisage sans complaisance, on retrouve les griefs tra-
ditionnels : les deux pôles se chargent de courants
contraires. « Quels vestiges ! pensent de jeunes
hommes qui, tout à l'heure, embrassaient tendrement leur père. Jouer encore aux soldats, à leur
âge... Regarde-moi ces bérets basques ! Ah ! ils ont

blanchi, les poilus !... Blanchi à ne rien foutre, mon
vieux : en vingt ans, ils ont trouvé le moyen de
gâcher la victoire et de nous replonger dans le
pétrin... De quoi venir parader, oui, vraiment !...
On s'en souviendra, de leur der des der... »

Tandis qu'en face : « Qu'est-ce qu'ils ont donc
à nous regarder comme ça ?... Voudraient nous voir
morts, sans doute ! C'est gênant, des vainqueurs,
des vrais !... Nous autres, nous ne courions pas comme
des petits chiens derrière les Russes et les Américains !
Pershing nous a donné un coup de main, d'accord ;
mais nous avions tenu trois ans, pas six semaines !
et malgré les gaz asphyxiants !... Drôle de guerre
que la leur, et drôle de victoire !... D'ailleurs, suffit
de compter sur le monument : vingt-neuf morts
pour nous autres, six pour eux. Et encore ! en comp-
tant ceux des maquis et des bagnes allemands : une
guerre sans uniforme !... »

Chacun des clans se sent malhonnête et s'échauffe
en silence : ce silence terrible qui précède les
explosions. Seul Kléber, les sourcils tempétueux,
repasse son discours. Patrick ne le quitte pas des
yeux et, quand leurs regards se croisent, il esquisse
un salut militaire. « La main droite, bigrebougre ! »
Condamné à l'immobilité du garde-à-vous, le président cligne seulement une paupière dans sa direction. Son voisin, le capitaine Théophane, n'a pas,
comme lui, le privilège de se trouver à l'ombre
d'un tilleul. Mais quoi ! avec ou sans ordre du jour
signé Joffre, on demeure au poste assigné. Il ruisselle donc sous la casquette bleue des dimanches,

sous son veston de cérémonie qui porte le ruban
rouge, il ruisselle pour la patrie.

Soudain, deux cents visages se tournent en direction de la Prolétarienne : deux cents paires d'oreilles
tendues vers la fanfare qui approche et dont on
n'entend d'abord que la grosse caisse, le timbalier
et les cymbales : une musique nègre. Puis cela
devient peu à peu « le Chant du Départ », et plus
d'un frissonne parmi la foule attentive.

Ah ! voici les pompiers... Sauraient-ils éteindre
le feu qui couve entre poilus et cadets que séparent
vingt-cinq ans de fausse paix et cinq années de
fausse guerre ? Inutile ! Plus rien ne les sépare hormis dix mètres de gravier : la sonnerie aux morts
a retenti et la même image hante les têtes blanches
ou noires. Car tous les morts se ressemblent ; eux,
du moins, ne se démodent pas.

Patrick frémit : il espère et il craint qu'à l'appel
des clairons, un poilu décharné au casque bringue-
balant ne surgisse du sol, renversant la pyramide de
pierre en hurlant *Sambre-et-Meuse*. Mais personne ne
chante ; au contraire, le maire s'avance (« Va-t-il me
donner la parole ? » songe Kléber qui a oublié son
début et s'affole), le maire dépose une gerbe et
réclame une minute de silence « à la mémoire de
ceux dont le sacrifice, etc. »

Ces paroles, plusieurs milliers d'officiels les pro-
noncent en ce moment : c'est le *Dominus vobis-*
cum des laïcs. Minute de silence où chacun retrouve
ses pensées petites : son gigot qui sera trop cuit,
ou « Pourvu que Denise vienne au bal, ce soir. »

Excepté quelques-uns, dont Kléber, qui descendent vraiment au tombeau. Oh! le temps passé... Oh! le temps perdu à survivre... Ils suffoquent; les autres transpirent seulement.

Le maire n'ose pas regarder sa montre : la fin d'une minute de silence, cela devrait se sentir aux battements de son cœur ! « J'aurais dû compter un, deux, trois... » pense-t-il. (C'est bien ce qu'a fait Patrick.) Et tantôt il lui semble que le moment est dépassé depuis longtemps, tantôt...

Brusquement, il fait signe aux clairons, sans aucune raison — c'est ce que la plupart appellent l'esprit de décision — et le Plessis Belle-Isle émerge de nouveau. De sa poche, sous l'écharpe, le maire tire alors des feuillets blancs. Comme il refuse, par coquetterie, de porter des lunettes, il lui faut tenir son papier loin de lui : ainsi paraît-il éprouver, tout le premier, une juste aversion pour son éloquence de Camelot de la République. On l'écoute sans y prendre garde, comme le ronronnement d'un moteur. Au moindre écart de régime (une idée neuve, une émotion vraie), on dresserait l'oreille avec inquiétude. Allez, bonnes gens, votre élu ne vous décevra pas. « ... Dignes de nos héros... Souvenir impérissable... Devoirs sacrés... La France de Valmy, de Verdun (ah! tout de même) et de Bir-Hakeim... » Kléber et Théophane écoutent douloureusement, dans la crainte de reconnaître au passage une de leurs phrases, et soupirent de soulagement quand retentit le double *amen :* Vive la France ! Vive la République !

« Bigrebougre ! s'il me passait la parole à présent... » Mais le maire la passe de nouveau à la fanfare. Elle joue : elle ajoute ses cuivres à l'éclat du soleil qui sonne midi en silence au plus haut du ciel. Quatre de trèfles profite de ce fracas pour aboyer impunément sa joie. Il a rejoint Patrick à travers cette foule odorante, et sa queue bat la mesure, même après la dernière note.

On applaudit, on attend encore un peu, et puis on se disperse ayant soudain très faim. « C'était bien... Rien à dire... Oui, vraiment bien... » Dans quelques jours, à l'aube, les boueux ôteront la gerbe desséchée (car Roger-la-Brocante ne peut rien en tirer), et le monument aux morts redeviendra point de repère des automobilistes, lieu de rendez-vous pour les amoureux et but dans les jeux de cache-cache. La Gloire...

Mme Irma n'a pas paru au défilé : elle feint de détester la chose militaire dont elle est seulement jalouse. « Vos histoires de ran-plan-plan et de ta-ra-ta-ta », dit-elle aux deux vieux, mais son regard ne guette une réaction que sur le visage de Kléber. Oh ! qu'elle aimerait qu'il s'irritât... Il sourit, l'imbécile ! L'air de dire : Chacun son goût. « Chacun son goût ? Pas quand on s'aime ! » En fait, elle a subtilisé, oubliée dans un vieux veston qu'elle réparait, une photographie du sergent-chef Demartin. Celle-ci pâlit plus vite que son modèle, mais on l'y reconnaît bien. Un peu plus gras peut-être, les mêmes sourcils noirs, et cette façon à lui de... « Ah ! l'imbécile, enrage-t-elle, nous serions si heureux... »

Mme Irma a boudé les ra-ta-plans de la cérémonie et, quand Kléber l'invite à venir prendre le café après déjeuner, en même temps que Théophane :

« Mon pauvre ami, je serai partie depuis longtemps !

— L'Opéra-Comique, aujourd'hui ?

— Matinée et soirée gratuites : on a repris la tradition. Avec *Carmen,* naturellement ! »

Elle pousse un soupir royal, feint la plus vive contrariété ; mais elle est enchantée d'échapper aux plaisirs fériés du Plessis Belle-Isle : accordéon, cabarets, lampions — quoi de plus *vulgaire ?*... « Et Patrick adorera cela, naturellement. Et Kléber lui-même... — Tous des enfants ! » C'est dur, mam Irma, d'être la seule grande personne d'un bourg de cinq mille âmes... Elle se réjouit donc de devoir assister, une fois de plus, à une fausse *fiesta,* mimée sur une scène poussiéreuse par des figurants déguisés, plutôt qu'aux plaisirs fraternels du 14 Juillet. Mais Kléber s'en trouve embarrassé : il comptait bien confier le petit à Mme Irma tandis que Théophane et lui dîneraient au banquet des anciens combattants. Comment faire, à présent ?

« Je lui paie le restaurant, déclare Théophane.

— Oncle Théo ! »

Mais déjà, le petit visage attend avec anxiété sur celui de Kléber un signe d'acquiescement.

« Tout seul ?

— Bah ! à vingt mètres du banquet... »

Ce qui contrarie Kléber n'est pas du tout que Patrick aille seul au restaurant pour la première fois, mais qu'il le doive à Théophane. Il refuserait bien, par jalousie ; il préfère choisir la surenchère :

« Eh bien, moi je vous paie le cinéma ! »

Rien de tout cela n'est inscrit sur son papier quadrillé, encore moins sur ses prévisions de dépenses ; mais le « Oh ! papa » de Patrick le paie de tout, n'était ce goût amer que l'argent communique à ce qu'il touche. Grâce et gratuité, c'est le même mot... Qu'ils étaient plus heureux, ce matin au cœur d'un marché somptueux où ils n'achetaient rien !

Patrick ne reprit d'aucun plat ; on but le malt tiède, ce qui lui ôtait sa dernière chance de passer pour du café ; on remit à ce soir — non, à demain... Quel désordre ! — de faire la vaisselle : s'agissait d'être à l'heure au cinéma. Les rares passants, Patrick, qui galopait sur place, s'arrangeait sournoisement pour qu'on les dépassât. « S'ils allaient arriver avant nous ! » Et l'on parvint, à travers le désert du Plessis Belle-Isle, au *Royal-Palace* encore vide.

Le patron achevait de fixer un calicot : SALLE CLIMATISEE .

« Qu'est-ce que ça veut dire au juste, Adrien ?

— Ils écrivent tous ça, à Paris, explique l'autre d'une bouche pleine de clous. Alors, moi aussi, je fais un courant d'air en tendant une toile noire devant la sortie de secours.

— Et tu crois qu'à Paris... ? »

Adrien eut un geste qui signifiait : chacun ses

méthodes ! Théophane le questionna comme un maître d'hôtel :

« Qu'est-ce que tu nous donnes aujourd'hui, Adrien ? »

L'autre acheva de fixer sa pancarte et dégorgea ses clous avant de répondre :

« Un film américain avec Douglas Fairbanks.

— Douglas Fairbanks ?

— Pas le vrai, reprit le patron d'un ton écœuré. Un qu'ils appellent « Junior », et qui ne le vaut pas !

— Est-ce qu'il monte seulement à cheval ?

— Penses-tu ! Il fait des phrases... Font tous des phrases, à présent.

— C'est comme les films à épisodes, reprit Kléber : pourquoi ne nous en donnes-tu plus jamais ?

— Parce qu'ils ne savent plus les faire, tiens ! »

« Ils », c'étaient les Américains, les acteurs, M. Pathé, M. Gaumont, que sais-je !

Les trois hommes évoquèrent les temps heureux où, chaque vendredi, on venait voir le nouvel épisode de *Judex* ou de *Fantômas* — et *Jean Chouan*, « Théophane, te rappelles-tu *Jean Chouan* ? »

« Dis donc, il n'est pas en couleur, au moins, ton faux Douglas Fairbanks ? s'inquiéta Kléber. Ça me donne des migraines, à cause de ma blessure.

— En couleurs ? Moi, j'aimerais bien ça », dit doucement Patrick qui les écoutait, désenchanté.

Le film était en noir ; Kléber ne cessa d'en éprouver du remords. Des migraines ? Allons donc, c'était pour rappeler aux autres sa blessure. Et puis... et

puis une « salle climatisée », un film en couleurs :
tout ce qu'on inventait depuis qu'il était à la retraite
lui semblait autant de provocations. C'était un film
en noir et sans un seul cheval. « Que va penser
Patrick ? » Mais Patrick, la main sur la sienne,
serrait, griffait, pinçait de crainte, de plaisir,
d'attente — et Kléber, tel un aveugle, recevait la
vie de ce voisin passionné et souriait, invisible. Le
seul film qui l'intéressât vraiment se passait dans
le noir, à sa droite. Patrick avait eu loisir d'apprendre
par cœur les photos affichées à l'entrée et d'en
imaginer une histoire à sa façon ; il en vivait une
seconde, beaucoup moins simple, à laquelle il ne
comprenait pas grand-chose. Et quel temps ces gens
perdaient à s'embrasser ! Est-ce que toutes les grandes
personnes... ? « Papa, le gros, là, c'est le même
que tout à l'heure ?... Mais alors pourquoi, etc. ? »
Théophane prit le parti de lui chuchoter à l'avance
ce qui allait se passer. Comme il se trompait quelquefois (« Sacrés Américains ! ils vous ont de ces
idées... »), ses explications ne faisaient que tout
embrouiller. Les deux vieux poussèrent donc un
soupir de soulagement lorsqu'un baiser plus long
annonça la fin du film.

Patrick en sortit béhété, ébloui ; et soudain il
sauta au cou de Kléber dont le béret tomba : il
voulait l'embrasser interminablement, comme au
cinéma. Théophane délivra son compagnon en pro-
mettant une glace. « Une glace, à présent ? » Kléber
fronça les sourcils : la surenchère continuait...

Deux marchands avaient installé leur petite voiture

à l'ombre des tilleuls. L'un d'eux affichait six
parfums différents, mais l'autre : « Exigez une qualité conforme au décret-loi du 4 avril 1939 » —
et Kléber le préféra. Il y eut encore une petite
altercation parce que le marchand rendait comme
monnaie à un second client la pièce de cinq francs
que Patrick venait de lui remettre. « Mais c'est
mon argent !... » Le garçon fit semblant de comprendre
les explications qu'on lui donnait de trois bouches
différentes ; mais il demeura persuadé que cet
Italien était un bandit et que le décret-loi du
4 avril permettait seulement aux Italiens de voler
les Français. « Si Douglang Ferbas, Dougles Farbank —
si *Junior* avait été là, il ne se serait pas laissé
faire, lui ! Mais Papa est trop arrangeant, et l'oncle
Théo trop vieux... »

L'ombre des arbres avait jeté sa mantille sur la
petite place où, six heures plus tôt, M. le maire...
Kléber songea à son discours et frissonna. Par instants, Patrick se demandait (mais n'osait demander)
si l'on était encore le 14 Juillet ou si le cinéma
avait duré toute une nuit. Les deux vieux allèrent
pisser dans l'urinoir que la municipalité progres-
siste avait accoté à l'église. Très fier de les accom-
pagner, Patrick prit garde d'y rester aussi longtemps qu'eux et d'en sortir, comme eux, en se
boutonnant : cela aussi devait faire partie du Code
de Politesse.

« Mes enfants, annonça le capitaine, je pousse
jusqu'au Meeting. Qui m'aime me suive !

— Cé n'est guère la place d'un enfant, remarqua

Kléber, assez satisfait de le prendre en faute. (« Ah !
rien ne remplace un père... ») A ce soir,
Théophane. »

Le meeting communiste prenait place sur le
stade : un immense champ que les édiles de Maisons-
Rouges avaient clos de palissades, parsemé
d'agrès et baptisé « Parc municipal des Sports ».
En semaine, des moutons y paissaient ; le samedi
et le dimanche, on y courait, vêtu de toutes les couleurs ; mais le 1ᵉʳ Mai et le 14 Juillet on y proférait des discours. De grands mâts y portaient haut
les effigies de Lénine et de Staline que, par économie, on s'était contenté de coller sur celles, toutes
récentes, du maréchal Pétain. De l'autre côté de
la route, un champ d'avoine pas encore moissonnée.
L'un des chauffeurs du 210 (l'autobus qui conduisait à Maisons-Rouges), un fils de paysan, enrageait
de ce temps perdu : « Mais qu'est-ce qu'ils attendent, bon sang de bonsoir ! Que l'orage vienne
tout gâcher ? » Parfois, à l'arrêt « Parc des Sports »
où jamais personne ne montait ni ne descendait, il
sautait à bas de son siège, courait frotter quelques
épis entre des paumes qui ne sentaient plus la terre
mais le cambouis, et criait au receveur demeuré à
son bord : « Elle est mûre, Emile : on en mangerait ! » Mimile, fils de bistrot, se souciait peu de
l'avoine mais beaucoup de son compagnon, et il
hochait gravement la tête.

Sur le stade, Théophane écouta d'une oreille
blasée les orateurs venus de Paris. On citait beaucoup la Russie : pour les uns, cela évoquait le

Tsar, pour les autres son assassinat ; les emprunts,
ou les bolcheviks ; le pacte avec Hitler, ou l'héroïsme
de Stalingrad. Ainsi, personne ici n'entendait le même langage et n'applaudissait d'un même
cœur ; Kléber avait raison : ce n'était pas la place
d'un enfant. Il avait donc conduit le sien sur la
route de Villeserve, laissant à sa droite l'école
endormie pour trois mois et pareille à une ruche
morte, à sa gauche le dispensaire... Tiens ! sœur
Saint-Paul veillait, assise sur le seuil, priait ou cou-
sait, et sa cornette tanguait doucement, toutes voiles
dehors. Kléber aussitôt ressentit *l'aiguillon* :
« Il faudra que je vienne consulter pour mon rein...
Bah ! tant pire ! c'est la vieillerie. » Mais il n'en
pensait pas un mot. Il aurait tant aimé souffrir de
quelque ancienne blessure de guerre... Tandis que
ce rognon aveugle : une maladie de rentier, de
curiste !

« Dis : bonjour, ma sœur ! »

Lui-même retira son béret, et l'oiseau blanc plon-
gea en avant, les ailes palpitantes. Patrick, ravi,
recensait sa famille : Papa, l'oncle Théo, Mam
Irma et cette « sœur » à présent...

Ils évitèrent Villeserve et son monument Picasso
pour atteindre le rond-point des Veuves. C'était
l'extrême avant-poste de la banlieue, l'observatoire
d'où Patrick, pareil à l'Indien du haut de son rocher,
venait espionner Paris campement ennemi. Pour la
première fois, la main dans celle du grand chef
Kléber, il poursuivit son chemin vers la porte de Gravelle. Déjà, l'on sentait le relent des gazomètres

couchés au soleil, troupeau d'éléphants. Les pavillons avaient disparu, terrassés par des immeubles blêmes, et le tumulte constant des trains ébranlait l'air impur.

« Tu entends ? » demanda Kléber qui, les yeux clos, respirait la bonne fumée de ses vingt ans, tu entends : les trains... »

Oui, Patrick entendait, respirait et sentait monter en lui une nausée confuse : ce fracas et cette fumée, ces feux épars sous le soleil — les bombardements, la ville incendiée...

« Papa, demanda-t-il tout bas, voulez-vous que nous partions d'ici ? Moi, je voudrais bien... »

Deux trains, qui se croisaient avec un salut strident, couvrirent sa voix. Kléber pressa le pas, et, bientôt, ils s'accoudèrent au pont de la Révolte d'où l'on dominait toutes les installations de Gravelle-triage. La bouche ouverte, le regard courant sans cesse d'ici à là, Patrick contemplait ce jouet merveilleux ; et Kléber, enchanté, observait pour la première fois l'enfant devant le chemin de fer : ses deux amours face à face.

« Ça vaut bien le cinéma, hein bonhomme ? »

Derrière eux, sur une vingtaine de voies, des trains qui paraissaient abandonnés, mais où l'œil distinguait des fourmis humaines s'affairant à quelque tâche incompréhensible. Et ces quarante rails, peignés par d'innombrables aiguillages, se réduisaient à quatre qui gravissaient une butte étroite et redescendaient l'autre pente pour se multiplier de nouveau. Et, sur ce nouveau champ aux sillons

parallèles, vingt autres trains sans tête attendaient
aussi tristement. Cela ressemblait à un immense
sablier ; et le sable qui, sous un soleil implacable,
coulait sans interruption d'un champ de rails à
l'autre, c'étaient des wagons de toutes sortes : pla-
teaux, citernes, frigorifiques, certains rutilants, la
plupart hors d'âge et plus tatoués que des vieux
marins. Leur train gravissait lentement la butte et,
parvenu au sommet où veillait une cabine basse,
chacun des wagons quittait les autres et se lançait
aveuglément dans la descente. Mais on veillait pour
lui, du haut du poste R ; et Patrick se demandait
comment, dans ce désert, chaque wagon obstiné
trouvait son chemin, d'aiguille en aiguille, jusqu'à
une voie différente. Et aussi comment, au ras des
rails, dans une gerbe d'étincelles, des mâchoires
d'acier freinaient les roues juste assez, juste à
temps. Parfois, c'étaient deux, trois wagons qui
s'ébranlaient ensemble et qui, sans se quitter, par-
couraient leur trajet sinueux, comme un aîné
entraîne des enfants peureux ou butés. En fin de
course, quelques hommes achevaient, sans hâte,
d'enrayer leur vitesse et les vingt trains orphelins
s'enrichissaient inégalement suivant un apparent
caprice. L'immense jeu se déroulait en silence et sans
heurt, pareil à ces interminables parties d'échecs
où le profane ne voit qu'arbitraire et lenteur.

Passé le premier émerveillement, Patrick s'ingénia à *inventer* tous les mécanismes d'une gare de
triage. Mais, si fatals et irremplaçables qu'ils soient,
ils dépassent le génie d'un garçon de douze ans.

A la fin celui-ci, sans s'avouer vaincu, murmura seulement :

« Je me demande... »

Kléber n'attendait que ce signe pour entamer son cours. Il parla de tiroirs, de faisceaux, d'emprises de dépôts. Ses explications étaient parsemées de « tu comprends ? » chaque fois qu'il les sentait obscures, comme si ce mot magique suffisait à tout éclaircir ; et Patrick docile prenait d'instinct l'expression fine de celui qui vient de saisir votre pensée. Il retenait surtout que plus de trois cents hommes besognaient invisibles dans ce désert brûlant où le trafic ne cessait jamais, « par tous les temps, et même le 14 Juillet, comme tu peux voir ».

« Mais la nuit ? »

De hautes batteries de projecteurs remplaçaient alors le soleil hautain, les équipes se relayaient, la tâche continuait conformément au Programme.

« Le Programme ? »

Hé oui ! tout cela était prévu, train par train, wagon par wagon et presque minute par minute ; un gigantesque mécanisme d'horlogerie, lent et sûr comme le mouvement intérieur d'une pendule : c'était « le Programme », transmis du Bâtiment central à chacun des postes par téléphone et téléscripteur, et dont les grappes de haut-parleurs...

« Tiens, regarde ! »

Mais Patrick n'avait d'yeux que pour un spectacle inattendu et rassurant : au cœur de cette cité de béton et d'acier où tout était trop pesant,

brûlant, rocailleux, il venait d'apercevoir une cabane
basse, submergée, aveuglée de vigne vierge — enfin
quelque chose d'*inutile* dans ce mécanisme impitoyable... Pareils à des naufragés sur un étroit
radeau, tous les oiseaux que chassait cette aridité
torride s'y réfugiaient, et le vêtement de feuilles
en palpitait de toutes parts. A quelques pas de là,
un cheminot, le torse nu, fauchait posément un
triangle d'herbe sauvage que le passage harassant
des convois n'avait pas découragée. Sur le point
d'être écrasé par la mécanique des grandes personnes, Patrick retrouva son souffle : il avait évidemment partie liée avec les oiseaux, le chèvrefeuille,
l'odeur du foin coupé. Il se mit à sourire,
fermant définitivement son esprit à la straté-
gie du général Kléber qui, d'un geste impérieux,
lui expliquait l'ordre de marche des postes
G, N, R, et l'utilité des voies de rebroussement et
de remisage.

Soudain, le sourire se figea entre les rides précoces qui marquaient le petit visage. Patrick venait
d'entendre... Mais non !

« Papa, interrompit-il d'une voix pâle, vous
entendez ?

— ... tends voir ! Les haut-parleurs qui trans-
mettent... ?

— Non. Ecoutez mieux ! »

Ils prêtèrent tous deux l'oreille : derrière les
enclenchements mécaniques et les ordres rauques,
montaient des mugissements étouffés. L'enfant
tourna vers le vieil homme un visage qui...

« Pourquoi as-tu si mauvaise mine, tout d'un coup ?

— Qu'est-ce que c'est ? articula Patrick.

— Des bestiaux : tous ceux qui ont cette sorte de lucarnes sont des wagons à bes... Patrick ! »

Les abattoirs, la mitraillette, Philippi... Le petit garçon n'eut pas même le temps de détourner la tête : contre la balustrade noire il vomissait. Du fond de son ventre, tristesse et dégoût, plaisir de vivre, envie de mourir, il rejetait tout pêle-mêle. Kléber lui avait saisi le front et le tenait serré. Patrick secouait la tête pour se débarrasser de ce casque si rude ; mais, à la fin, il s'y agrippa des deux mains, d'un geste de noyé.

« Mon papa... mon papa... »

C'était la première fois qu'il employait ce tendre possessif : *mon* papa, et les larmes en montèrent aux yeux du vieil homme.

« Mais pourquoi ? pourquoi ? répétait-il en l'entraînant vers la porte de Gravelle. La chaleur ? La cérémonie ? J'aurais dû... »

Il s'accusait de tout : de la canicule, de l'odeur des trains, du retard des pompiers — « J'aurais dû... » Ils pénétrèrent dans Paris à la recherche d'une pharmacie qui fût ouverte. Un 14 Juillet !

Ce piétinement sur le macadam entre deux hautes parois de pierres brûlantes, ce trafic qui lui parut assourdissant, tant de visages inconnus et sans regard, tout cela épuisait Patrick et le vidait plus sûrement que sa nausée. Il détestait Paris ; un seul arbre l'eût sauvé. Enfin, on trouva une officine où

Kléber insista pour lui faire avaler, sur un sucre, trois gouttes d'un vulnéraire qui manqua lui redonner mal au cœur.

« Partons, papa. Partons vite ! »

Il fallut encore attendre un autobus. On étouffait à l'intérieur ; et dehors on grillait. Lorsqu'enfin, tournant le dos à Paris, on traversa le pont de la Révolte, au-dessus des wagons, Kléber ne comprit pas pourquoi le petit se bouchait les deux oreilles. Longuement, l'autobus fit halte sur la place de Villeserve où il devait changer d'équipage. Kléber détournait ostensiblement son regard du monument Picasso On repartit enfin, et Patrick convalescent s'aperçut qu'en *bourdonnant* un air quelconque, le roulement sur les pavés de pierre en tirait une musique inconnue. Il s'enivrait de cet étrange concert qu'il était le seul à percevoir, lorsque Kléber le tira par la manche :

« Descendons, bonhomme : nous sommes chez nous. »

On n'avait pourtant pas dépassé « Gambetta-Rosières », halte à mi-chemin des écoles et du dispensaire. Mais, malgré les relents de carburant et cette cargaison d'odeurs fétides que la lourde voiture avait embarquée à Paris, les narines blanches avaient frémi de reconnaître le premier souffle de cet air incomparable du Plessis Belle-Isle : « Nous sommes chez nous... »

A l'exemple de l'oncle Théo, Patrick salua gravement le receveur :

« Bonsoir, jeune homme !

— De quoi ? » fit l'autre humilié et, de fureur, il tira sa bobinette à en casser la chaîne.

« Il devait me répondre : « Bonsoir, monsieur le « directeur, » pensa le garçon. Encore un qui ne connaît pas le Code de Politesse. »

Autour d'eux, c'étaient de nouveau le trottoir herbu aux réverbères espacés, un jardin maraîcher entre de faux immeubles, et ce semis de pavillons, orientés chacun à sa guise comme des voyageurs endormis dans un compartiment ; c'étaient les toits de tôle ondulée assiégés de liseron, des fragments de murs nobles où s'accotaient des clapiers, un passant en sabots, le cri des coqs mêlés au klaxon des voitures : c'était *chez nous*.

IV

LA NUIT SANS SOMMEIL

COMME ils atteignaient l'ombre ajourée des hauts
platanes de la Prolétarienne, ils virent passer le
corbillard automobile à une vitesse prohibée. Kléber,
qui n'était point religieux, se signa. Mais c'était
seulement l'entrepreneur des pompes funèbres
qui, dans un nuage de chansons, s'en retournait
d'un pique-nique à Fontaine-au-Bois, les parents
sur la banquette du chauffeur, les enfants assis
à la queue leu leu de part et d'autre du catafalque
où l'on avait rangé couverts et provisions. En face
de la poste, dans une boutique désaffectée, une
réunion d'amis achevait un festin commencé cinq
heures plus tôt et auquel, des radis jusqu'à la bava-
roise, tous les passants avaient pu assister à travers
la devanture. Kléber l'aperçut à temps et fit traverser
Patrick en toute hâte, craignant qu'un tel spectacle
ne ravive sa nausée.

« Je me demande, pensa-t-il tout haut, s'il est
bien raisonnable d'aller au restaurant après... après
ce qui t'est arrivé. Tu mangerais des nouilles à
la maison...

— Oh ! papa, des nouilles un 14 Juillet ! »

Moins qu'une sincère sollicitude, c'était sa jalousie envers Théophane-le-bienfaiteur qui animait
Kléber ; il s'en aperçut et n'insista point. Cependant, tel un chien qu'on a puni d'aboyer et qui par
dignité continue de grommeler, il marmonna encore
plusieurs fois : « Tout de même... tout de même... »

Gorgé de vin rouge, lui aussi, le soleil commençait à décliner. La France entière cuvait débon-
nairement la prise de la Bastille et deux siècles de
liberté, d'égalité et de fraternité. Seul, Quatre de
trèfles, qui n'était pas de la fête, tournait depuis
des heures dans sa maison désertée. Lorsque ses
maîtres y reparurent enfin, tout couverts d'odeurs
étrangères, il ne put se retenir de les flairer avidement
puis, sans même agiter la queue, il leur tourna le
dos et se coucha enfin dignement au creux de sa
solitude.

Le banquet des anciens combattants prenait
place sous les tilleuls de la place de la Mairie. Mais,
sous les marronniers du cours de l'Eglise, on avait
dressé d'autres tréteaux pour les « Vrais Républicains » et les « Amis de la Libre Pensée » sevrés,
depuis quatre ans, d'agapes et de discours. Le café
des Boulistes avait dû emprunter à la ronde du
linge et des couverts pour faire face à ces clients,
jaloux les uns des autres, et le patron transpirait
déjà d'inquiétude.

Aucune place n'était marquée ; les anciens combattants devaient se grouper par affinités, mais

ils se retrouvèrent divisés, comme le matin, en
14-18 et 39-45 ; et les Amis de la Libre Pensée,
pacifistes pour la plupart, les considéraient en rica-
nant dans leur barbe. Kléber arriva le dernier ;
il avait installé Patrick devant une table de marbre
au café de la Mairie, noué la serviette roide autour
de son cou et commandé : — Voyons, voyons...
quelque chose de léger parce que, cet après-midi,
nous avons eu un petit accident. Hé oui, figurez-
vous que..

Patrick regardait ailleurs : Loi sur la répression de
l'ivresse... Exigez un Dubonnet... Midi, sept heures :
l'heure du Berger...

« Une grillade, peut-être ? avec des haricots verts ?
Et de l'eau, bien sûr. »

Le menu annonçait : lapin chasseur, poulet rôti,
pommes de terre frites ; mais Kléber le parcourait
d'un œil sourcilleux, la lèvre dédaigneuse, comme
au long du marché ce matin. La patronne s'impatientait : son mari faisait partie du banquet et sa belle-
sœur l'attendait pour le dîner.

« On ne reste pas seul un jour pareil, pensez ! »
acheva-t-elle, sans égard pour le petit garçon
solitaire.

Kléber ne le laissa qu'après mille recommandations. Dieu merci, il n'avait pas observé, sur la nappe
de papier, ce moutardier que Patrick ne quittait
pas des yeux. Il détacha enfin laborieusement et
comme à regret de son précieux trousseau, une clef
du pavillon :

« Rentre directement, bonhomme, si le banquet

n'est pas fini. Cela risque d'être long à cause des discours, ajouta-t-il d'un air modeste.

— Est-ce que je pourrai rester pour écouter le vôtre ? » implora Patrick.

Le vieil homme se défendit d'autant plus mollement qu'il venait de se réciter sa péroraison et qu'elle lui avait presque arraché des larmes. Il avait déjà oublié que son discours était de Théophane, et Théophane de Clemenceau.

La patronne sortit peu après, non sans avoir, de son côté, accablé d'ordres sa petite servante, une fille de l'Assistance Publique ; les deux enfants demeurèrent seuls, aussi intimidés l'un que l'autre, dans cette salle qui puait l'homme.

La viande n'était pas encore grillée que Roger-la-Brocante entra, touchant d'un doigt (il ne prenait plus la peine de la soulever) sa petit casquette crasseuse. Salut la compagnie !

La compagnie, qui, en attendant, se bourrait de pain et de moutarde, lui rendit son salut, la bouche pleine. Comme deux rescapés s'accotent l'un à l'autre, Roger s'installa en face de Patrick dans la salle déserte dont les mouches avait pris posssession. La petite servante reparut ; elle avait mis du rouge à ses lèvres, beaucoup trop.

« Qu'as-tu choisi, toi ? Des haricots verts ? Tu aimes donc ça ?... Ah ! je comprends, ajouta-t-il avec une discrétion d'éléphant en soulignant d'un ongle douteux le prix inscrit à l'encre mauve. Mais ne t'inquiète pas : je paierai le supplément.

— Non », dit fermement Patrick.

Un franc de plus, c'était trahir à la fois Théophane et Kléber ! Il mit la main dans sa poche et serra très fort son porte-monnaie.

« C'est jour de fête, reprit Roger d'un air sombre. Pour les autres, du moins : moi je ne connais personne et personne ne me reconnaît. Fais-moi ce plaisir, euh... ?

— Patrick.

— Patrick », répéta l'autre avec un plaisir jaloux que le garçon connaissait bien : celui avec lequel il recensait à haute voix sa « famille » : l'oncle Théo, Mam Irma, ma sœur... « Patrick, fais-moi ce plaisir ! Poulet ou lapin ?... Va pour deux poulets, ma fille ! Et ouvre-nous une bouteille de beaujolais.

— Mais...

— Quand j'avais ton âge, commença Roger, les coudes sur la table, le regard brouillé, quand j'avais ton âge... »

Il se mit à lui raconter son enfance, sans raison, sans autre raison que d'exorciser le malheur. Il parlait devant lui : pour les steppes, les fantômes, les bourreaux. Patrick, fasciné, écoutait ces histoires d'ailleurs. L'Europe centrale, où cela se trouvait-il ? Du côté du Moyen Age, sans doute. Il y voyait des lanciers pourchasser dans les neiges ce petit garçon et ses frères aux cheveux bouclés, mettre le feu aux toits de chaume ; la famille et ses ballots de loques s'entasser sous la bâche d'un chariot, dans les soutes d'un navire aveugle ; d'autres soldats les séparer de leurs parents « comme des bêtes

pour la boucherie, Patrick ! » Il voyait ce petit garçon crépu marcher, marcher, marcher à travers
des pays inconnus, grandir sans le savoir, être chassé de partout, telle une mouche, dès qu'il s'y posait,
et s'arrêter — pourquoi ? — aux portes de Paris.
S'y cacher de nouveaux soldats, quatre ans durant,
choisir enfin le seul métier que personne ne
lui disputait : chiffonnier. « Mon père était maître
d'école et je ne sais même pas lire le Français. Ne le dis à personne, Patrick ! Et reprends du
beaujolais... »

« C'est comme moi, repart Patrick, je suis arrivé
ici, une nuit... »

Pour la première fois, lui aussi raconte son histoire, « mais ne le dites à personne ! » Depuis le cri des
bêtes à Gravelle-triage, elle flottait entre deux eaux
de sa mémoire. Chacun s'apitoie sur l'autre et davantage encore sur lui-même. Etrangers à ce bourg
et au 14 Juillet, orphelins égarés dans la fête des
autres...

« Donne-nous donc une autre chopine, ma
fille ! »

La petite apporte un second litre de rouge et
raconte également son histoire. On s'attendrit, on
met de nouveau des larmes dans son vin, on trinque
aux solitaires, aux enfants perdus. Roger-la-Brocante
tire de sa poche d'anciens numéros du *Journal de
Mickey* qu'il n'a jamais pu déchiffrer. Pénétré de
son importance, Patrick les lit tout haut : « Bang !...
Vraoum !... Sniff sniff... » Les trois étrangers ont
alors le même âge : celui du rire sans fin et

presque sans raison. Un consommateur hésite sur
le seuil puis, voyant le comptoir déserté, choisit d'aller boire aux Boulistes mais se retourne
pour lancer :

« Alors, Pépère, on fait une cure de désintoxi-
cation au beaujolais ? »

Auquel des trois s'adresse-t-il ?

« Et deux express pour finir ! »

Debout sur un tabouret derrière le zinc, Patrick
manœuvre la rutilante locomotive qui sue goutte
à goutte un café d'encre. Bigrebougre ! c'est autre
chose que le malt quotidien. Patrick croit pourtant devoir affirmer :

« J'aime mieux celui qu'on fait chez nous. »

Il sent vaguement qu'il n'a déjà que trop trahi
sur la moutarde, le poulet, le vin rouge, les confidences ; et rien qu'en éprouvant de la sympathie
envers ce « pauvre diable » que Kléber n'aime
point.

Au moment de payer, il ouvre cérémonieusement
son porte-monnaie cuvette et en fait glisser le
contenu. Viennent d'abord un bouton, deux
réglisses, quelques élastiques, un sou percé, puis la
pièce de vingt francs que Théophane lui a donnée
pour payer son repas et qu'il remet à la petite
bonne. Enfin, apparaît dans la cuvette du porte-
monnaie un petit ruban jaune et vert : la médaille
militaire qui s'est détachée, l'an dernier, de la boutonnière de Kléber et que Patrick a... « Papa...
Bon sang ! le banquet, les discours... Quelle heure
est-il ? »

Roger voit son compagnon bondir — « Hé ! attends-moi ! » — tituber, se raccrocher à un guéridon, repartir au galop. Il le suit après avoir payé le reste (car s'il ne sait pas lire, il compte juste et vite.) La servante reste seule avec l'argent, les mouches et les carcasses de poulet. On entend, dehors, les rires et les rumeurs du 14 juillet. Alors, d'un geste de tout petit enfant, elle fourre ses deux poings contre ses yeux et pleure.

Quand Patrick approche des platanes, l'oreille tendue vers les discours, il ne perçoit que le bruit des fourchettes et des verres et ces phrases stupides des hommes entre eux : « C'est comme moi, mon vieux... Ce n'est pas pour me vanter mais... » Ils en sont encore aux vol-au-vent dont le fond est brûlé, la tête froide et les entrailles tièdes. « Fameux ! Dis-donc, des bouchées à la reine pour un 14 Juillet, c'est trouvé !... » La plaisanterie court le long des tables ; elle fait même, un moment, l'unanimité des 14-18 et des 39-45.

« Ce sera encore long ? murmure Patrick au creux de l'oreille blanche.

— Oui, deux grandes heures... Rentre à la maison, bonhomme.

— Et le discours !

— As-tu bien dîné ? » demande Théophane, la bouche pleine.

Patrick rougit, incline la tête, dit « merci » d'une voix étranglée par la honte. Kléber fronce les sourcils.

« Te voilà bien rouge. Tu n'as rien bu, au
moins ?

— C'est que j'ai couru », dit Patrick.

Ce qui est vrai ; vrai et faux : quand on commence
de mentir, il faut bien faire l'appoint. Patrick se
fond dans les ténèbres, tel un poisson qu'on rejette
à l'eau ; il y retrouve Roger-la-Brocante qui s'est
essoufflé pour ne pas perdre, ce soir, son seul ami.
Car il y a, d'un côté, le bourg tout entier qui dîne
ou banquette et, de l'autre, ces deux orphelins
— et aussi la petite servante qu'ils ont déjà
oubliée.

« Allons à la maison, propose Patrick : je te montrerai mes inventions... J'ai le clef. »

Enfin une grande personne qu'on peut tutoyer,
dominer, qui ne sait même pas lire et rit aux mêmes
dessins que vous ! le contraire de Mam Irma... Devant
ce Roger, Patrick éprouve la griserie de l'enfant qui
se fait obéir d'un chien plus haut que lui. Rue de
la Libre-Pensée, il marche d'un pas au moins devant
son compagnon.

Indifférente aux fêtes populaires, reine mère en
exil, la lune au plus haut du ciel se laisse regarder
en face. Les ombres des arbres dorment à leur pied ;
celle du fusain taillé s'étend jusqu'au cerisier de
Kléber.

« Quatre de trèfles, vas-tu te taire à la fin ! »

Mais, plus fidèle que le garçon, le roquet déteste
cet étranger et le lui hurle de loin, prudemment.

« Je t'enferme », décide Patrick en veine
d'autorité.

Il fait fièrement visiter la maison, explique ses inventions : le chewing-gum au sucre ; les parfums incertains qu'il espère obtenir en faisant macérer des pétales de fleurs dans de l'alcool (mais c'est de l'alcool à brûler, malheureux !) ; des sirops, en laissant fondre ses bonbons dans de l'eau. Il dévoile sa collection de sandwiches dessinés avec des crayons de couleur ; poulet, banane et noisette ; et aussi gruyère-jambon-noix-confiture. Que d'heures passées à en *imaginer* le goût ! Enfin, encore plus grisé par l'admiration que lui témoigne Roger que par le beaujolais, Patrick commet le sacrilège inexpiable : il révèle le coin des *ça-peut*. Aussitôt le brocanteur ressuscite et parle plus haut que l'ami :

« Est-ce que je peux en emporter ?

— Jamais.

— Tout ça ne vous sert à rien, tandis qu'à moi...

— JAMAIS ! »

Les yeux verts lancent la foudre. Plutôt mourir que laisser toucher au Trésor ! Bien, bien, on ne se fâchera pas pour si peu... Roger l'Habile se contente d'admirer le panorama animé de l'Exposition universelle, une canne-épée, des lunettes fumées pour suivre l'éclipse, un casse-noisette représentant Bismarck...

« Et ça ? (Le poste à galène.)

— C'est pour écouter l'ancien temps. Tu vas voir... »

Ni voir ni entendre : les petits doigts trop impatients ne retrouvent pas le secret des ressorts.

« Tant mieux, déclare Roger : l'ancien temps ne m'intéresse pas. »

Patrick ressent confusément que cette phrase-là, Papa ne l'accepterait point et qu'il serait lâche de la laisser passer.

« Pourquoi dis-tu ça ? Tu n'as pas le droit de...

— *L'ancien temps, c'est la mort...* Tais-toi ! reprends Roger d'une voix rauque, laisse-moi parler : toi, tu ne peux pas savoir, pas encore ! Demain... demain... S'il n'y avait pas toujours demain, il vaudrait mieux être mort... »

Et voilà ce gros imbécile qui se met à pleurer, sans raison, sur le poste à galène. Comme Kléber, l'autre jour — non ! ce matin même : *Vous avez, ma gentille, pris l'talon d'vot' soulier...* A pleurer en appelant quelqu'un dans une langue inconnue, sa mère, sans doute. A pleurer avec des reniflements de gosse et de longues saletés qui lui coulent du nez. « Il est ivre, pense Patrick qui recule de deux pas. Oh ! pourvu qu'il parte d'ici ! » Une grande personne qui pleure, une grande personne sans défense le remplit d'une peur panique : il se sent doublement seul, doublement faible.

« Rentre chez toi, Roger », dit-il d'une voix qui l'étonne : sa voix d'orphelinat.

Mais le gros tire de sa poche un mouchoir dégoûtant où il enfouit d'un coup toute sa peine.

« Ça y est. C'est passé. Il fera de l'orage, ce soir : chaque fois qu'il va faire de l'orage, je... Quel crétin ! » achève-t-il en hochant la tête.

Ses grosses lèvres, son regard étroit, ses cheveux bouclés... Il est désarmé, désarmant.

« Oui, reprend-il après s'être mouché de nouveau, partons chez moi : je te montrerai la décharge. »

Patrick, méfiant, est bien décidé à refuser, mais :

« Tu sais que j'ai un âne pour tirer ma charrette ? »

Les voici donc sur le chemin, sous la lune ; Patrick marche toujours le premier mais, cette fois, c'est d'impatience. A leur gauche, au loin, le fleuve paisible brille par instants entre les arbres comme un miroir brisé. A droite, par-delà la route et les vergers, on aperçoit le Stade et les blêmes effigies des chefs russes régnant sur ce désert. Devant eux, les ruines de l'Ancien Château de Piermont qui ressemblent à... Patrick cherche ce que lui rappellent ces ruines. Ne cherche pas trop, petit garçon !

La décharge s'étend jusqu'à elles : un champ surélevé où l'on aurait planté de vieilles boîtes de conserves et des carreaux cassés sur des tonnes de papiers et de chiffons. Patrick est déçu, mais Roger le conduit aux réserves : une série de pyramides où les détritus s'entassent par catégories ; puis à son trésor à lui : une foire aux puces, un musée d'objets insolites exposé sous des tentes misérables. L'océan du temps a déposé, sur ce rivage puant, les épaves d'un siècle d'ingéniosité et de mauvais goût. Patrick va de petit cri en petit cri, de merveille en merveille. Mais la plus surprenante de toutes l'attend sur une litière de paille dans une écurie de plein vent : un petit âne gris, têtu et résigné, mâchonnant sans cesse.

« Tu comprends, explique Roger, pendant deux mois j'ai été seul, tout seul à camper sur mes ordures. Cette odeur, toute la journée, je la portais en moi, sur moi ; on me tournait le dos ; on me renvoyait comme un chien mendiant. Mais je gagnais de l'argent, sans en dépenser. J'ai pu embaucher un compagnon, puis deux, puis trois ; acheter l'âne. Le mois prochain, si tout va bien, un cheval ! Et puis — il avait baissé le ton, comme si le mauvais sort les espionnait — une voiture... Oh ! une vieille bagnole, pour commencer ; mais tu verras, tu verras... Alors je cesserai d'habiter sur la décharge ; j'ai déjà repéré mon pavillon : celui d'un vieux bonhomme qui va mourir... Je le surveille chaque matin... *Alors, je n'aurai plus besoin de faire pitié*... Jusque-là, ç'aurait été dangereux, tu comprends ? On m'aurait chassé d'ici, comme de partout, comme toujours. Mais, quand j'aurai ma maison remise à neuf et ma voiture, ce sont eux qui viendront me chercher pour acheter leurs saloperies. J'aurai l'argent : je dirai : « Je vous en « donne tant... Ça ne vous intéresse pas ? Appelez « quelqu'un d'autre ! Bonsoir... » Je n'aurai plus besoin de retirer sans cesse ma casquette — d'ailleurs, j'aurai un chapeau — et ils battront leur chien parce que lui, l'imbécile, continuera de crier après moi. Lui seul n'aura pas compris que tout est changé... Alors, je ferai des affaires : j'achèterai

des boutiques, des pavillons ! j'attendrai longtemps
avant de les revendre. Quand on a l'argent, il n'y
a plus qu'à attendre : l'argent travaille à votre
place. Des affaires, répéta-t-il avec une intonation
gourmande. Et j'ai déjà commencé ! L'enseigne
lumineuse aux Boulistes, c'est moi qui ai décidé
le patron à la faire poser : en le persuadant que le
café de la Mairie en avait commandé une. Mais
c'est à présent qu'il va le faire, l'autre idiot ! et
moi je touche sur les deux. Quand ils n'ont pas
d'argent, c'est par la peur qu'on agit sur eux ;
et lorsqu'ils en ont, par la vanité... Je ne sais pas
lire, mais parler, leur parler, leur resservir leurs
arguments et m'en servir auprès des autres, ça
je l'ai appris ! Tandis que leur œil brille de la bonne
réponse qu'ils vont me faire, j'ai déjà deviné
cette réponse ; mais je l'écoute, afin de ne pas
les alerter. Le jour où je n'aurai plus besoin de
paraître plus bête qu'eux, tu verras... Il y a tout à
faire dans ce patelin ! Ils y vivent comme des chiens
malades : roulés sur eux-mêmes avec satisfaction
comme si le reste du monde n'existait pas, alors que
Paris est à vingt minutes ! Il y a tout à faire... Tu
verras... — Ne raconte à personne ce que je te dis
là, même pas à ton papa ! D'ailleurs... («D'ailleurs,
il n'est pas ton père et je suis le seul à le savoir. »)
A personne ! »

Pour répéter ces confidences, il faudrait, pre-
mièrement, les avoir écoutées ; mais, durant ce
long chuchotement, Patrick, le visage enfoui dans
la douce toison, a murmuré au creux de la plus

longue oreille qui l'ait jamais écouté un tout autre
monologue.

« Je t'aime... Je ne t'avais jamais vu qu'en image,
mais je t'aimais déjà... Presque tout ce que je
connais, je ne l'ai vu qu'en image. Ça n'empêche pas de détester ou d'aimer... Toi, je t'ai toujours aimé. Ils disent que tu es bête, paresseux
et obstiné ; c'est aussi ce que Descaux et Lardenet
et Thuillier disaient de moi... Ils disent que tu es
bête, mais ils ne comprennent pas que tu es triste,
que tu es seul... Eux ne sont jamais seuls ; ils ne
savent plus. Alors ils deviennent méchants, à leur
manière ; et nous à la nôtre... je t'aime... JE T'AIME...
Il y a maintenant quelqu'un qui t'aime... Oh !
Philippi... Oh ! papa... »

Il se cache plus profondément dans le pelage gris
parce qu'à sa grande surprise, il pleure. Mais c'est
bon comme de rire, et il se laisse porter par ce faux
chagrin. Quoi de plus consolant que cette oreille
chaude ?

« Tu seras heureux ici : c'est presque la campagne.
Il n'y a pas de soldats, pas d'avions, pas d'usines...
Et ça ne changera jamais, jamais... Tu vivras vieux,
tu deviendras tout blanc... »

« Roger «, s'écrie-t-il si brusquement que l'âne
fait un écart et montre ses dents jaunes, « Roger,
quand il sera vieux, que feras-tu de lui ?

— Je le vendrai.

— A qui ? pas au boucher ?

— Mais non. (« Puisqu'on ne mange pas les
ânes », pense l'autre bonnement.) Et puis, tiens,

poursuit Roger qui nage entre deux rêves — sa
voiture américaine et son compte en banque — je
ne le vendrai pas : je te le donnerai.

— Tu entends, toi ? » fait le garçon qui couvre
de baisers l'encolure grise.

Ces mouches insolites inquiètent l'animal ; il
secoue la tête ; ses oreilles suivent, avec un certain
retard.

« Roger, tu es chic ! Tu seras mon ami et je serai
ton ami. »

Cérémonieusement, l'ami sort chercher une bouteille et deux verres. Encore du vin rouge ! On le
boit dans son habitation : un lit bas, une chaise
boiteuse, un demi-miroir et trois valises empilées —
« Mais tu verras, tu verras ! » Le tout, logé dans un
wagon à bestiaux qui a perdu ses roues entre
Gravelle-triage et la décharge.

Un wagon à bestiaux... l'âne... le vin rouge...
Patrick, soudain, change de visage. Une résolution
plus forte que lui vient de l'envahir, l'occupe tout
entier.

« Il faut que je parte, Roger.

— Je te raccompagne.

— Non. »

Il parle d'une voix d'homme que lui-même ne
reconnaît plus : oui, c'est un homme, en lui, qui
désormais commande au petit Patrick.

« Roger, les portes de ton wagon à bestiaux,
comment s'ouvrent-elles ? Montre-moi.

— Rien de plus simple... Mais la plupart ont des
portes abattantes pour faire sortir les bêtes.

« — Attends que je les fasse fonctionner moi-même…
(Quelle force inconnue !) Ça va… Adieu, Roger. »

Il est près de dix heures — mais il n'en sait rien
— quand Patrick repart, seul sur la route déserte.
Les étoiles, au ciel, ont établi pour la nuit leur
campement hésitant. Au sol, des réverbères avares
ne prennent la relève l'un de l'autre qu'au seuil
des ténèbres. N'importe quel petit garçon de
douze ans aurait le ventre poinct par la peur ;
mais le beaujolais et l'esprit de croisade soutiennent, exaltent celui-ci. Ancien château de Piermont…
La Maraîchère… Le poteau marquant chaque
halte semble dormir debout en attendant
l'autobus de l'aube. A la hauteur de la Prolétarienne,
Patrick se détourne des lumières et des
rumeurs qui, à travers un rideau de peupliers, lui
apportent le reflet et l'écho de la fête heureuse. Il n'a pas une pensée pour Kléber, le banquet,
le discours ; il ne voit qu'un regard méfiant et résigné : l'âne de Roger ; il n'entend, à travers les cris
blancs des locomotives, que la plainte dé-
sespérée des bêtes prisonnières. Et soudain, lui revient une image qu'au marché, ce matin, il a enre-
gistrée, telle une photographie qu'il ne *développe*
que cette nuit : d'une écriture de saindoux, sur
la vitre d'une boutique, cette inscription MULET
EXTRA, REGALEZ-VOUS !… Sur l'instant, il a pensé qu'il
s'agissait d'un poisson, d'un petit animal inconnu.
Mais non ! c'était à la devanture de la boucherie
chevaline, et ce mulet… Ah ! les salauds, les salauds !

Et voici que se pressent aux portes de sa mémoire toutes les bêtes de son enfance, lues, rêvées, rencontrées : les chevaux, les bœufs subjugués, les vaches patientes. Ce *poney* (mot magique) qui, durant des mois, galopait dans ses rêves et qui tournait la tête quand on criait son nom « Eclipse »; le cheval blanc du Justicier du Far West : sa crinière de femme captive, sa queue frémissante qui balaie le sol; le bœuf et l'âne de la crèche, dans cette vieille histoire qu'il connaît mal mais qui lui tire toujours des larmes — tous, tous, à la boucherie ! Viande extra, régalez-vous !... Les wagons, les abattoirs, le sang, le sang... Le sang, couleur de ce vin brûlant qui, cette nuit, se mêle au sien et heurte à grands coups sa poitrine, pareil au troupeau des bêtes martelant le plancher des wagons... « Et je mange de la viande tous les jours... Oh ! pardon, pardon... Jamais plus ! »

L'école... Gambetta-Rosière. Le Dispensaire où veille une lumière... Et voici tout Paris brasillant... « Je ne le croyais pas si grand ! » Paris, feu mal éteint d'où s'élève une fumée rouge. Patrick s'arrête, le cœur serré de crainte, de haine peut-être, et croise les bras : Napoléon regardant brûler Moscou...

Il aperçoit aussi quelques passants sur le pont de la Révolte, une automobile, deux autres, un dernier autobus. À présent, il faut un plan de campagne. Patrick s'assied sur la grosse pierre d'où il a si souvent observé la ville ennemie et prend sa tête dans ses deux mains. Mais c'est la mer et sa furie : dès qu'il baisse les paupières, la frêle

barque de son esprit roule et tangue sur un océan
de beaujolais. Gouffre, tourbillon, le vide — et
soudain *l'infini !* une vision si précise de l'infini, qu'il
en perd le souffle et doit rouvrir les yeux, aspirer
de ses yeux, comme un noyé l'air des vivants, la
simple réalité qui l'entoure : les pavés, l'arbre,
l'herbe... Il se met debout et se retrouve assis ! se
remet deb... — tout Paris penche, penche, chavire.

 « La fleur... la bougie... » — Quel instinct commande au petit garçon ivre de respirer, d'expirer,
lentement, jusqu'à fond de cale ? Encore... Allons,
cela va mieux !... Il descend d'une traite jusqu'au
pont de la Révolte, s'accoude à l'endroit même
où, cet après-midi... — et, comme par magie, toutes
les explications de Kléber, *même celles qu'il n'a pas*
écoutées, lui remontent à l'esprit ; une lucidité
éblouissante remplace le chaos. Ateliers de voitures,
ateliers de wagons, magasins généraux, poste central : il identifie tous les bâtiments à la lumière
froide des projecteurs. Il repère aussi les équipes
au travail, autant de points dangereux. La carte
du terrain se grave dans sa tête : lieux à éviter,
zones obscures, itinéraire à suivre. « Je descen-
drai cette pente, j'entrerai par le dépôt des locomotives, je poursuivrai jusqu'au remisage, décide-
t-il, et là... eh bien là, on verra ! Il me faudrait une
échelle... Je la trouverai. »

 Une locomotive haut-le-pied passe sous le pont :
noire, corsetée, empanachée de blanc — une veuve qui
se remarie. Patrick profite de ce nuage de fumée, qui
le camoufle, pour gagner la pente ; il a l'impression de

descendre aux enfers et se juge héroïque. En vérité, depuis tout à l'heure, il existe deux Patrick : l'un qui reste accoudé à la rambarde noire, et l'autre qui se lance dans l'aventure ; comme au cinéma, cet après-midi, le Patrick-spectateur et le Patrick-Douglas Fairbanks...

Pour pénétrer dans cet enfer paisible et méthodique, il suffit de pousser une barrière, de franchir un talus pelé, d'enjamber quelques rails. Voici le dépôt des locomotives, cirque du Diable. Quatorze monstres, allongés en demi-cercle et prêts à bondir, se tiennent en respect. Les uns fument tout blanc, d'autres sifflent ; une tribu au visage de charbon s'affaire autour de ses bêtes, étrille ses chevaux noirs, nourrit le feu de leur ventre. L'un des hommes jette de haut un regard à Patrick qui sourit mais presse le pas. Il sait bien que sa présence est insolite et qu'ici tout ce qui ne figure pas au « Programme » semble suspect. Sur une inspiration soudaine, le garçon se baisse, ramasse un feuillet jaune, un feuillet bleu qui traînaient par terre : il va désormais les tenir à la main avec précaution et prendre l'air affairé du messager qui sait fort bien où il va, « et surtout qu'on ne me retarde pas ! » Il traverse ainsi le chantier de lavage où, le dos rond, d'autres bêtes patientes se laissent éponger à grande eau, le remisage et un rendez-vous de wagons-citernes... Il doit approcher des voies de triage, puisque déjà lui parvient la voix des haut-parleurs, aussi rocailleuse que le remblai :

« Les gars, voici 33-2, 29-1, 35-3, 21 deux fois deux... »

Le haut-parleur a l'accent du Midi — du Midi vin rouge, et non vin rosé ; les haut-parleurs, les téléphones et tous ceux qui s'interpellent sur les voies ont ce même accent : la gare entière forme un département à part, incrusté au flanc de Paris (Seine), un territoire de fer, de caillou, de vapeur où l'on roule les « r ».

« ...13.2.1, 23.6 plus 3, 19.2... »

Puis une autre voix : « Attention, je signale un passe-debout sur la voie *2 bis...* » — Puis l'addition reprend interminable : « 32.3, 27.1 trois fois... »

Ses feuilles à la main, Patrick passe au pied d'un poste d'aiguillage et s'arrête un moment sous la porte entrouverte. Il entend des enclenchements, la sonnerie d'un téléphone : « Bien... Compris... Oui, chef... » (Du même accent, toujours.) Puis l'on décroche un autre appareil : « Ici, poste R. Dis donc, Marcel, réduis la cadence... — Quoi ? Si tu veux, mais *maxi,* vieux... D'accord, Marcel ! »

Patrick s'avance encore parmi les archipels d'ombres. Il y a deux mille wagons, cinquante machines et trois cents hommes qui suivent « le Programme », et lui qui le contredit. Voici Patrick-Fairbanks au milieu du faisceau de triage : un bolide passe à sa gauche, deux à sa droite. Il fixe le haut de la butte et s'amuse à parier sur quelle voie on aiguillera ce wagon-ci, puis le suivant... Mais le fracas du freinage tout proche ne parvient pas à couvrir un long hurlement qui le dégrise d'un seul coup : l'immense jouet redevient une prison de bêtes. Allons ! il est temps d'y remplir sa mission... Il oblique donc vers les *tiroirs* des trains en formation et, à mesure qu'il en approche, les meuglements, le lourd talonnement captif couvrent les autres bruits. Voici des wagons tout pareils à la demeure de Roger et, par les lucarnes oblongues, il croit voir puis voit, dans l'ombre, les mufles brillants, toutes ces cornes inutiles et de grands yeux qui luisent. Comme des étoiles à l'orée de la nuit : lorsqu'on en a distingué une seule, ce sont deux, cinq, douze que l'on observe ensuite !

Une échelle... Patrick la trouve non loin de là, accotée à un signal, car le Démon pense à tout. Il la transporte, mais le beaujolais doit lui donner un coup de main puisqu'elle lui semble presque légère... Il la dresse contre le premier wagon à bestiaux et porte la main sur la serrure épaisse : elle fonctionne. Suffit d'un geste... Mais le petit garçon semble réaliser soudain la folie de ce geste et de sa décision : libérer les bêtes captives. Et qu'arrivera-t-il ensuite ? Le film, dans sa tête, s'accélère : il imagine les trois cents hommes du dépôt formés en bataillons et le coursant à travers les rails, les wagons sournois livrés à eux-mêmes, les aiguillages fous... Déraillements, les machines explosent, couchées sur le flanc, le ventre ouvert... Paris accourant au tumulte, Paris envahissant le terrain, piétinant tout : sifflets, sirènes et les troupes du 14 juillet survenant de toutes les casernes...

Non, non ! Il tourne le dos aux bêtes des wagons et, comme si elles devinaient cet abandon, les voici qui, toutes ensemble, mugissent. Patrick se bouche les oreilles : ce n'est plus qu'un grondement lointain, la rumeur d'un remords. Quand soudain...

Dix heures et demie : à Montmartre, sur le Pont-Neuf, aux Buttes-Chaumont, un peu partout dans Paris, hors Paris, à cent pas de Gravelle-triage, éclatent les feux d'artifice. Les fusées déchirent l'étoffe du ciel, retombent en crinoline ; une émulation de toutes les couleurs, une constellation d'éclatements : le feu joue aux quatre coins dans le ciel. Et les bonnes gens, les yeux levés, crient « Oh ! » crient « Ah ! », rient de plaisir, tous — sauf Patrick, qui s'est jeté contre l'herbe rousse et tremble à chaque explosion. Jamais vu de feu d'artifice ! Pour lui, c'est la nuit du 21 juillet 44, c'est le bombardement, les ruines, l'incendie — c'est Philippi, les abattoirs, la mitraillette. — Debout, Patrick !... Vite ! vite !...

Il se relève ; ses jambes se dérobent ; ses mains tremblent si fort qu'il ne parvient pas à saisir le loquet. Alors, il les regarde fixement, comme un enfant auquel on veut faire honte, jusqu'à ce qu'elles retrouvent leur calme. Il voudrait bien ne se servir que de sa main gauche mais, ce soir, elle n'arrive à rien toute seule.

Tandis qu'il s'applique à la lourde serrure, voici que l'orage éclate enfin, hâté par toutes ces fusées qui l'égratignent. L'artillerie de bronze, les canons

de Dieu tonnent à leur tour, et Satan tombe du
ciel comme l'éclair. L'averse longtemps retenue
s'abat en gouttes drues : on a lâché les chiens. Pla-
qué contre le wagon où les bêtes s'affolent, Patrick,
en un tournemain, est trempé jusqu'à l'os, mis à
nu. Martyr que les bourreaux flagellent, que visent
les archers... Il ne sait pas bien si c'est de l'eau
ou du sang — et qu'importe ! le premier loquet
vient de céder ; le vantail s'abat lentement d'abord,
puis brutalement, formant jusqu'à la terre
un plan incliné sur lequel la pluie ruisselle déjà.
Vite, au wagon suivant ! Patrick ne se retourne
même pas : il lui suffit que les meuglements aient
cessé. Un troisième loquet, rouillé celui-là — et
cette pluie qui enrage et s'acharne sur son dos...

Un nouveau chapelet de bombes — elles n'ont
pas dû tomber loin ! Contre ce wagon qui en
tremble, Patrick se sent à l'abri. Pourtant, il recule
en terrain découvert afin d'observer le reste de ce
train : aucun autre wagon à bestiaux. Il ose se
glisser sous les tampons, les crochets et les chaînes
pour passer à la voie suivante ; les mugissements
l'attirent en tête de ce convoi. « J'arrive, j'arrive ! »
crie-t-il dans le déluge, ivre de pluie, de danger, de
dévouement. A présent, les serrures cèdent aussitôt,
les portes coulissent ou se rabattent. Le tonnerre et
la pluie redoublent, mais Patrick aussi, d'habi-
leté, de vitesse. Cela devient un jeu ! libérer un
wagon, deux wagons, puis trois avant le prochain
éclatement : orage ? fusée ? bombardement ? Il ne sait
pas.

Mais les bêtes, les bêtes ! Pourquoi ne s'enfuient-elles pas ? Pourquoi ne voit-il pas leur troupeau joyeux se hâter parmi le chantier déserté ? Il retourne sur ses pas. Au bord de leur wagon ouvert, il les voit effarées, le cou tendu, les pattes raides. « Allons ! » Il monte au-devant d'elles, leur parle à sa manière ; la première risque un sabot sur le bois sonore. Et soudain, le garçon n'a que le temps de sauter à terre, dans une flaque : les bêtes se sont ruées vers la liberté en mugissant — Taisez-vous donc ! — en se bousculant aveuglément. L'une d'elles roule sur le sol ; les autres la piétinent. Patrick commence à se demander si son projet... mais n'a pas le temps d'achever sa pensée : de l'autre voie parvient un roulement plus fort que le tonnerre. Il y court : des chevaux galopent en rond, désemparés. Deux gisent sur le sol, impuissants à se relever, projetant leurs pattes en tous sens. L'un d'eux — un cheval blanc — sa tête est coincée sous le wagon : une tache de sang sur son coup s'élargit, s'élargit... Patrick n'ose plus s'approcher de ce carrousel, de cette boucherie. Il hurle de loin : « Par là ! allez par là ! » — mais le tonnerre de Dieu et celui des hommes crient plus haut que lui.

Pourtant, comme s'ils l'avaient compris, les chevaux se précipitent soudain vers la tête du train, vers la butte de triage. « Enfin !... » Mais l'enfant, qui les suit des yeux, tend soudain des bras impuissants, voudrait crier, reste sans voix : un, deux, quatre chevaux viennent de caramboler, de rouler

à terre comme s'ils se heurtaient à un tir de barrage. Affolés par l'orage et ces feux dans le ciel,
ils se sont pris les pattes dans le dédale des aiguillages. Quelques-uns se relèvent en boitant ; les
autres... « Attention ! ATTENTION ! » hurle
Patrick qui tombe à genoux. Car le trafic ne cesse
jamais « par tous les temps, et même le 14 Juillet,
comme tu vois » : cette parole de Kléber résonne
à son oreille. Sur la butte, les wagons poursuivent leur descente aveugle... Attention ! l'un d'eux
vient de prendre en écharpe un cheval imprudent
qui gît à terre, ensanglanté ; Patrick entend ses longs
hennissements.

Des hommes courent le long de la voie, lèvent
les bras, font de grands signes. Mais « le Programme » continue... Voie 19, juste avant les freins,
un groupe de bœufs se sont massés, la tête levée
vers le ciel, mugissant tous ensemble. Ils ne voient
pas le wagon plat qui dévale, prend de la vitesse,
les heurte de plein fouet, déraille à moitié dans
un fracas qui, cette fois, couvre le tonnerre même.
Les haut-parleurs grésillent des ordres incompréhensibles. Une sirène domine le tumulte, n'en finit
pas d'expirer, repart. Mais deux autres wagons
sont lancés, qui les arrêterait ?

Voici de nouvelles bêtes blessées à mort ; les
autres, immobiles parmi les voies, meuglent sous
l'averse. Ou bien tournent stupidement, tel un
vol de pigeons affolés ; ou se précipitent hors du
triage, vers les lignes de grand transit. Le poste IV
vient d'y aiguiller le Brest-Paris et deux trains de

banlieue qui foncent dans la nuit, fidèles, à trente
secondes près, à un horaire qui les précipite, comme
dans l'ancien Far West, vers un troupeau errant
sur les voies. Patrick est toujours à genoux sous le
ciel déchaîné. « Une mitraillette, pense-t-il hébété :
une mitraillette pour les empêcher de souffrir,
comme Philippi... »

« Philippi !... Papa !... Philippi !... »

Il crie vers le ciel fulminant, il réclame ses protecteurs : il n'est qu'un petit garçon perdu et l'averse
pleure sur ses joues.

A genoux, et c'est ce qui le sauve : invisible malgré les projecteurs et cet immense phare qui vient
de s'allumer et balaie lentement les décombres
luisants. Autour de lui, la chasse a commencé :
aux ordres des haut-parleurs, cent hommes battent
le terrain, déblaient les voies en hâte ; des machines
à l'œil fixe circulent en ronflant ; des grues gigan-
tesques s'avancent avec lenteur, profilent leur bras
sur le ciel et s'inclinent docilement.

Car, pour la première fois, « le Programme »
s'est arrêté, l'immense machine s'immobilise —
mais chaque seconde compte. Déjà la nouvelle
circule, au téléphone, dans toutes les directions ;
à travers la nuit, vingt bureaux s'allument : on refait
en hâte tous les calculs, des trains vont s'arrêter
ou rebrousser chemin, des cargaisons seront détour-
nées. Gravelle-triage, zone interdite, parce qu'un
petit garçon de douze ans...

Mais voici, sur deux notes qui grandissent,
s'approchent, se font assourdissantes, voici les

pompiers aux voitures de théâtre, et leurs casques brillent à chaque éclair. En silence, en courant, ils ont déroulé les tuyaux, braqué les lances, ouvert les vannes et ils refoulent les bêtes aveuglées, suffocantes.

Et soudain Patrick pense à lui : à lui, le coupable, l'ennemi... Se sauver, se cacher ! mais où ça ? La petite cabane assiégée de liseron : c'est le seul asile à sa taille, une parcelle du Plessis Belle-Isle tombée du paradis et qui s'est écrasée ici. La voici, toute proche : il rampe jusqu'à la porte basse. « Olémin ! » crie-t-il faiblement en entrant. Ivre — mais de peur, cette fois, de remords — il ne doute pas que, dans les ténèbres de ce refuge, il ne retrouve Philippi, ou Kléber, ou tous les deux pour le défendre. Il n'y distingue pourtant que des pioches, des pelles, un pensionnat de lanternes et des litres de vin rouge, tous entamés. Il se rencogne au plus obscur, au plus loin de la porte, les genoux contre le menton, et commence une prière en forme de litanies : « Papa, vous qui connaissez tous le monde dans les chemins de fer, vous qui savez conduire les trains, venez vite !... Papa, vous qui dites toujours *on les aura,* vous qui, à Verdun... — Verdun... le banquet... le discours... Dire, dire, dire que je pourrais tranquillement l'écouter, sur la place, en ce moment... Et tous ces gens qui l'applaudissent... Et papa qui me cherche du regard en ce moment... EN CE MOMENT ! »

Il ferme les yeux et, de toutes ses forces, comme dans les contes, forme le souhait d'y être transporté d'un coup. Mais non ! c'est toujours cette odeur de métal et de chien mouillé, toujours ces clameurs alentour. Ah ! c'est trop injuste !

Il recommence, larmes aux yeux : « Tout ceci n'est qu'un rêve : comme lorsque je nage la nuit, ou que je monte à bicyclette... Rien qu'un rêve, je le veux, je le veux !... »

Il le veut si fort, il est si épuisé et il a tellement peur, tellement bu aussi qu'il s'endort paisiblement au milieu de ce carnage. Une larme encore vive sur la joue, un sourire fragile sur ses lèvres, Patrick s'endort, persuadé que c'est Kléber — « Lundi matin, l'Emp'reur et le p'tit Prince... » — Kléber lui-même qui le réveillera.

Place de la Mairie, une heure plus tôt, Kléber aussi a cru rêver... Après ce vol-au-vent, le poulet bonne femme, la salade mimosa, la Surprise du Chef (un mille-feuilles qui n'a surpris personne) et la corbeille de fruits, on a servi le café dans un cordial cliquetis de petites cuillers. Le restaurateur avait trempé trois torchons à force d'éponger, sur sa face, des soucis qui maintenant prenaient fin ; ceux, plus exaltants, de Kléber commençaient. Il attendait l'instant de se lever : « Mes chers camarades, en ce jour où la liberté... » — mais qui lui en donnerait le signal ? N'était-il pas le président ? Allons, il fallait soi-même tinter contre son verre afin d'obtenir le silence. Au moment où, ayant enfin dompté son ventre et calmé son cœur, Kléber s'y apprêtait, il eut la surprise de voir, dans l'autre groupe, un homme jeune, portant les cheveux en brosse et un collier de barbe, imposer le silence et commencer : « Chers Camarades... »

Kléber demeura, la bouche ouverte, la main étendue, interdit, dérisoire. Théophane lui toucha le bras.

« C'est l'instituteur, murmura-t-il, le président de la section 39-45.

— Il aurait tout de même dû..., commença le vieil homme en s'échauffant.

— Il aurait dû, mais tais-toi, Kléber ! »

L'autre parlait avec aisance : « La malheureuse Campagne de France... L'appel du 18 juin... Les Forces Françaises Libres... »

« Verse-moi à boire », demanda Kléber d'une voix étranglée.

Il venait de penser que Patrick attendait son discours, quelque part dans l'ombre des tilleuls. Il n'osait même pas le chercher du regard.

« Verse-moi à boire. Non, du vin !

— Sûrement pas ! Tu sais bien que... »

Une seul gorgée suffisait à le sortir de lui-même : à susciter un Kléber inconnu, prophète et polémiste ; aussi n'en buvait-il jamais.

« Donne m'en, Théophane ! » commanda-t-il à mi-voix.

Et comment aurait-il pu se servir lui-même ? Ses yeux bleus ne quittaient pas l'orateur. L'autre vieux, à regret, versa un fond puis, sur un signe impérieux de la main blanche, la moitié d'un verre que son ami avala d'un trait. Du vin rouge : le même que Patrick...

Le barbu poursuivait, tourné vers ses seuls compagnons : il évoquait le débarquement du 6 juin, la ruée sur Paris, les...

« ET NOUS ? » s'écria alors une voix ferme quoiqu'un peu tremblante.

L'orateur se tourna, souriant mais surpris, vers l'interrupteur ; observa ce visage blanc, les yeux de la couleur même des uniformes de 14-18, et les moustaches à la mode des généraux de ce temps-là.

« Mes chers camarades, dit-il en se tournant enfin vers les vétérans, les populations civiles ont également souffert des événements, nous le savons ; mais enfin, aujourd'hui, ce sont plutôt les armées que...

— Qui vous parle des civils ? coupa Kléber en se levant (et il entendit, autour de lui, de vieilles voix qui l'approuvaient). Je vous demande : Et nous, vos pères, vos aînés ? Nous, les vainqueurs — il appuya sur ce mot — de la Grande Guerre ?

— Vous ? reprit l'autre en souriant toujours, mais n'avez-vous pas disposé de... vingt et un 14 Juillet successifs pour célébrer cette victoire ? Tandis que nous autres, voyez-vous, c'est la première fois... »

« Il a raison, pensa Kléber. Et pourtant, je n'ai pas tort. » Il laissa donc le second lui-même, Kléber-vin-rouge, répondre à sa place :

« C'est toujours la même France, ses victoires, ses héros et ses chefs. Pourquoi les diviser ? Pourquoi vouloir paraître...

— Bien sûr, interrompit l'instituteur dont le sourire se crispait, je pourrais aussi — je devrais peut-être

— évoquer ici Napoléon et Turenne, la bataille de Poitiers et celle de Valmy...

— Non, mais Verdun », tonna Kléber.

Un gros garçon frisé, le fils du boucher, se leva à son tour ; il était un peu gris.

« Pour les gars de Verdun, chapeau ! Des champions, de vrais lions... Mais leur vieux patron n'était qu'un pourri et un traître.

— Prétendez-vous parler du maréchal de France Philippe Pétain ? » demanda lentement Kléber d'une voix blanche.

Son rein l'élançait cruellement : *l'aiguillon*...

« Exact, fit le gros en prenant son monde à témoin ; mais je ne veux pas prononcer ce nom-là après un bon repas : ça me ferait dégueuler !

— Vous avez le cœur vraiment sensible », remarqua Kléber. (« Bien ! » souffla Théophane.) « Mais si le personnage qui vous donne la nausée n'avait pas existé vers 16 ou 17, vous n'auriez guère l'occasion de faire de bons repas. »

L'instituteur enjamba prestement son banc, chuchota à l'oreille du boucher et le rassit de force. Puis, étendant les bras comme pour calmer sa classe :

« Il arrive, en effet, qu'un homme, après avoir atteint le sommet de la gloire, puisse nuire gravement à sa patrie...

— Napoléon, par exemple ! » interrompit Kléber. (Il avait lu, chez Théophane, tout un chapitre sur ce sujet.) « Napoléon qui saigna la France à blanc et fit massacrer ses enfants. »

On protesta sur tous les bancs. En France, il est convenu qu'on ne doit jamais toucher au fameux petit homme.

« Il n'empêche, poursuivit Kléber, que, malgré Waterloo et les Cosaques à Paris, malgré le neveu, Sedan et les Prussiens à Paris, *votre* Napoléon y possède un arc de triomphe et un tombeau plus majestueux qu'aucun des rois de France !

— Nous ne sommes pas en classe d'histoire, fit l'instituteur aussi cordialement qu'il le put. Et, pour en revenir à... au personnage qui nous occupe, c'est désormais à la Justice qu'il appartient de...

— Parlons-en ! Un procureur général qui lui avait prêté serment...

— Rappelez-vous l'affaire Dreyfus, s'écria un autre vieux. Ah ! c'est beau, la Justice !

— Et le procès de Jeanne d'Arc, tiens !

— Et Jésus condamné à mort », dit gravement Théophane, et sa barbiche tremblait.

L'adjoint au maire, qui était franc-maçon, se dressa à son tour et, prenant les assistants à témoin :

« Nous sommes à l'ère de l'atome et l'on vient nous parler de Jésus-Christ !

— Quand le Fils de l'Homme reviendra dans toute sa gloire, ce sera autre chose que vos explosions atomiques », annonça le prophète Théophane avec un geste de statue.

L'assemblée entière vociférait debout ; l'instituteur monta sur son banc, étendit les bras de nouveau pour tenter d'imposer le silence à ces écoliers turbulents — mais on n'entendit que des lambeaux de son homélie : « ... un jour pareil... concorde entre les patriotes... liberté d'opinion... »

L'arbitrage tomba du ciel avec la première foudre. L'orage !... Une panique joyeuse s'empara des héros de Bir-Hakeim et de ceux de l'Yser : ils se réfugièrent sous les arbres avec des « C'était couru, mon vieux !... Encore une chance que le banquet soit terminé !... » Puis, quand les lances de l'averse eurent transpercé les tilleuls eux-mêmes, on se dispersa dans les cafés, ou bien on rentra chez soi en pestant plus ou moins haut, en courant plus ou moins vite, selon sa génération. Sur les tréteaux détrempés, la pluie remplissait avec jubilation les coupes et les verres. Ayant chassé les survivants bavards, l'orage du ciel buvait aux morts fraternels et c'est le tonnerre qui portait les toasts...

Kléber chercha en vain Patrick de refuge en refuge et conclut qu'il était rentré d'une traite à la maison. « Pourvu, espérait-il, qu'à défaut de discours, il ait entendu la discussion... »

« Je n'y ai pas fait trop mauvaise figure, n'est-ce pas, Théophane ? »

- Mais le compagnon lui répondit seulement d'un ton soucieux :

« Quand tout le monde a raison, je me sens inquiet : c'est qu'on touche le fond. »

Ils allaient, mi-marche mi-course, le col relevé, les mains aux poches, sous le fouet de l'averse. Parvenu devant sa barrière, « Salut ! fit hâtivement Théophane, à demain... » Ce mot le rendait triste : demain, c'était le veston sans ruban, la lourde valise et le départ tôt pour Paris. Capitaine Trompe-la-Mort s'engouffra dans sa maison, et Kléber, le béret ruisselant, poursuivit jusqu'à la sienne.

Lorsqu'il y pénétra, il sut, au seul air de Quatre de trèfles, qu'elle était vide. Il appela pourtant : « Bonhomme ! mon petit bonhomme !... » Sans réponse. Le lit était intact et, par la fenêtre ouverte, l'averse entrait joyeusement. Les rideaux claquaient comme des drapeaux ; on entendait l'orage grommeler longtemps puis jurer. « Bon, se dit Kléber, le petit est resté au bourg jusqu'à ce que la pluie cesse. Il a bien fait ; et moi, je l'y ai mal cherché. » Mais, malgré des explications aussi rassurantes, il gardait le cœur serré.

Il décida de veiller, bien sûr, malgré le sommeil, et de... tiens ! de bricoler quelques objets pour avancer son travail du lendemain. Tous ceux qu'il n'aimait pas et qui restaient en souffrance, il s'appliqua donc à les réparer afin de se concilier le sort.

Et soudain — mais combien de temps avait coulé ainsi ? — il dressa l'oreille : la pluie venait de cesser. « A présent, Patrick va rentrer... » Il calcula largement, lâchement, le temps que cela lui prendrait : dix minutes en flânant, en jouant à sauter d'une flaque à l'autre. Il sortit la grosse montre de sa boîte ronde et passa ces dix minutes le nez sur l'aiguille, l'oreille au guet. Personne. « Il aura traîné autour du bal, se dit-il alors. Je m'en vais te le ramener par les oreilles,... tends voir ! »

« Viens, toi ! jeta-t-il à Quatre de trèfles qui fré-
tilla de joie, l'imbécile. Allons bon, la pluie de
nouveau ! et ça tombe comme à Gravelotte... »

En passant devant le pavillon de Théophane,
(pas un rai de lumière : la maison ne lui faisait aucun
signe), et il eut la tentation de frapper aux volets
clos. Porter tout seul un tel souci, il pressentait que
ce serait au-dessus de ses forces. Mais, songeant
à son propre sommeil, il respectait celui de
Théophane ; il passa sur la pointe des pieds. Et
l'autre qui jappait — Tais-toi donc ! — devant le
seuil de Mme Irma. Elle eût été de bon conseil,
elle aussi, mais aurait sûrement commencé par le
trouver en faute : « Avant de prendre la défense
d'un maréchal de France, on surveille mieux ses
enfants ! » A quoi bon l'alerter ? D'ailleurs, elle non
plus n'était pas encore rentrée. D'ailleurs, il allait
retrouver Patrick dans un instant, bouche bée devant
l'estrade des musiciens. D'ailleurs, l'orage redou-
blait... — Il découvrait toutes sortes de *d'ailleurs*
pour faire patienter ce cœur, en lui, qui battait à
grands coups.

Café par café, groupe après groupe, il fouilla le
Plessis Belle-Isle tout entier. Jusqu'au marché couvert ; jusqu'au cinéma :

« Dis-moi donc, Adrien, tu n'aurais pas remarqué
mon petit ?

— Ma foi non. Mais... il a déjà vu le film !

— Ça n'empêche pas », dit Kléber qui l'aurait
bien revu, lui aussi.

Il fit même un tour dans l'urinoir public, sait-on jamais ? L'église, elle, était fermée. Il revint sur la place ; tous les couples qui dansaient encore, il les regarda sous le nez : « Pardon... pardon... pardon... »

Du côté de Gravelle-triage, on entendit une sirène puis l'appel des pompiers que la tempête déformait. « Quand on pense à tout ce qui peut arriver », se dit-il, mais il évitait laborieusement d'y penser. Et tout d'un coup, il dut s'asseoir sur un banc : les jambes lui manquaient.

L'orage parut exulter. Il tambourinait, en ce moment, sur l'abri de ciment où sommeillait Patrick ; et, sur le stade de Maisons-Rouges, il lessivait les mâts et déchiquetait les effigies : le visage de Pétain transparaissait sous les lambeaux de Lénine et de Staline. Il désamorçait les fusées, l'orage ! et mouillait les pétards autour de Paris consterné. Les danseurs de carrefour, riants puis soudain graves, trouvaient contre l'averse des refuges périlleux. Les musiciens abritaient leurs instruments, les cafetiers leurs guéridons. L'orage, uhlan de la mort, poursuivait sa chasse à l'homme et galopait dans son désert luisant. Il n'y avait, à lui résister, que ce vieil homme obstinément assis sous l'averse sur la grand-place d'un faux village, avec son chien tremblant et transi sous le banc. Et que lui importaient l'orage, et la mort, et Pétain ?

« Si Patrick disparaît, pensait-il, disparaît comme il est venu, que me reste-t-il ? » Il lui restait tout ce qu'il possédait auparavant et qu'il nommait alors

bonheur : « C'est-à-dire rien », reprenait-il avec
angoisse. Mais pourquoi la mort de sa femme ne
l'avait-elle pas, en son temps, *ruiné* aussi profondément ? D'un côté, vingt-quatre ans d'amour et
d'affectueux compagnonnage ; de l'autre, deux
années d'inquiétude et de protection... Il cherchait une solution à ce problème injuste, mais
comment eût-il découvert que ce petit garçon lui
permettait seul de *survivre* : le défendait contre
cette solitude des vieux qui est leur agonie. Il croyait
le protéger, mais c'était l'enfant sans défense qui
le gardait d'une ennemie autrement puissante.
« Que me restera-t-il ?... »

Une honte subite le retint de s'attendrir sur lui-
même. « Patrick ! il s'agit de Patrick, pas de toi,
vieux bavard ! » Il répéta tout haut ce nom, comme
pour le rappeler à la vie :

« Patrick... Patrick... (Le chien inclina la tête
pour écouter, remua la queue.) Patrick... »

Cela le déchirait et le rassurait, tout ensemble.
Et le vieux ressort joua de nouveau : « Debout,
sergent-chef Demartin ! Allons, je prends l'affaire
en main : *de quoi s'agit-il ? ...*»

Le dispensaire... S'il lui était advenu quoi que
ce soit, on aurait transporté le petit garçon au dispensaire, n'est-ce pas ? Il y courut, heureux de
châtier ces jambes qui l'avaient trahi et de s'essouf-
fler au service de Patrick. Il sentait confusément
que, cette nuit, plus il s'inquiéterait et se haras-
serait, moins Patrick serait en danger : il croyait
à la Communion des Saints, à sa manière, à son

insu. Il courut donc au dispensaire, heureux aussi, sans qu'il se l'avouât, de recourir à la seule personne qui, ce soir, ne songeait ni à boire ni à danser : sœur Saint-Paul.

« Que se passe-t-il ? » lui demanda-t-elle vivement, et sa main courut sur le rosaire qui pendait à sa ceinture.

Il dit son inquiétude, mettant un point d'honneur à parler du ton le plus désinvolte. Mais il oubliait que ses vêtements étaient trempés, que ses lèvres tremblaient, que ses yeux si fiers mendiaient. Sœur Saint-Paul ne s'y trompa point : elle le saisit par le bras, non sans brusquerie.

« D'abord, prions ensemble ! c'est l'essentiel...

— Non, dit-il tout aussi brutalement, je n'y crois pas. »

Sans répondre, elle s'agenouilla sur un prie-Dieu. Il observait, un peu confus, cette statue d'étoffes. « L'ai-je offensée ? Théophane m'en voudrait... »

« Bon, fit-elle en se relevant, à nous maintenant ! Et d'abord, êtes-vous passé au poste de police ?

— Non. J'ai pensé que... »

En fait, il n'avait pensé à rien du tout.

« Je comprends ; mais c'est tout de même là qu'on téléphonera d'abord s'il... s'il s'est égaré. Allez-y donc et, surtout, restez-y.

— Toute la nuit ? »

C'était le dernier sursaut de son sommeil frustré.

« Et si le temps vous semble long, ajouta-t-elle sans le regarder, pensez que je veille avec vous. Et téléphonez-moi : Gravelle 23-16, dès que...

— Bien sûr. Gravelle 23-16... Bonne nuit, ma sœur.

— Bonne nuit ? Cela dépend de vous.

— Cela dépend de lui... Viens, toi ! »

Suivi du chien, il s'éloignait déjà, les épaules hautes et le col relevé, bien que la pluie capricieuse eût cessé de nouveau. Elle le rappela, du seuil :

« Un moment, monsieur Demartin. Je... Pourquoi ne croyez-vous plus en Jésus-Christ ?

— Pendant la Grande Guerre, nous avons souffert plus que lui, répondit-il avec une sorte de rancune.

— C'est donc cela !... Mais sa souffrance à Lui était volontaire ; et, surtout, il était Dieu. C'est presque impensable, ajouta-t-elle à mi-voix.

— Justement, c'est *anormal,* affirma Kléber.

— Et que je sois seule ici, jusqu'à ma mort, au service des autres : sans fortune, sans foyer... sans enfants (elle avait dit ce mot d'une voix altérée), cela vous paraît normal, monsieur Demartin ?

— Heu... non, mais...

— Non, mais c'est bien utile. Est-ce que vous ne croyez pas que, sans toutes ces choses. « anormales », le monde serait invivable ?

— Cela mérite réflexion, dit Kléber, honnête mais prudent. A demain, ma sœur. »

Au poste de police, près de la mairie, un gros agent, la tête dans ses mains, les coudes sur la table, s'était mis en veilleuse. Instinctivement, il allongea le bras vers son képi en voyant...

« Ah! c'est toi, Demartin. Qu'est-ce que tu
racontes? (L'autre raconta.) Entendu parler de rien,
ma vieille. Mais, rassure-toi : des enfants perdus les
jours fériés, c'est comme... »

Il ne trouva pas de comparaison, et Kléber n'avait
pas l'esprit à lui en souffler une.

« Installe-toi là et attends... Veux-tu jouer un
écarté? Non? Je te comprends, remarque. Alors,
si tu permets... (Il retrouva exactement sa position,
tel un chat qu'on a dérangé.) Et réveille-moi si
jamais le téléphone... »

Kléber s'assit sur l'extrême bord de la chaise la
plus proche de l'appareil et commença sa longue
veillée. Il avait choisi plusieurs images de son petit
garçon : Patrick se faisant « bougonner » le soir
dans son lit, Patrick tirant la langue pour mieux
s'appliquer à ses inventions, Patrick braquant ses
deux doigts comme un pistolet : *Olémin!* Et lui :
« Combien de fois t'ai-je dit...? » Plusieurs images de
son enfant, et il les fixait tour à tour, les yeux fermés,
afin de garder Patrick vivant. Et, après, chacune de
ces plongées, il reprenait souffle en soupirant : « Mon
bonhomme, mon petit bonhomme... »

« Mon bonhomme, mon petit bonhomme, est-ce
toi qui as ouvert les wagons de bestiaux ?

— Oui, c'est moi.

— Mais pourquoi ?

— Pour libérer les bêtes.

— Mais tu sais que tu as causé beaucoup de
dégâts...

— Oh oui ! je vous demande pardon, papa ! »
L'homme se recula, gêné.

« Je ne suis pas ton papa. Mon camarade et moi,
nous sommes... »

Patrick se réveilla tout à fait, poussa un cri et... —
mais deux bras le ceinturèrent sans brutalité.

« Nous ne te ferons aucun mal, dit la voix, mais
reste avec nous. »

Les yeux verts reconnurent enfin les outils, les
bouteilles, la cabane et, contre lui, deux cheminots
en casquette. Celui qui le retenait si doucement,
si fermement, avait les cheveux gris et une odeur
de gentil ; mais il l'avait appelé « mon petit bonhomme » et, pour cela, Patrick le détestait.

« Ne perdons pas de temps, dit l'autre (un jeune
qui sentait l'homme). Il a avoué : conduisons-le
au chef.

— Attends que je le voie mieux... Dis-moi, bonhomme, tu ne serais pas le fiston à Demartin, du
Plessis Belle-Isle ?

— Si ! s'écria Patrick qui se crut sauvé : puis, craignant d'avoir trahi : Non, non, se reprit-il, je ne
connais pas Kléber Demartin !

— Ah ! tu ne connais pas *Kléber,* insista l'autre.
C'est le garçon d'un retraité de chez nous, expliqua-
t-il au rouquin, un fameux mécanicien !

— Ca ne change rien.

— C'est selon. A présent que le gâchis est fait, à
quoi bon y mêler le gosse d'un camarade ?

— C'est lui qui s'en est mêlé, il me semble ! De
toute façon, il faudra bien faire un rapport...

— Tu as raison, reprit l'autre à regret après un long moment, il faut un rapport. Monte donc au poste R le rédiger et rejoins-moi au bâtiment central : j'y conduis le petit. »

Ils allaient en silence, enjambant les voies inondées. Le trafic avait repris sur la butte de triage. Le Programme... le Rapport... Plus de pompiers ni de phares ; on entendait des bêtes hurler du côté des ateliers généraux.

« Sept de tuées », dit doucement le vieux cheminot comme s'il parlait à lui-même, « seize blessées qu'il va falloir achever cette nuit ; huit qui se sont réfugiées, devine où ? Aux abattoirs de la Villette... Neuf ou dix qu'on n'a pas encore retrouvées. Voilà le bilan. »

Il vit, aux convulsions de ses épaules, que le petit garçon pleurait ; il ne se sentit pas fier. Il pensait au chef, au rapport, aux policiers qu'il n'aimait guère.

« Quel âge as-tu ?

— Douze ans. »

L'un de ses fils avait un garçon du même âge. Les policiers...

« Ecoute, dit-il brusquement à mi-voix, tu connais le chemin du Plessis Belle-Isle ? Tu te serais échappé pendant que je te conduisais au chef, je t'aurais couru après, mais sans te retrouver... »

Il avait employé le *conditionnel,* le mode des enfants. Patrick le comprit aussitôt et, sans dire merci, fila, telle une souris, vers le dépôt des locomotives. le pont de la Révolte, le Plessis Belle-Isle.

L'autre le suivit des yeux avec, aux lèvres, un sourire incertain.

« C'est bon de faire une connerie de temps en temps », murmura-t-il ; puis il courut jusqu'au poste II, grimpa l'échelle de fer :

« Je téléphone avec la ville, Marcel, ne t'occupe pas de moi !... Voyons... Plessis Belle-Isle... poste de police... Ah ! Gravelle 10-12. »

Les gros doigts entraient à peine dans les trous du cadran.

« Allô... allô, le poste de police ?... Est-ce que par hasard, M. Demartin Kléber ne serait pas... ? Comment, c'est toi Kléber ? Ici, Dubusse, de Gravelle-triage... Oui... Tu es seul à l'appareil ?... Bon. Écoute voir : ton petit a... Oui, oui, il va très bien, le bougre. Il est sur le chemin du retour... Mais oui, je te le jure, Kléber !... Seulement, il a fait une bêtise, une très grosse bêtise... D'accord, tu t'en fous, mais ça sera des histoires... Il te racontera lui-même... Non, la police n'est pas prévenue. Le chef te convoquera d'abord... Entre cheminots, tu penses !... Mais ça risque de monter haut, Kléber, très haut... Oui, j'avais bien entendu, mon vieux ; mais demain tu ne pourras plus « t'en foutre » !... Qu'est-ce que tu dis ? « On les aura » ? — Je l'espère, Kléber, je l'espère... Penses-tu ! pas de remerciements entre nous : tu n'aurais pas agi autrement à ma place... Non, je ne peux pas t'expliquer : mais ton garçon te racontera... Allez, salut ! »

Le gros agent ouvrit un œil : depuis un moment, il lui semblait bien entendre... Un œil, puis les

deux, tout ronds, tant le spectacle lui parut singulier : car le vieux Kléber, debout, les yeux clos,
tenait le récepteur du téléphone contre sa joue si
pâle, contre sa bouche et le baisait.

On le fit attendre très longtemps, mais il ne
s'en plaignait pas : passé cette porte, CABINET
DU PRESIDENT DIRECTEUR GENERAL, tout serait
définitif.

Depuis trois jours, le cerveau de Kléber était
un sablier qui se vidait interminablement dans
un sens puis dans l'autre : de l'espoir à l'accable-
ment, puis du désespoir à la confiance. Parfois, un
seul grain bouchait tout : un argument décisif
lui procurait une heure de joie ou d'abattement ;
puis le sable, rose ou noir, s'écoulait de nouveau.
La nuit terrible, Patrick s'était jeté dans ses bras
sans une autre parole que : « Mon papa... oh !
mon papa... » et lui : « Mon petit bonhomme...
mon tout petit... » L'essentiel était dit.

Le lendemain, récit et plan de campagne avec
Théophane et Mme Irma. « De quoi s'agissait-il ? »
Avant tout, d'éviter une enquête administrative au
sujet de son *petit-neveu* Patrick. Car Kléber avait
recherché, de bistrot en bistrot, le petit homme
noir ; mais le diable promenait sans doute ses
manchettes et ses petits cigares puants dans quelque
localité de vacances. Alors, surtout, pas d'enquête
administrative !

Dubusse, de Gravelle-triage, avait prévenu Kléber
que le rapport commençait son ascension hiérar-

chique. Cela donnait un peu de champ : la police,
la mairie n'interviendraient qu'ensuite, sur demande
de la S.N.C.F. Que faire ?

« Un arrangement, un compromis », suggérait
sans cesse Théophane ; et Mme Irma :

« Si ce fameux « esprit de corps » des chemins
de fer existe vraiment (c'était, avec les ra-ta-plans,
l'autre objet de sa jalousie), vous devriez pouvoir
arranger l'affaire... »

Le geste de Patrick touchait en elle l'amie des
bêtes mais révoltait la grande personne. L'œil fixe
et le silence de Kléber la bouleversaient ; elle se
retournait, furieuse, contre l'enfant mais lui voyait
au front cette double ride que seul le pouce de
son père savait effacer. Elle rentrait alors ses reproches
comme un escargot ses cornes, prête à les ressortir
l'instant d'après.

« Un arrangement, un arrangement... Mais quand ?
avec qui ?

— Tout de suite, et à la Direction générale de
la S.N.C.F.

— La Direction générale ! »

Pourquoi pas le pape ? On voyait bien que Théophane n'était pas cheminot ! Le Saint des Saints...
Kléber n'y était venu qu'une seule fois recevoir sa
médaille et son diplôme. Y retourner en quéman-
deur ? Jamais !

A la fin, pour l'amour de Patrick, il mit sa dignité
dans sa poche bleue et son mouchoir à carreaux
par-dessus ; Théophane appela pour obtenir un
rendez-vous : vendredi onze heures (c'était aujour-

d'hui), et l'accompagna jusqu'à la porte. « Bois d'abord un verre, non un demi-verre de vin : tu en auras besoin... Je t'attends là... » Puis, empruntant à son compagnon sa propre formule : « On les aura, mon vieux ! » lui dit-il encore.

Kléber attendait dans cette antichambre comme il l'avait fait au poste de police, comme il l'avait fait toute sa vie : très droit, le regard au loin, et préparant des phrases qui ne serviraient pas. Des secrétaires passaient, un papier à la main, à la surprise du vieux cheminot qui n'avait jamais vu que des hommes, employés dans les chemins de fer. Il regardait ces très jeunes femmes ainsi que des étrangères, s'avisant soudain qu'il ne côtoyait guère que des gens de son âge, s'étonnant d'avoir eu le leur, n'en gardant qu'un souvenir vague. Pourtant, Patrick... ? Allons, c'était tout différent : il se sentait de plain-pied avec Patrick... Et puis c'était son fils, bigrebougre ! Où plutôt son petit-neveu. Ou plutôt...

Ainsi, quelque chemin que suivît sa pensée, il retrouvait son seul tourment : perdre Patrick. « Nous partirons la nuit, nous nous cacherons... — Vieil imbécile ! » Il avait hâte et peur d'être reçu. « Un arrangement... Mais que puis-je proposer, moi, pour arranger les choses ? » Et, en effet, il n'avait à offrir que quarante-cinq ans de devoir et de dévouement en bleu foncé, plus cinq ans d'héroïsme en bleu horizon ; son diplôme de mécanicien et sa médaille militaire. Il faudrait certainement s'abaisser ; il s'y apprivoisait péniblement,

s'apprêtant à en garder rancune au monde entier
— hormis Patrick, le seul coupable. L'une des
secrétaires, trop blonde, en croisa une autre :

« Et demain soir, qu'est-ce que tu fais, mon
chou ? »

Demain soir samedi : les bals, la foire, le cinéma.
Il les envia et les détesta. Demain soir, *il saurait*.
Et peut-être serait-il en train de terminer ses paquets,
le ventre serré, pour fuir avec Patrick. Oh ! quelque
temps, seulement... A Brive, par exemple : de ses
cousins habitaient Brive, les « parents » du petit,
justement... — Mais quoi ! mettre quelqu'un
d'autre dans la confidence ? S'il avait su que Roger-
la-Brocante...

Ainsi divaguait un vieil enfant derrière la façade
de marbre de son visage, lorsqu'enfin s'ouvrit la
porte fatale.

« Si vous voulez bien me suivre... »

Il craignit de se trouver d'emblée devant le
directeur général — Comment s'appelait-il, déjà ?
Le nom d'un ancien camarade... Verviers. C'est
cela : M. Verviers... — Mais on ne l'introduisit que
devant un homme jeune qui se leva courtoisement,
lui désigna un fauteuil de cuir beaucoup trop profond et se rassit.

« Monsieur... Demartin, je crois ? Voyons un peu
notre affaire... »

Il ouvrit un dossier en levant les sourcils pour
se donner de l'importance. Ce petit amas de « rapports », l'avenir de Kléber et de Patrick, la joie,
la vie de deux êtres humains y tenaient tout entiers

parmi des papiers morts. Le jeune homme les parcourait en lisant tout haut un mot sur dix :

« ... Nuit du 14 au 15... Gravelle-triage... Il
jeta un coup d'œil à la carte S.N.C.F. (Région Parisienne, sur l'un des murs) Bestiaux... Programme interrompu... Dégâts matériels... *Enquête*
administrative... »

Kléber sursauta puis se ressaisit, mais visiblement. « Surtout, ne rien laisser paraître ! » Il
adopta même, l'éclair d'un instant, un sourire
niais.

« Evidemment, fit le jeune homme en hochant la
tête, c'est extrêmement grave. La perturbation du
trafic peut être considérée comme une affaire pure-
ment intérieure à la Société — quoiqu'elle ait entraîné
sans doute... (Il plissa les yeux pour mieux suivre
son idée, puis la chassa.) Mais les dégâts immédiats,
la mort des bêtes ou leur mutilation, ouvrent évidemment un droit à des dommages-intérêts. Je dirai
même, reprit-il en souriant finement, qu'il y a un
double préjudice : celui du destinataire et celui de
l'expéditeur, comprenez-vous ? »

Kléber n'en était pas là, mais seulement à
comprendre qu'il ne serait pas reçu par le directeur
général ; que ce garçon, qui portait une décoration
de la dernière guerre, était forcément du clan de
l'instituteur et que, sans doute...

« Etes-vous cheminot ? demanda-t-il assez
brutalement.

— Moi ? fit l'autre surpris. Oui et non. Je n'en
ai pas eu le temps : les études, la guerre... A ma

démobilisation, M. le directeur général a bien voulu me placer dans son cabinet... — Mais pourquoi me posez-vous cette question ?

— Moi, je le suis.

— Bien sûr. J'ai sous les yeux vos états de service ; et je me permets, d'ailleurs, de... »

Kléber sentit venir le compliment et coupa court :

« C'est pourquoi je pensais qu'entre cheminots, cette affaire...

— Malheureusement, aux yeux des plaignants, cheminot ou pas... comprenez-vous ?

— Non, dit Kléber, pas très bien.

— De plus, ce n'est pas vous-même qui vous trouvez directement concerné, mais votre..:

— Mon fils. Enfin, mon petit-neveu, fit le vieil homme en rougissant.

— Agé de douze ans : c'est pourquoi nous n'entamerons pas d'instance pénale. Mais la responsabilité civile vous incombe, naturellement.

— « Civile » ? Mais je suis cheminot.

— Responsabilité civile, reprit l'autre avec une lueur de moquerie affable, signifie seulement que c'est sur vous que retombe le paiement des dommages-intérêts.

— Vous voulez dire, demanda Kléber d'une voix altérée, que si cette histoire était arrivée à n'importe qui, un non-cheminot, par exemple, il ne paierait pas plus que moi ?

— Evidemment non : les dégâts sont les mêmes, quelle que soit la qualité du responsable. »

Le monde vacillait. Kléber se raccrocha à son épave fidèle : la dignité.

« Très bien. Vous me direz combien je dois et je paierai jusqu'au dernier centime.

— Il semble difficile...

— Jusqu'au dernier centime. Ce n'est pas à mon âge que je commencerai à faire du tort à la Compagnie ! J'espère seulement qu'elle m'accordera des délais pour me libérer. Les mêmes qu'à n'importe qui : je n'accepterai aucun passe-droit.

— Ne le prenez pas ainsi, monsieur...

— Demartin. »

Il sentait *l'aiguillon* lui sonder les reins. « Les enfants ont de la chance, pensa-t-il : ils ont le droit de pleurer n'importe où. »

« Ne le prenez pas ainsi. Vous pensez bien que la Société...

— Je ne demande rien.

— Vos états de service parlent pour vous, monsieur Demartin », dit fortement le chef de cabinet qui sentait monter en lui une pitié inopportune.

Cette parole désarçonna Kléber qui tomba, au galop, de son orgueil. Embarrassé par son silence, le jeune homme feignit de se plonger dans le dossier. Chacun cherchait une phrase ; et sans doute l'eussent-ils prononcée ensemble, si la porte capitonnée ne s'était ouverte à ce moment. Un gros homme, vêtu de gris, très décoré, tout à fait chauve, entra sans façons :

« Dupré, mon petit, téléphonez à la Banque de France que je... »

Comme une pièce à un mendiant, il jeta de haut un coup d'œil au visiteur, puis releva prestement sur son front ses grosses lunettes d'écaille, révélant un regard désarmé :

« Mais... c'est Kléber ! »

Le vieil homme se leva et, lentement, comme fasciné, s'avança vers l'autre :

« Félix ! »

Mais le plus surpris des trois était sans doute le chef de cabinet : il se tournait vers celui-ci, vers celui-là, avec une égale déférence et en oubliait d'avaler sa salive.

« Entre par ici, Kléber. Qu'est-ce qui t'amène ?

— Voici le dossier de M. Demartin, monsieur le président », dit le jeune homme.

Kléber pénétra dans ce même bureau où, quelques années auparavant, on lui avait remis son diplôme. Les rideaux, les gravures, les maquettes d'anciennes locomotives, rien n'avait changé.

« C'est donc toi qui es devenu...

— Eh oui... Assieds-toi ! Non, mieux que ça... Oui, c'est moi. Conseiller social, secrétaire général, directeur adjoint et puis... voilà.

— Une sacrée carrière...

— ... Bigrebougre ! Est-ce que tu dis toujours « bigrebougre » ? Et, attends donc... « On les aura » ?

— Et toi, « sacré bon sang de... »

— Non », fit le président avec une ombre de regret.

Ils parlèrent d'anciens camarades ; la plupart

étaient morts, et ces retrouvailles en devenaient, de nom en nom, plus précieuses. Kléber n'en finissait pas de sonder ce visage autrefois si brutal, à présent si rond, ce regard qui avait perdu — comment dire ? — perdu l'enfance.

« Combien touches-tu par mois, Kléber ? » demanda soudain le président en ôtant ses lunettes.

« Deux mille sept cents francs. Et toi ? — Oh ! pardon...

— Moi, fit l'autre pudiquement, je suis encore en activité. Mais comment t'en tires-tu ? »

Il venait de calculer qu'il en dépensait presque autant, chaque mois, pour ses cigares.

Kléber lui détailla son existence : l'atelier, le petit jardin, les budgets sur papier quadrillé...

« Est-ce que ta femme... ?

— Morte en 28.

— Angèle est morte, répéta l'autre en hochant la tête.

— Quoi ! tu te rappelles son prénom ? murmura Kléber très ému.

— Tu ne peux pas savoir comme tout me revient en mémoire, ces temps-ci... Je me sens si seul, ajouta-t-il plus bas. Non, non, Marie vit toujours. (Il avait lu la question dans le regard bleu.) Mais nous avons été amenés à nous séparer : elle ne... elle ne *suivait* pas, tu comprends ? Il fallait choisir... Il faut toujours choisir, reprit-il pour rompre le silence. Seulement voilà : ne pas se tromper !

— Tu ne t'es pas trompé, Félix », dit Kléber — mais c'était plutôt une question qu'une affirmation.

« Je n'en sais rien. Raconte-moi encore le Plessis Belle-Isle.

— Bah ! il n'y a rien à raconter », fit le vieil homme ravi, et, le sourire aux lèvres, le regard perdu, il donna mille détails : le chien, le cerisier... « Et Ernest, tu te rappelles bien Ernest du Lyon-Nantes ? C'est mon voisin... »

Il parla de ses lis, de l'écluse ; de Patrick enfin, prudemment : oui, un petit-neveu retrouvé par hasard, orphelin...

« Et tes enfants à toi, Félix ?

— Mariés, sept petits-enfants, jamais le temps de les voir. Je mène une vie idiote, Kléber, et si fatigante...

— Oui, mais tu as réussi !

— A quoi ? (L'autre ne sut que répondre.) Et le plus bête, poursuivit le président pour lui seul, c'est qu'il faut y passer pour s'en rendre compte. Et alors, c'est trop tard. L'argent, les titres, le pouvoir... Quand on est gosse, les jouets ne vous font vraiment plaisir que tant qu'on ne les a pas encore.

— Pas chez les pauvres.

— Les courbettes, reprit Verviers comme s'il n'avait pas entendu, les courbettes ne me causent plus aucune joie ; et pourtant je ne peux m'en passer. Quand on m'appelle « monsieur » au lieu de « monsieur le président », j'ai un haut-le-corps. Regarde : ils viennent de me nommer Grand-Croix de la Légion d'honneur...

— Cela te fait plaisir !

— Au contraire, Kléber : cela signifie qu'ils vont me vider. Ah ! c'est tout un code...

— Qu'est-ce que cela peut te faire puisque... ?

— J'en crèverai.

— Félix ! Euh... Tu viendras chez nous », hasarda le vieil homme.

Il pensa aussitôt : « Je viens de dire une stupidité... » Pourtant, il vit le regard du président attaché au sien comme celui d'un chien perdu — ces yeux fixes, la bouche entrouverte : son visage de mort.

Mais d'un seul coup, ce visage retrouva une sorte de vie animale : une expression qui tenait de l'ours, du loup, du renard.

« Ce n'est pas encore joué, rassure-toi ! S'ils croient m'avoir comme cela...

— On les aura », murmura Kléber sans conviction.

Il venait de perdre son ami Félix.

« Qu'est-ce que c'est au juste, ton affaire ? demanda le président en chaussant de nouveau sa fatigue avec ses lunettes.

Kléber la lui raconta : « Mais je paierai, tu sais, je paierai tout ! Cela nous est déjà arrivé, à Patrick et à moi, de ne manger que des pommes de terre trois jours de suite : on n'en meurt pas...

— Tu ne paieras rien du tout, bougre d'âne ! Kléber Demartin, du Paris-Strasbourg ? Il ferait beau voir ! (Il sonna Dupré.) Dupré, vous arrangerez cette affaire au contentieux ; aucun versement ; je ne veux plus en entendre parler.

— Et surtout pas d'enquête administrative, articula faiblement Kléber.

— Et surtout pas d'enquête administrative, répéta le président. Merci. »

Il prit un gros porte-mine en or, écrivit A CLAS-SER en lettres rouges en travers du dossier et le tendit au jeune homme.

Sur son bureau, dans une boîte de métal ronde, la même montre que Kléber ; il la consulta. Celui-ci sortit la sienne :

« C'est bien, Félix, tu *lui* es resté fidèle ! »

L'autre ne répondit que par un sourire triste : cette montre lui servait surtout à rappeler aux visiteurs puissants sa modeste origine et qu'il avait derrière lui les Syndicats. Ils le croyaient encore ; cela n'était plus vrai ; lui le savait.

« Je passerai te faire visite au Plessis Belle-Isle, Kléber : histoire de voir le paradis avant de mourir.

— Tu dis cela mais tu ne viendras pas, affirma l'autre en secouant la tête. Tant pire ! »

Ils se regardaient en souriant, assez tristes. Chacun lisait sur le visage de l'autre son âge et son échec — et la mort, toute proche.

« Alors ? » cria Théophane qui attendait sous le soleil, ruisselant et priant.

De loin, Kléber fit signe : tout va bien ! Puis il raconta l'entrevue et, plusieurs fois, dit « l'instituteur » au lieu du chef de cabinet. « A ce moment, la porte s'ouvre et qui est-ce que je

vois ?... » Il garda pour lui le désenchantement
de Félix : dans les contes, les fées n'ont pas de
rhumatismes.

« Grand-Croix de la Légion d'honneur, mon vieux !
un homme de notre âge...

— C'est au moins une citation à l'ordre de
l'Armée », dit naïvement Théophane qui n'était que
chevalier. Il est vrai qu'il n'avait été blessé que
trois fois à la tête de sa compagnie...

Il faisait beau. Les voitures s'arrêtaient pour
laisser traverser ces deux vieux promeneurs ; s'arrêtaient au feu rouge, bien sûr, mais enfin ils passaient devant elles, majestueusement. Tous ces piétons sans âge qui se hâtaient, s'engouffraient sous
terre comme des taupes : pas un regard entre eux,
pas un regard au ciel — Théophane et son compagnon les plaignaient, pour des motifs très
différents.

A la fin, Kléber explosa, sans raison :

« Ils sont gentils, tous ces jeunes, mais un peu
trop pressés de nous enterrer, tu ne trouves pas ?
Leur temps viendra ; chacun son tour, mais le nôtre
n'est pas passé... »

Il attendait que Théophane prît la relève de son
indignation. Mais celui-ci fouillait dans sa poche
à la recherche d'une pièce pour ce mendiant dont
l'ombre si maigre se projetait jusqu'à eux. Il portait des lunettes noires, non pour laisser croire
qu'il fût aveugle mais afin de dissimuler son regard ;
il ne tendait pas la main mais son béret était posé
à terre. Sur sa poitrine, épinglée comme une déco-

ration, sa carte d'ancien combattant où l'on voyait
le portrait jauni d'un gros homme à moustaches.
Le fantôme de ce gros homme se tenait droit contre
un mur moins usé que son visage, moins gris que
ses cheveux, et ne prononçait pas une parole. Au
contraire, lorsqu'il se baissa très vite pour déposer
sa pièce dans le béret, ce fut Théophane qui murmura : « Merci... »

V

« IL FAUT QU'IL CROISSE
ET QUE JE DIMINUE... »

Kléber Demartin était occupé à repasser ses économies : le fer bien chaud, mais pas trop ! sur les
vieux billets de banque, lorsqu'il sentit une présence dans le chemin. Il leva la tête et demeura
interdit : un âne gris le considérait avec une humble
antipathie.

« Votre fer, papa ! »

Il était temps : l'Agriculture et l'Industrie, qui
ornaient alors les coupures de mille francs, commençaient à roussir. La voix toujours un peu sourde
demanda :

« Qu'est-ce que c'est qué *ça*, bonhomme ?

— Notre âne », fit bravement Patrick ; mais les
grands cils battirent précipitamment devant ses
yeux verts comme la pluie sur l'océan.

« *Notre* âne ?

— Roger me l'a donné, répondit-on déjà plus
faiblement.

— D'abord, qui est ce « Roger » ? demanda
Kléber. (Il le savait très bien, mais cette familia-

rité le rendait jaloux.) « Ah ! Roger-la-Brocante, le chiffonnier ?

— M. Roger, le négociant, rectifia Patrick. Il m'avait promis qu'il me donnerait son âne lorsqu'il achèterait une voiture.

— Tu aurais pu m'en parler », dit Kléber assez tristement, et il ajouta la parole des amours désenchantées : « Tu ne me dis plus jamais rien.

— C'est vrai.

— Tu changes », murmura le vieil homme, et il considéra soudain son garçon avec les yeux d'un étranger. Ses épaules étaient devenues carrées et des muscles d'homme se devinaient à certains de ses gestes ; la toison sauvage ne convenait plus à ce visage nouveau : une bouche immense aux dents larges et dont le sourire incertain se trouvait pris au filet de rides précoces, les maxillaires tendant la joue comme une tente, et surtout ces oreilles d'homme... Kléber crut voir une ombre de duvet sur la lèvre — pourtant non, le regard demeurait celui d'un enfant sans défense, et cela le rassura.

« Vous me regardez sans... sans m'aimer », dit le petit.

Son cœur battait à grands coups. Kléber posa son fer, marcha jusqu'à la croisée, embrassa Patrick.

« Câlin », mendia celui-ci à voix basse.

C'était un rite bien précis, vieux de quatre ans : frotter les joues, baiser la tempe, etc. Kléber l'entama mais il crut sentir la peau imperceptiblement plus rugueuse, le duvet timide, et cela lui parut plus que ridicule : indécent.

« Tu es trop grand, maintenant ! » dit-il en se dégageant.

Patrick, blessé, serra les dents, accentuant sans le vouloir son visage d'homme. Ils se regardèrent en silence ; chacun se croyait le plus malheureux, le seul trahi.

« Et ton âne, qu'est-ce que nous allons en faire ? » reprit Kléber qui, depuis un instant, se sentait *le devoir* de recueillir l'animal.

Patrick le devina aussitôt.

« J'ai pensé, fit-il très vite, que s'il pouvait manger dans notre jardin, dans celui de l'oncle Théo, dans celui de Mam Irma...

— Il faudrait qu'ils acceptent !

— Je le leur ai déjà demandé.

— Dans ce cas... » fit le vieil homme, un peu vexé de n'avoir pas été chargé de « prendre l'affaire en main ».

Patrick n'avoua pas qu'il avait demandé d'abord à Théophane en lui laissant croire que la grosse dame avait accepté ; puis à Mme Irma, aussi surprise de l'accord de l'oncle Théo que celui-ci l'avait été du sien ; à Kléber enfin. C'était Roger qui lui avait soufflé cette méthode.

« Comment s'appelle-t-il seulement, cet animal ?

— On ne sait pas. »

L'installation de l'âne sans nom prit la matinée tout entière, une matinée ponctuée de « aïe » et de « ouille ».

« Mais qu'est-ce qui te prend, bonhomme ?

— Mal aux dents, papa. Ouille ! »

— Pourtant, tu les nettoies régulièrement », dit
Kléber dont le pouce vérifiait matin et soir la brosse
humide.

L'année dernière encore, Patrick eût répondu
non ; ce matin, il se contenta d'éviter le regard bleu.

« Pousse donc jusqu'au dispensaire. Mais oui,
maintenant.

— Un jeudi ! »

Il pensait vaguement que tous les bâtiments pu-
blics avaient congé ce jour-là, comme l'école.

« Le jeudi, et le dimanche, et à n'importe quelle
heure », fit amèrement Kléber qui se souvenait
de la nuit sans sommeil. « Va ! »

Patrick traversa en flânant la banlieue d'automne,
silencieuse, résignée. Le voisin taillait son coq de
buis ; il en était au bec et, les lèvres serrées, lou-
chait à force d'attention. Son jardin, débordant de
dahlias, ressemblait à quelque feu d'artifice qu'un
génie aurait figé en son apogée. Et Patrick, dont la
mémoire mêlait encore les saisons, se demandait :
« Est-ce bientôt que nous irons cueillir du muguet
près de l'étang de Fontaine-au-Bois ?... Les lilas
d'Ernest doivent être fleuris... » quand déjà la
fumée des feux d'arrière-saison lui piquait les yeux
et la gorge. Ils avaient l'odeur de ces fausses cigarettes qu'à l'imitation de Kléber il se confection-
nait laborieusement et s'astreignait à fumer ; mais
à présent, Roger lui donnait du tabac américain de
contrebande.

Comme il traversait ce rideau de peupliers qui,

à la hauteur de la Prolétarienne, abritait le Plessis Belle-Isle de la route, de la ville, de la vie, un coup de semonce d'octobre leur arracha un vol de feuilles mortes. Il se mit à courir (sans plus galoper) les épaules hautes, les coudes allant et venant telles des bielles de locomotive, le masque au vent : attentif à ressembler à ces champions qu'il idolâtrait depuis peu et dont il épinglait les photos dans sa chambre. De temps à autre, il s'encourageait lui-même d'un : « Vas-y, Mimoun ! » qui suffisait à susciter autour de lui un stade et ses clameurs. Encore un effort, et la poitrine tendue allait rompre le fil : on lui présenterait une gerbe de fleurs, une bouteille d'eau piquante et un microphone : « Je suis content d'avoir gagné ; j'espère faire mieux la prochaine fois ! » Encore un effort... et le dispensaire apparut. Patrick cassa sa foulée d'athlète et reprit, tout essoufflé, un pas d'écolier lambin. Sur la pointe des pieds il fit le tour du redoutable bâtiment : par une fenêtre entrouverte lui apparut le fauteuil du dentiste, piège nickelé, chevalet de supplice aussi compliqué que certaines de ses inventions. Sa dent, qui le lancinait jusqu'alors, s'endormit d'un coup et il décida de rentrer à la maison.

« Attention ! Préparez-vous ! Partez ! »

« Tiens, Patrick ! Est-ce ton père qui t'envoie ?

— Oui, ma sœur, répondit-il trop vite.

— Approche donc ! »

La petite main si blanche se posa sur sa nuque et le mena doucement mais fermement jusqu'au seuil. Une odeur de pharmacie venait à leur rencontre ; et le bruissant affairement de cette robe épaisse à son côté, Patrick soudain n'entendait plus que lui. « Ce doit être ainsi, quand on nous endort pour nous opérer », se dit-il, et il se laissait doucement anesthésier.

« Alors, qu'est-ce qui ne va pas ?

— Mal aux... mal à la tête, se reprit-il.

— Tiens !... Montre-moi donc ta bouche. Non, ouverte ! (« Pourvu que *ça* ne se voie pas ! ») Tes molaires poussent, mon petit. »

Il le savait bien : comme leur tête lui semblait trop grise, il les refoulait sans cesse de sa langue repliée. « Tu ne parles pas beaucoup ! remarquait parfois Kléber. — C'est que ma langue s'use... »

« Je vais te donner un cachet. Sais-tu seulement les avaler ?

— Bien sûr. »

Jamais de sa vie, à dire vrai... « Si je l'avale de travers, je meurs étouffé, s'affola-t-il. Tant pis ! » et il chercha seulement un mot héroïque à proférer avant de trépasser. A force de le redouter, il manqua s'étrangler vraiment. Sœur Saint-Paul l'examinait, le front plissé sous la cornette lisse à peine plus blanche que ce front.

« Mais j'y pense... ces migraines : tu as peut-être besoin de lunettes.

— Oh ! oui. »

C'était son rêve ; et puis, il croyait sincèrement qu'on travaillait mieux en classe avec des lunettes.

« Oh ! oui », tu n'en sais rien du tout ! Viens par là. »

Il suivit le froufroutement dans le couloir. Sœur Saint-Paul était aussi large que Mam Irma, mais jamais il n'aurait osé s'en moquer ; il eut même honte de s'en être avisé.

« Entre ici. »

Au mur, des tableaux couverts de signes et de lettres : un énorme Z conduisait le troupeau dont les plus petites brebis s'appelaient m p r w. Patrick, d'un coup d'œil, les lisait aisément, fût-ce de l'encoignure la plus éloignée. A tout hasard, il les apprit par cœur, réflexe stupide. Il le comprit bien quand le docteur lui demanda de déchiffrer le tableau ; il s'ingénia alors, le visage candide, à *se tromper intelligemment* : prendre les M pour des N, les O pour des Q...

« Ce n'est pas grand-chose, conclut l'oculiste ; mais il faudra porter des verres, mon pauvre vieux, au moins pour travailler. »

Le pauvre vieux lui aurait sauté au cou ; il s'appliqua à paraître désolé.

« Alors, tu les as, *tes* lunettes », fit la religieuse en l'observant par-dessus les siennes. « Cela va encore coûter de l'argent à ton papa...

— Alors je n'en ai pas besoin », s'écria Patrick, et il fut sur le point de tout avouer.

C'est sans doute ce qu'elle attendit, un instant encore, avant de le rassurer :

« Allons, on tâchera de s'arranger... Eh bien, au revoir. Qu'est-ce que tu attends ?

— Est-ce que vous m'aimez ? » demanda anxieusement Patrick.

Il avait absolument besoin que celle-ci, qu'il venait
de tromper, l'aimât. Depuis ce matin, il rusait avec
tous ses protecteurs : jouait au plus malin mais
en trichant — et il se détestait, tout d'un coup.

« Est-ce que vous m'aimez ? » répéta-t-il humblement.

Elle lui prit les deux mains.

« Pourquoi me demandes-tu cela ? Serait-ce *parce
que toi tu ne l'aimes pas ?* »

Il ne répondit rien ; ils se regardèrent en silence :
leurs yeux — le seul défaut de la cuirasse — leurs
yeux les trahissaient l'un et l'autre. Tant d'amour
retenu, d'amour perdu...

« Tu changes, mon garçon.

— Je grandis.

— J'ai dit : Tu changes... » Puis après un silence :
« Jamais personne ne t'aimera autant que ton père,
ne l'oublie pas.

— Mais...

— Il n'a personne d'autre à aimer, Patrick. »

« Si, pensa-t-il : les chemins de fer et le maréchal
Pétain. »

« On croit aimer le reste, ou les autres, reprit-elle
comme si elle avait deviné sa pensée ; mais, pareils
aux chiens, on n'a qu'un seul maître, qu'un seul
amour.

— Vous, qui est-ce ? demanda-t-il abruptement.

— Moi ? (Elle ferma les yeux.) Moi, je suis très
maligne, tu sais ! J'ai choisi le Seul que je ne puisse
aimer qu'en aimant tous les autres : le Seigneur
Jésus-Christ. »

Il fronça les sourcils ; puis une lueur passa sur son visage :

« Ah ! oui ! Celui qui...

— Tais-toi !... Pardonne-moi, ajouta-t-elle aussitôt, mais on n'a le droit de parler de Lui qu'avec amour.

— Racontez-moi. »

Elle scruta ce visage, y lut une ombre d'ennui, un sourire de complaisance.

« Non, fit-elle doucement : tu n'en as pas assez envie. Lorsque tu en auras plus qu'envie : besoin, quand tu en auras faim et soif, reviens me voir, Patrick. N'importe quand ! »

Il se leva pour partir, mal à l'aise, et soudain : « Chic ! se rappela-t-il, mes lunettes... Chic ! l'âne... Chic ! la voiture de Roger... »

« ... voir, ma sœur. »

Elle le suivit du regard désenchanté de celui qui a longtemps observé un oiseau et le voici qui s'envole. « Il aurait peut-être fallu... Non, se dit-elle, je n'aurais pas su... Prier, prier seulement : pour lui et pour le vieil homme, *inséparablement*. Toujours prier pour deux êtres à la fois, pensa-t-elle encore : le vainqueur et le vaincu, la victime et le bourreau, le mort et le survivant, toujours... »

Parvenu à la Prolétarienne, Patrick n'hésita qu'un instant entre l'avenue du Bel-Air et la route qui menait à la Maraîchère : entre Kléber et Roger, et se dirigea vers la maison de ce dernier

Car l'ancien chiffonnier, devenu brocanteur puis
« négociant », ne campait plus dans son ancien
wagon : il avait fait aménager, à mi-chemin de la
décharge et du Plessis Belle-Isle, un pavillon prétentieux qui fascinait d'autant plus le garçon qu'il
sentait encore le neuf, odeur inconnue à Patrick.
Comme il en approchait, il vit Roger qui bricolait
sur une vieille voiture dont le capot relevé l'avalait
jusqu'à mi-corps. Monstre dérisoire et haut perché,
caisson squelettique, bardé de cuivre, et dont
les maigres pneus étaient plus cloutés que des
godillots...

   « Elle tourne, Patrick ! lui cria-t-il du plus loin
qu'il le vit. Ecoute ! »

   Nul besoin de tendre l'oreille : un vacarme de
batteuse secouait la voiture entière tandis qu'une
fumée inquiétante montait lentement du moteur
comme d'un volcan mal éteint. Un vieux, que le
bourg entier surnommait G7 et qui voulait louer
son hangar, avait, après une négociation tenace,
versé trois cents francs à Roger pour qu'il le débar-
rassât de son épave. Patrick en essaya toutes les
places. Le cuir fissuré montrait des crins grisâtres :
utilisait-on de vieux chevaux pour fabriquer les
premières automobiles ?

   « A quoi va-t-elle te servir, Roger ?

   — A faire ma tournée, chaque matin. Je gagnerai
du temps — et le temps... ?

   — ... c'est de l'argent », acheva le garçon.

   Roger lui avait ainsi appris quelques expres-
sions : Faut bien qu'on vive, Mieux vaut faire

envie que pitié. Le temps c'est de l'argent, qui
reléguaient de sa mémoire « On les aura » ou « Ça
tombe comme à Gravelotte. »

« Entre un moment, dit Roger : j'ai des choses
pour toi. »

Dans ses instants les plus généreux, il gardait des
manières de marchand à la sauvette : « Un, deux,
trois, quatre magazines ! La poignée pour toi ! »
C'étaient les premières de ces stupides bandes des-
sinées que l'on traduisait hâtivement de l'américain :
Kid Colorado, Le Petit Sheriff, Whoopee, Patrick les
lut tout haut, mimant à demi les bagarres,
les enlèvements...

« Roger, pourquoi tu n'apprends pas à lire ?

— Pas le temps. Et puis, j'ai l'impression que
ça me porterait malheur. Et puis, ajouta-t-il en
changeant de voix, je veux leur prouver que ça ne
sert à rien, tout ce dont ils sont si fiers, tout ce qu'ils
m'ont refusé...

— Tu as l'air méchant », dit Patrick.

Il se trompait : c'étaient seulement, sur ce
visage, les alluvions de la misère et du dédain.
Rien ne vous marque autant que le mépris des
autres.

« Méchant ? Tu vas voir si je suis méchant...
Attrape ! »

Il lui lança un revolver de cow-boy à poignée de
faux nacre qu'il avait même garni d'amorces.
Patrick retrouva aussitôt son galop et se mit
à abattre des Indiens dans tous les coins de
la pièce.

« On ne monte pas à cheval en culottes courtes, lança l'autre, la lèvre lourde de dédain.

— Tu vois bien que tu es méchant », dit l'enfant désenchanté.

Déjà, avec un geste d'illusionniste, le grand avait sorti — mais d'où ? — un pantalon de toile bleue, celui des mécaniciens américains.

« S'il n'est pas à ta taille, je l'échangerai au PX ! (Une coopérative militaire alliée avec laquelle il trafiquait.)

— C'est ma taille, c'est ma taille ! » cria le garçon qui aimait déjà de toutes ses forces ce pantalon, celui-là et pas un autre : son premier...

Il serait à sa taille l'an prochain ; pour l'instant, enfilé par-dessus les culottes, il flottait et retombait en tire-bouchon.

« Ça gratte les jambes, c'est drôlement chouette ! »

« Combien de fois t'ai-je dit... ? » pensa-t-il aussitôt : Kléber ne pouvait supporter les « drôlement chouette » ni les « vachement marrant », lui dont la trivialité ne dépassait jamais le bigrebougre.

« Toi aussi, reprit pourtant Patrick, tu es vachement chouette ! Mais... qu'est-ce qu'il y a dans les poches ? »

Livré tout entier aux délices de la générosité, Roger se contenta de sourire assez niaisement en baissant les paupières. Dans la poche de gauche, il avait glissé la casquette vert d'eau des chauffeurs nègres, dans celle de droite de l'argent. Patrick coiffa l'une, rendit l'autre :

« Papa me donne ma semaine tous les jeudis.

— Combien ?

— Ce qu'il peut, répondit le garçon dignement.
L'argent... »

Il chercha dans les réserves de Kléber une maxime
pour oblitérer celles de Roger qui, soudain, lui
apparaissaient ignobles ; mais Papa ne prononçait
jamais ce mot. Il se remémora à temps cette phrase
apprise à l'école :

« ... L'argent ne fait pas le bonheur.

— Répète voir !

— L'argent ne fait pas le bonheur », reprit Patrick
doctement.

Roger haussa les épaules :

« Ceux qui n'en ont pas le disent afin de s'en
consoler ; et ceux qui en ont, afin de se le faire
pardonner. »

Pour lui, le bonheur avait commencé avec l'argent ;
et aussi avec l'amitié du petit garçon, mais celle-ci
avec des cadeaux. L'argent, l'argent...

Patrick sentit que Kléber ne serait pas d'accord
et qu'acquiescer eût été trahir ; mais il ne trouvait
aucun argument. « Je vais lui rendre la casquette,
le revolver, et le pantalon, décida-t-il. Oh ! non,
pas le pantalon... — Mais alors, rendre le reste ne
signifie plus rien ; autant tout garder ! » Il devenait
lâche mais sans cesser d'être lucide, à l'inverse des
grandes personnes.

« Roger, demanda-t-il, pourquoi me fais-tu des
cadeaux ? »

L'autre attendit un moment avant de répondre :

« Parce que tu es la seule personne qui... qui m'aime un peu. »

L'enfant se rappela son entretien avec sœur Saint-Paul. De quel droit cet étranger s'immisçait-il dans le dialogue de maître et chien qui régnait ici avant sa venue ? C'était oublier que lui-même, un matin, petit inconnu déguisé en ennemi, avait fait irruption dans l'univers clos du vieil homme. C'était oublier qu'homme ou chien, il suffit d'un regard, Dieu merci ! pour engendrer une alliance. Mais il crut devoir se défendre, défendre Kléber :

« Personne ne m'aimera jamais comme mon père.

— Il n'est pas plus ton père que moi... C'est toi qui me l'as dit ! » ajouta précipitamment Roger en voyant l'orage monter dans les yeux verts.

« Lui n'a personne d'autre à aimer !

— Et moi ? » murmura l'étranger.

« Cette fois, je rends le pantalon avec tout le reste », pensa très fermement Patrick.

Il se sentait en grand danger ; lui, Kléber, l'oncle Théo, Mam Irma, les lis d'Ernest, l'écluse au crépuscule : *On est heureux, papa, on est heureux...* — en grand danger ! Il fallait rendre tout : trancher d'un seul coup de hache. « Mais l'âne ? » pensa-t-il soudain. Il revit ce regard humble et fourbe. L'abandonner était le livrer à la boucherie : « Mulet extra, régalez-vous ! » Que venait-il encore faire, celui-là ? N'importe qui pouvait donc ainsi entrer, à deux ou quatre pattes, dans la vie des autres ? Tout vacillait ; Patrick préféra battre en retraite : sans un mot de plus, il s'enfuit à toutes jambes.

Son pantalon neuf le ceinturait, se pendait à ses chevilles : c'était Roger le méprisé qui retenait, qui suppliait son seul ami...

La journée des surprises ! Sa croisée est devenue un vrai guignol : ce matin, Kléber y a vu surgir un âne sans nom ; cet après-midi, voici Patrick déguisé en chauffeur militaire américain : petite casquette d'un gris vert, pantalon bleu...

« Allons bon, on fête la mi-carême en octobre à présent, » bougonne-t-il.

Contre cet inconnu qui sent le magasin, Quatre de trèfles aboie à pleine gorge.

« C'est moi, moi, moi, crétin ! lui crie Patrick en l'enlevant dans les airs par ses aisselles tièdes. Papa, regardez ! J'ai un pantalon, *comme vous*. »

« Son premier pantalon ! pense le vieil homme, et ce n'est pas moi qui... » La contrariété fronce ses sourcils noirs :

« Qui te l'a donné ? Roger sans doute ! » (il veut s'épargner d'entendre Patrick prononcer ce nom.) « Tu devrais me demander avant de... D'ailleurs, on ne doit jamais rien accepter d'un inconnu.

— Mais je le connais bien, Roger.

— « Connaître bien », c'est autre chose, je t'assure ! Théophane et moi, par exemple...

« Oui, mais l'oncle Théophane ne m'offre rien, lui », pense Patrick.

— Quand je suis arrivé ici... » commence-t-il.

Il n'ose achever : « ... vous ne me connaissiez pas », mais Kléber l'a deviné.

« Qu'est-ce que tu racontes ? demande-t-il d'une voix altérée.

— Rien. Papa, est-ce que je pourrai aller à l'école en pantalon ?

— Sûrement pas. »

L'enfant le regarde bien en face :

« Si vous me l'aviez acheté, vous me le permettriez.

— Laisse-moi travailler », dit le vieil homme que cette répartie bouleverse.

Il feint de bricoler, mais ses mains tremblent.

« Il a raison, pense-t-il : si je lui avais offert ce pantalon... D'ailleurs, j'aurais dû le faire depuis longtemps. A son âge, je... » — Mais il est bien incapable de se rappeler ce qu'il portait vers quinze ans : de se figurer autre chose qu'un uniforme bleu horizon, qu'un costume bleu nuit de cheminot. « A quinze ans... Quoi, QUINZE ans ?... Voyons, quand il m'est arrivé, Patrick avait dix ans : dix, onze, douze, treize, quatorze... » Il compte sur ses doigts, très lentement, comme pour arrêter le temps. Quinze ans... Il lui semble soudain que ce n'est plus le même enfant ; et plus un enfant, de toute manière ; et plus le même temps qui passe. « Pourtant, moi je n'ai pas changé... » La gymnastique de l'aube, l'atelier, l'emploi du temps sur papier quadrillé... Ou encore le repas de cerises en juin dernier... « Non, pas changé du tout !... » La montre, dans son cercueil tout rond, n'avance ni ne retarde d'une minute ; et les clefs tintant dans sa poche rendent le même son ; pas une bosse, pas

un creux nouveau à son béret. Alors ? Il éprouve le
désarroi de l'homme qui se réveille au milieu de la
journée, qui ne fait plus partie du temps des autres.

« Patrick ! »

Il lâche l'objet qu'il collait et qui se redéfait aussitôt ; il se précipite à la fenêtre : personne. Personne
d'autre qu'un inconnu en casquette grise et pantalon
bleu, qui parle à l'oreille de l'âne ; qui, d'un geste
enfantin, arrache sa casquette, gratte sa toison blonde
— et c'est Patrick.

« Bonhomme ! lui crie Kléber (« Dieu qu'il est
grand ! ») Si tu aimes ce pantalon, c'est simple : je
le rembourserai à... celui qui te l'a donné. Nous
allons acheter de nouveaux effets. Je prends l'affaire
en main... Viens m'embrasser, » ajoute-t-il, puisque
Patrick ne s'y décide pas tout seul.

L'âne sans nom les ·regarde, avec une indifférence maussade, en chassant de la queue, de l'oreille
rèche, du sabot menu, les premières mouches de
l'automne.

« Eh bien, que se passe-t-il *encore ?* » fait la reine
Irma pour masquer son contentement de voir Kléber
entrer dans son palais de peluche rouge et de plantes
vertes.

Il y règne une odeur fanée, comme dans la maison d'été qu'on retrouve à Pâques. « Il vient me
parler de Patrick, naturellement. »

« Patrick grandit, comme le vieil homme. Nous
devrions... »

Ce « nous » révolte et ravit Mam Irma qui prête

une oreille de confesseur à ces remords, à ces
regrets.

« Nous devrions ? » *Vous auriez dû,* voilà la
vérité !

— Vous savez bien que, sans vous... »

Elle le sait bien, mais se l'entendre dire lui est
une revanche douce-amère.

« Sans moi, sans moi... » Il y a seize ans que
vous auriez pu vous en apercevoir, Kléber. Eh oui !
seize ans, reprend-elle devant ses yeux ronds de
surprise.

— Déjà ? »

« Voilà bien un mot d'homme ! Ils ne sentent
pas le temps qui passe, ils le calculent seulement... »
Ces seize ans, Mme Irma sait qu'en ce moment
Kléber les observe sur son visage même. Elle le
ravive de son mieux, mais il ne lui obéit plus guère.
Seul le regard...

« Parce qu'un petit garçon grandit, vous vous
avisez que le temps passe. Il suffirait de nous regarder.
Kléber.

— Je trouve qu'au contraire..., commence-t-il
courtoisement.

— Taisez-vous, c'est bien le moment d'être gracieux ! Vous êtes tombé dans le piège, reprend-elle
d'une voix basse et triste. Parce que chaque jour
était semblable au précédent, vous avez cru...

— Mais c'est cela, le bonheur : lorsque rien ne
change.

— Non, c'est seulement le temps qui passe ; et,
sans doute, le contraire même du bonheur. »

Kléber ne comprend pas très bien mais il baisse la tête comme si, depuis l'origine du monde, tout ce temps qui passe était sa faute. Devant Mme Irma, voilà seize ans qu'il se sent coupable. Il essaie timidement de ramener le procès aux vêtements de Patrick — mais non ! il y a trop longtemps qu'elle attend cette occasion.

« Que vous n'ayez pas voulu refaire votre vie, Kléber, cela vous concernait. Mais quand ce petit vous est tombé du ciel — il n'y a pas d'autre mot ! — il fallait lui donner un vrai foyer, une famille complète. »

Que d'orgueil ravalé, de passion contrainte représente cet humble prétexte ! Kléber le sent confusément et, pris de panique, s'accroche au premier argument qui passe à sa portée :

« Nous étions bien âgés, l'un et l'autre, pour former ce que vous appelez...

— Et vous, pour jouer tout seul les père et mère ?

— Vous m'y avez aidé.

— Non, non ! une blanchisseuse, une ravaudeuse, s'écrie-t-elle, pas une mère ! »

La réplique sonne faux. Pourtant, son spectateur docile s'y laisse prendre et mesure mieux le péril auquel il croit avoir échappé : une mère impérieuse détournant sur elle seule tout l'amour de Patrick... Il prend son air le plus contrit, mais elle lit dans ses yeux une jubilation inexplicable. Inexplicable pour tout autre ! Pas pour celle dont la jalousie est depuis si longtemps le royaume. « Il

n'y a que le petit qui compte ; c'est définitif », pense
Mme Irma et, sur son visage, une sorte de désespoir
remplace le dépit.

« Je vous demande pardon », s'écrie sans réfléchir
Kléber qui l'observe. « Qu'est-ce que j'ai dit là,
pense-t-il aussi vite. Bigrebougre, qu'est-ce que je
vais entendre ! »

Rien. Mme Irma ne profitera pas de cet élan.
D'un geste noble, elle exprime à la fois son désespoir, l'impuissance des êtres, la cruauté du Destin,
et rentre dans ses appartements.

L'achat d'habits neufs pour Patrick fit l'objet
de nombreuses conférences. Hormis l'âne et le chien,
tout le monde donna son avis. Celui de Patrick,
hasardé de cette voix singulière qui commençait à
muer, causait chaque fois un instant de stupeur
suivi d'un « tsst... tsst... » et d'un sourire indulgent. Cet enfant devenait coquet, Dieu me par-
donne ! Lui qui n'avait jamais paru, dimanches et
fêtes exceptés, que vêtu de culottes et d'un chandail
dont les coloris, bien différents à l'origine, avaient
fondu en un gris mauve indistinct, comme on voit
les vieux ménages finir par se ressembler ; lui qui,
chaque matin, enfilait le tout les yeux mi-fermés,
reconnaissant son linge à l'odeur, comme Quatre
de trèfles — voici qu'il se permettait de préférer
le vert ! ou le velours ! Ses lèvres prononçaient (en
tremblant, il est vrai) *blouson, pied de poule, mar-
tingale*... Où avait-il appris ces termes qu'on écoutait
comme autant de gros mots ? Roger, sûrement !

— « Quel Roger ? » demandèrent Théophane et
Mme Irma. — Celui de l'âne, de la voiture, des
enseignes lumineuses... Roger l'étranger, le parvenu... Celui qui, sans doute, avait suggéré au petit
de les conduire dans ce « magasin à prix uniques »
qu'on venait d'ouvrir au Plessis Belle-Isle et dont
l'affairement, les lumières, la musique le fascinaient.
Mais d'abord, qu'est-ce que cela signifiait « à prix
uniques » ? Kléber le demanda bonnement à ces
vendeuses que le garçon contemplait, bouche ouverte,
aux jeunes inspecteurs qui jouaient aux quatre
coins entre elles. Tous l'ignoraient. « Voilà
bien Paris ! » pensa-t-il. Mme Irma promena sur les
comptoirs un regard dédaigneux, une main
exigeante :

« C'est de la camelote !

— Bien sûr, fit doucement Théophane, mais
vendue beaucoup moins cher.

— La belle avance ! s'écria Kléber. Voici une
paire de chaussures que je porte depuis dix ans.
Mettons qu'elles m'aient coûté trois fois plus que
celles-ci — il les rejetait dans le casier — qui seront
mortes dans deux ans : j'y gagne encore !

— A la condition que tu disposes de trois fois
plus d'argent.

— Ce qui n'est pas le cas », reconnut dignement
Kléber en reprenant les souliers et en les examinant
sans estime.

Il se heurtait aux insolentes lois de ce monde :
qu'on ne prête qu'aux riches, qu'eux seuls font
de bonnes affaires, et que leurs dépenses elles-

mêmes tournent en économies. Un riche achète un
costume *de plus* et le choisit à carreaux ; il le revêt
trois fois l'an et on le félicite de son heureuse audace.
Un pauvre rêve longtemps de ce costume outrancier,
l'achète, le porte tous les jours et sera ridicule
durant trois ans. Le monde se moque des pauvres
jusque dans les moindres détails, les tout petits
plaisirs : « A celui qui n'a rien, il retire même ce
qu'il a », comme le dit l'Evangile. Kléber, qui
passait sa vie à prolonger celle des objets, acheta
amèrement du linge et des habits condamnés
d'avance : brillants et fragiles, telle une jeune fille
tuberculeuse.

« Bah ! de toute manière, Patrick grandit si vite »,
lui souffla Théophane pour le consoler.

L'autre, sans le savoir, retrouva le mot de sœur
Saint-Paul :

« S'il ne faisait que grandir, Théophane ! mais
il change.

— « Il faut qu'il croisse et que tu diminues. »

— Qu'est-ce que tu dis là ?

— Ce n'est pas moi, c'est saint Jean-Baptiste.

— Ah ! bon », se rassura Kléber comme si, de ce
fait, la pensée perdait toute importance.

Aïe ! Il porta une main à son dos, mais qu'y pou-
vait-elle ? Ce long piétinement dans un magasin
avait réveillé « l'aiguillon ».

« Oui, tout change ! reprit-il avec une sorte de
fureur. Regarde-moi ce magasin : c'est l'armée de
Bourbaki ! Tout est en vrac et comme inachevé.

— C'est du désordre, voilà tout.

— Non, Théophane, c'est leur nouvel ordre.
Tout « liquider », comme ils disent, et on passe
à autre chose. « L'opération chemises, l'opération
souliers... » Un jour, on t'offre trois savons pour
cinq louis ; le matin suivant : deux de plus pour
le même prix ; mais le surlendemain, ni vu ni
connu je t'embrouille !... Un immense marché à
la sauvette ; on nous prend pour des badauds, pour
des mariolles !

— Tu n'as jamais aimé les commerçants.

— C'est l'argent que je n'aime pas : l'argent
est contagieux. »

Patrick s'était enfui avec les paquets — « les
montrer à Roger, sans doute ! » — et les deux
vieux hommes remontaient l'avenue du Bel-Air.
Leurs ombres, déjà longues, se cassaient sur l'autre
trottoir ; ils piétinaient des feuilles demi-mortes.

« Qu'est-ce que c'est que ça ? » fit soudain Kléber
en s'arrêtant avec une méfiance de chat.

Il désignait un tas de sable, quelques seaux
boueux et une pancarte « Attention, travaux ».

« Ils vont refaire les pavés de la rue, suggéra
Théophane : l'herbe pousse entre ceux-ci.

— Qui cela gêne-t-il ? Quand je la vois, cette
herbe... » Il se tut longtemps puis reprit d'une voix
sourde encore : « Quand je la vois, je pense à Patrick,
à tous les gosses qui parviennent à grandir malgré nos pavés ; je pense à nos petits bonheurs ;
je... »

Il dut s'arrêter : une absurde envie de pleurer
— oui, de pleurer, lui, Kléber ! Il voulut croire

que c'était *l'aiguillon ;* ou l'âcre fumée d'un feu
d'herbes que la brise tranquille portait jusqu'à
eux.

« Tu as raison, dit Théophane en posant sa
main sur la manche bleue : l'herbe entre les
pavés, c'est aussi nous autres. Mais ils vont changer
les pavés.

— Changer ! changer ! Pourquoi ? Pour gagner de
l'argent ?

— Pour se prouver qu'ils existent.

— Cela a commencé par les enseignes lumineuses,
tu te rappelles ? Et puis les bistrots : faux marbre,
faux chromes, fausses mosaïques. Et leur nom en
grandes lettres prétentieuses, « modernes ». Qu'est-
ce que ça veut dire « moderne » ? Que le goût en
passera, rien d'autre ! Bientôt ce seront les boutiques, Théophane. Ecoute-moi bien : il faudra
que leur nom brille en pleine nuit. Pour qui ?
Pour ton bon Dieu, sans doute ! Il leur faudra
du marbre, comme aux anciens rois, et des
lumières de théâtre. Et tout cela aux frais de qui ?
— Aux nôtres, poursuivit-il superbement, lui qui
achetait si peu et toujours à quelque comptoir
délabré.

— Kléber, demanda Théophane, tu n'as pas bu
du vin, ce midi ?

— Non. Pourquoi ?

— Pour rien. Continue... »

Le vent s'était levé : son cortège de feuilles accom-
pagnait Kléber-le-prophète et les branches le bénis-
saient au passage.

« ... Tu verras, Théophane, tu verras : toutes les boutiques de ce pays seront remises à neuf avant qu'on ait reconstruit les logements ! Tous ces marchands, qui n'ont pas encore fini de transpirer ce qu'ils ont gagné pendant la guerre, vont continuer d'engraisser dans leurs boutiques neuves, et nous de maigrir en les respectant, en les plaignant : « Ma pauvre, quel travail ça vous donne ! — Pensez donc ! à minuit j'étais encore après ma caisse... » Oui, après sa caisse, à compter *nos* sous, Théophane ! Dans quatre ans, le boucher se retirera : il en aura davantage mis de côté que nous autres en quarante ans de chemins de fer...

— Changerais-tu avec lui ?

— Sûrement pas ! C'est comme ce Roger, le brocanteur ! — ...tends voir ! fit-il soudain en s'immobilisant : tu avais raison, Théophane, j'ai bu un demi-verre de vin à déjeuner afin de me donner du courage pour ces achats.

— Ce Roger, disais-tu ? »

Ce Roger, en ce moment même, attend un visiteur important. Jusqu'à présent, les visites décisives de son existence ne se faisaient jamais annoncer : policiers en imperméables, soldats en bottes noires, voiture dont les quatre portières claquent sous vos fenêtres, et votre cœur soudain bat plus fort qu'elles... Mais les temps de la terreur sont révolus. Pantins ensanglantés, tous les parents de Roger pourrissent quelque part, sur une décharge ou dans un égout d'Europe Orientale. Plus de

visites à l'aube, plus de cœur qui bat. Roger l'orphelin, devenu chiffonnier en pays libre, c'est lui qui,
dans le petit jour, rend humblement visite aux
autres ; il dépasse rarement le seuil et craint le chien
autant que l'homme.

Mais aujourd'hui, pour la première fois, quelqu'un vient le trouver à domicile, et la fortune
suivra ce visiteur à son insu, comme son ombre...
Voilà le résultat de trois mois d'insistance peu-
reuse, de plaidoiries hâtives, d'attente surtout.
« Ecrivez plutôt ! lui dit-on. — Non, non, j'attendrai... » (Pardi ! il ne sait pas écrire). A la fin, pour
ne plus voir ce sourire à tout faire, ce regard humiliant d'humilité, et pour ne plus entendre son accent,
on le reçoit « entre deux rendez-vous, très vite, je
m'excuse ! — Cela ne fait rien, monsieur : je reviendrai... » Deux, trois, dix fois il est revenu, jusqu'à
ce que enfin :

« Dites donc, cela peut être intéressant, ce que
nous signale ce type. Thomas, voulez-vous étudier
l'affaire ? »

C'est pourquoi Roger attend aujourd'hui
M. Thomas du C.O.I.C. (Consortium d'Opérations
Immobilières et de Construction).

Mais l'aventure a commencé, trois mois plus
tôt, par une photographie grandeur nature de Malouvrier dans l'un de ces magazines dont Patrick lit à.
Roger titres et légendes.

« Vous connaissez Malouvrier, l'architecte ? —
De nom, bien sûr. » Il est un des vingt *de nom,
bien sûr* de ce pays. L'un de ces grands hommes

qui confondent la réussite avec le succès et croient
que, pareils aux coquillages loin de l'océan, ils ter-
nissent dès que l'on ne parle plus d'eux.

Avant la guerre, Malouvrier a bâti en rond ou
en large ce qui, avant lui, se construisait en carré,
en hauteur ; inversé l'inclinaison des toits, tenté
de construire les cheminées sous terre ; employé
la pierre où l'on mettait le verre et le verre où la
pierre régnait depuis quarante siècles — bref, mis
l'architecture cul par-dessus tête afin d'étonner ses
contemporains sinon de les loger. Il a, comme tant
d'autres, laborieusement fait le tour du vieux magasin aux accessoires en y mettant le désordre — tandis
que les génies enfoncent tranquillement la porte
et s'en vont ailleurs.

Mais on ne parlait plus de Malouvrier. C'est le
grand mal des après-guerre pour les arrivistes et les
imposteurs : la perte de leurs « droits acquis ».
La presse « libérée » fabriquait, à son goût, une
nouvelle Galerie des Illustres. Les vieilles gloires
s'époumonaient : « Je suis l'homme qui a fait ceci !
C'est moi qui, en 1935... » Les nouveaux venus se
moquaient bien de leur *je,* de leur *moi* : trop occu-
pés à mesurer le tour de poitrine des actrices, à
marier les princesses ou à fouiller les alcôves au
téléobjectif. Malouvrier n'intéressait pas les journalistes, donc n'intéressait plus personne. Il avait
bien, comme tant d'autres, bâti et décoré sa chapelle (sans croire en Dieu, car cela aurait nui à sa
personnalité). Mais il n'avait pas su, à temps,
adhérer au communisme, perdant ainsi l'occasion

de récolter à la fois l'admiration des pauvres et l'argent des riches.

Ayant donc, en vain, rappelé qu'il avait construit un musée hélicoïdal à Ottawa, un stade souterrain à Caracas et une capitale sans rues en pleine Amazonie, Malouvrier décida de frapper un grand coup à Paris, capitale des imposteurs. Il convoqua la presse pour lui apprendre qu'il bâtirait « un immense mammouth en forme de poitrine, véritable ville sur pilotis, une sorte de montagne à vivre, dominant la capitale, là où l'air serait le plus pur... »

« Comment as-tu dit cela ? » demanda Roger qui écoutait, les yeux fermés, en se curant les dents.

« C'est écrit là, dit Patrick qui lui ânonnait ces âneries.

— Répète voir.

— « ...où l'air est le plus pur. » Papa dit toujours que c'est chez nous, Roger.

— Dis donc, un « immeuble panoramique en « colorama » au Plessis Belle-Isle, ce serait chouette, non ? »

— Vachement », fit Patrick avec gravité.

Sur deux pages, le magazine publiait la maquette de cette « Cité Poumons ». Malouvrier y commentait complaisamment l'entreprise avec des croquis tout à fait primaires, échappés de sa main fébrile, mais sur lesquels le journaliste s'était jeté comme un bigot sur de fausses reliques.

« Voyez-vous, disait Malouvrier, ici je situerai la « ligne de respiration ».

Il tirait un simple trait.

« Vous permettez ? » demandait respectueusement le journaliste.

Le cœur battant, il empochait le trait ; on le reproduirait avec d'infinies précautions : « Nous sommes fiers de présenter à nos lecteurs, en exclusivité mondiale... »

Aujourd'hui deux lecteurs, guère plus enfants que des millions d'autres, contemplaient en hochant la tête et bouche bée le trait génial, le visage pensif de Malouvrier et la monstrueuse image de la Cité Poumons. Puis Patrick avait tourné la page : « Oh ! dis donc, regarde Cerdan... Oh ! dis donc, Lollobrigida... » — tourné la page, Patrick ! mais non Roger.

La consultation des annuaires professionnels, le tour des principales sociétés immobilières, de laborieuses mesures à travers des vergers et des jardinets au Plessis Belle-Isle, l'étude du cadastre à la mairie, des visites à tel et tel... « Et n'en dites rien à personne ! Je compte sur vous ? — Bien, monsieur Roger. » On lui donnait du *monsieur Roger,* puisqu'il venait parler argent. Il n'osa pourtant pas affronter Kléber. Comme tous ceux qui ont longtemps souffert du mépris, il décelait d'instinct, quelle que fût l'apparence, ceux qui ne l'aimaient pas. « J'irai voir M. Demartin le dernier. Il est vrai qu'il peut tout faire échouer... Bah ! le petit m'aidera. D'ici là, pas un mot à Patrick lui-même... »

Mais voici, ce matin, M. Thomas, du C.O.I.C.
Il arrête sa voiture devant le pavillon de Roger,
en descend et la ferme à clef parce qu'en banlieue on ne sait jamais. Pour parvenir jusqu'ici,
combien de places et de boulevards Jean-Jaurès,
Gambetta et Gabriel-Péri n'a-t-il pas empruntés,
traversés ou croisés ? Le bout du monde ! et il est
étonné que les indigènes lui répondent sans accent :
« Juste avant la Maraîchère prenez, à main gauche,
la rue de la Fraternité et vous tombez dessus... »
Il tombe dessus, en effet.

« Bonjour, monsieueueu... » (Qui a jamais pu
retenir le nom de Roger ?)

M. Thomas, du C.O.I.C., a le regard pesant, le
front épais, le dos des mains poilu. Et aussi les
narines dilatées et l'œil droit plus aigu que l'autre :
il flaire, il vise. Quoi ? L'argent. Il possède ce
don de sourcier qui manque aux enfants de
Lumière : ses pas lourds ne le conduisent jamais que
là où l'argent affleure. Il a longtemps trafiqué des
fonds de commerce ; puis soudain viré de bord :
l'import-export — mot magique — l'a happé juste
après la guerre ; enfin, il s'est jeté dans les affaires
immobilières. Il y a retrouvé tous les malins de ce
temps ; c'est l'antichambre de l'enfer. Par ailleurs,
époux fidèle, père indulgent, ami dévoué, et chré-
tien le dimanche : c'est un homme de devoir,
sauf en ce qui concerne le devoir d'être un homme.
Si François d'Assise, Mozart ou Racine nous étaient
retirés, sa vie n'en subirait aucune altération. C'est

un homme de cuir et en voici une preuve : le pavillon de Roger lui fait plutôt bonne impression. Sa main poilue refuse cependant le siège puis le verre : « Au fait ! au fait ! » L'araignée fait alors les honneurs de sa toile : Roger lui expose le résultat de ses pourparlers.

« Bon. A présent, sur le terrain ! » prescrit M. Thomas.

Sur ce même terrain, six semaines plus tôt, Malouvrier lui-même est venu respirer l'air du Plessis Belle-Isle et décréter si, dans ce lieu, soufflait ou non l'Esprit. A distance respectueuse, son état-major et celui du C.O.I.C. attendent le verdict du maître. D'un coup d'œil — aucun architecte ne connaît le métier mieux que lui — le vieux renard s'est assuré que les rapports qu'on lui a faits sont fidèles. Terrain satisfaisant, situation inespérée, très belle affaire. A présent, il joue la comédie de l'inspiration : offre à contrevent sa célèbre chevelure de neige (qu'il a tant de mal à garder *juste assez trop longue*), fixe le soleil, découpe sur l'horizon son meilleur profil, se baisse brusquement pour saisir une motte de terre sèche qu'il émiette entre ses doigts. L'âne sans nom, qui paît en fraude non loin de là, sur un pré communal, l'observe avec défiance et commence à braire au secours. Pressent-il que cet homme va mettre en péril les ânes, les foins, les coqs, la liberté ? en grand péril tout ce qui n'est pas métro, garages et macadam ? Il brait ; Malouvrier tressaille — « mauvais présage ! »

Lorsqu'il pense avoir heureusement concilié la

durée de la méditation et l'éclair du génie, Malouvrier s'en retourne vers le groupe attentif et
déclare :

« Messieurs, nous allons faire ici une œuvre
loyale. »

Les financiers respirent : l'œuvre loyale se traduit par cinq cents millions de bénéfices au bas
mot. Puis, déjà hanté, Malouvrier s'engouffre dans
son automobile : « Au travail ! au travail ! » Depuis
le Front Populaire, il s'assied à côté du chauffeur.
L'état-major se tasse dans deux autres voitures ;
le commando du Génie quitte le terrain, et l'âne
sans nom se remet enfin à brouter, l'oreille inquiète.

Aujourd'hui, il tond le Parc des Sports ; il ne verra
donc point ce M. Thomas arpenter des vergers
et des terrains vagues entre la Maraîchère et la Prolétarienne, et frapper à la porte des pavillons, sa
petite valise à la main. Elle est bourrée de billets
de banque, pas trop neufs afin d'inspirer confiance.
M. Thomas, du C.O.I.C., connaît le pouvoir de
l'argent liquide ;. son sésame est le mot *cash* lequel
se comprend dans toutes les langues. De visite en
visite, la valise s'allège et le plan qu'il tient à la main
se raie de bleu.

« Et la parcelle Demartin ? »

« Nous y voilà », pense Roger :

« Ce sera plus dur. J'ai préféré vous attendre. »

M. Thomas soupèse la valise : un bon poids
d'arguments...

« Allons-y. »

Kléber les accueille avec un haut-le-corps.

« Tiens ! dit-il seulement, *monsieur* Roger... »

L'autre prend le mot pour une marque d'estime ; il n'a pas l'habitude.

Le vieux retire les lunettes de Patrick (qu'il a adoptées par économie), ôte et plie posément son tablier à tout faire, enferme Quatre de trèfles qui déteste l'odeur de M. Thomas et, depuis son entrée, l'affirme bien haut.

« Patrick n'est pas là ? demande Roger qui transpire déjà.

— Est-ce donc lui que vous venez voir ?

— Non, mais... »

Et il dédie à son compagnon un regard qui signifie : « Qu'est-ce que je vous disais ! »

« De quoi s'agit-il, monsieur... monsieur ?

— Thomas. Thomas, du C.O.I.C. » Et, devant les sourcils froncés : « Consortium d'Opérations Immobilières et de Construction. Notre ami M. Roger... euh ! » (Toujours ce sacré nom !)

« Notre ami ? pense Kléber. Bigrebougre, ça commence bien... »

« ...a bien voulu introduire notre société auprès d'un certain nombre d'habitants de cet îlot (« Allons bon, j'habite un îlot ! ») en vue d'une vaste opération immobilière dont l'objet... »

Il déballe son paquet : il a pour mission d'acheter — d'ailleurs, à des conditions fort avantageuses, rassurez-vous ! — les parcelles composant le terrain où doit s'élever la Cité Poumons.

« La Cité Poumons ? »

— Oui, le projet Malouvrier.

— Malouvrier ? Jamais entendu parler ».

M. Thomas explique l'un et l'autre en regardant ailleurs, comme font les comédiens d'opérette : lui aussi a trop souvent répété son texte.

« Vous permettez ? » interrompt Kléber.

Il va éteindre la flamme sous la casserole où bout le malt et revient avec trois tasses, dont l'une dépareillée. « De très petits moyens », note avec plaisir M. Thomas.

« Vous prendrez bien un peu de café ?

— Volontiers. Merci. » (« Pouah ! Et tout ce temps perdu... »)

Il ne se doute pas que son vieil hôte le perd intentionnellement, en attendant que son cœur cesse de battre la chamade. « De quoi ai-je peur ? se demande Kléber. Oui, peur... Il y a un instant, je ne connaissais pas ce M. Bertrand, Richard, je ne sais quoi. Qu'y a-t-il donc de changé ? Je suis ici chez moi, saprelotte ! »

Qu'y a-t-il de changé entre la première et la seconde scène d'une tragédie ? Presque rien : l'entrée d'un messager...

Son cœur s'est calmé ; mais *l'aiguillon,* déjà, montre sa pointe.

« En somme, vous voudriez acheter ma maison et mon jardin pour...

— C'est cela même : votre pavillon et le jardinet attenant qui se trouvent inclus dans le tracé du futur immeuble panoramique.

— C'est une grande chance pour vous, monsieur Kléber, risque Roger : ceux que le chemin de fer a expropriés pour construire ses voies ne l'ont pas regretté.

— Pardon ! pour le chemin de fer on ne pouvait pas refuser, n'est-ce pas ? Tandis que...

— Certes, notre Cité Poumons n'est pas « d'utilité publique » au sens juridique du terme ; mais elle présente un tel intérêt...

— Pour qui ? demande abruptement Kléber.

— Mais... d'abord pour les quelque cinq mille personnes qui y logeront.

— Cinq mille dans une seule maison ? dit le vieil homme, la gorge sèche.

— Une « maison » qui formera en fait une véritable ville. Vous avez *tout de même entendu* parler de la crise du logement, monsieur Demartin ?

— Je... Vous m'excusez ? Un instant... »

Il retourne dans la cuisine, se verse un demi-verre — non, un verre entier de vin : « Théophane serait d'accord ! » — essuie soigneusement ses moustaches, l'une après l'autre, et repart à l'assaut. Il a sorti ses clefs de sa poche et les tient dans son poing serré, signe qu'il est le maître ici.

« Mais ces cinq mille personnes, ne peut-on les loger ailleurs ? La place ne manque pas autour de Paris.

— Je connais peu d'endroits aussi plaisants que celui-ci, dit M. Thomas avec un sourire d'hyène.

— Justement parce qu'on n'y construit pas d'immeubles. C'est la poule aux œufs d'or, votre affaire ! »

Mais M. Thomas est précisément de l'espèce qui

tuerait la poule aux œufs d'or rien que pour manger du poulet.

« Voyez-vous, monsieur Demartin, il faut marcher
avec son temps.

— Cela dépend où il marche. » (Oh ! la bonne
chaleur du vin qui commence à monter, à parler à
sa place...)

« Je ne veux pas vous choquer, mais le spectacle
du Plessis Belle-Isle, avec ses misérables cabanes
plantées n'importe comment, est indigne de... des...
indigne d'un grand pays.

— « Spectacle » ? Mais nous ne sommes pas au
café-concert ! C'est là où nous vivons ; nous n'y
gênons personne ; et la seule question est de savoir si
nous y sommes heureux ou non. Où habitez-vous ?
demande-t-il brusquement.

— Avenue Niel.

— Comment est-ce, l'avenue Niel ?

— De tout premier ordre : de grands immeubles
bourgeois en pierre de taille, des...

— Eh bien ! bonjour bonsoir et chacun chez soi,
fait Kléber en se levant.

— Dois-je comprendre, monsieur Demartin... ?

— Bien sûr. Je suis heureux ici comme vous-
même avenue Chose. Vous n'avez pas envie de déménager ? Moi non plus.

— Monsieur Kléber, ose avancer Roger qui, depuis
le début, se contente de suivre la balle, monsieur
Kléber, il faut bien vous rendre compte que, tôt
ou tard, le Plessis Belle-Isle deviendra une vraie
ville avec des trottoirs, des immeubles...

— Pas si nous le refusons, saprelotte ! Chacun est maître chez soi.

— Vos voisins ont été plus raisonnables que vous, dit M. Thomas en tapotant sa petite valise : tous m'ont signé une option à des conditions qui, ma foi... »

Le vieil homme se tourne vers Roger :

« Est-ce que Théophane et Mme Irma...? » demande-t-il d'une voix blanche.

« Que viennent encore faire ces oiseaux-là ? » pense l'homme du C.O.I.C.

« Ils ne se trouvent pas dans le périmètre prévu — malheureusement pour eux ! ajoute l'inconscient.

— Et moi je m'y trouve ?

— Voyez plutôt. »

On étale le plan : un tracé bizarre en forme de seins, de nuage ; une sorte de méduse qui s'étale sur la route d'Yveline-le-Pont et l'avenue du Bel-Air, qui engloutit au passage le verger Soucy, l'horloge municipale...

« Et la commune ? demande Kléber. Que dit-on de vos plans à la mairie ?

— On les approuve, on les appuie ; on nous cède des terrains communaux. (« Cela ne m'étonne pas, songe le vieux : tous des embusqués, comme l'autre ! ») Vous demandiez tout à l'heure, monsieur Demartin, pour qui l'édification de cette cité présentait de l'intérêt. Mais avez-vous songé à la prospérité que cette nouvelle population apportera à l'ancienne ? Avez-vous pensé aux commerçants ?

— Non, avoue Kléber avec un demi-sourire, je n'ai pas pensé aux commerçants. »

M. Thomas croit avoir marqué un point ; il vient de s'enfermer à double tour.

« Vous-même en profiterez, monsieur Demartin. A vrai dire, je ne sais pas encore comment ; mais l'argent coule toujours vers l'argent. Lorsque vous serez en possession de la somme que je suis chargé de vous proposer, vous entrerez à votre tour dans la prospérité. »

Il s'est levé ; à grands pas, à grands gestes, il arpente « l'atelier » : il *malouvrièrise,* l'imposteur !

« Voyez-vous, monsieur Demartin, c'est à cela qu'on reconnaît les grandes entreprises : qu'elles profitent à tout le monde — je dis bien : à tout le monde. L'argent est le sang de la Société ; il faut qu'il circule. Et même une petite saignée, de temps en temps, est nécessaire à un organisme trop prospère. »

Il tambourine sur sa valise. Roger rit lâchement ; Kléber, momie indéchiffrable, laisse retomber la tirade.

« Il doit bien y avoir quelqu'un à qui l'affaire ne profite pas, reprend-il patiemment : moi, par exemple ; et mes voisins qui s'aviseront, mais un peu tard, combien ils vivaient plus heureux dans leurs « misérables cabanes plantées n'importe « comment ».

— Comprenez-moi bien, dit vivement M. Thomas : je ne parlais pas de la vôtre, dont j'apprécie tout particulièrement le charme et le...

— Mais vous voulez la détruire.

— La remplacer, oui, c'est le mot : la remplacer par une bâtisse dont le projet, monsieur Demartin, vous exalterait tout le premier. Tenez, je possède ici une vue cavalière de la future... »

Kléber arrête cette main qui se tendait vers la valise : ne pas jouer avec les serrures du diable !

« Inutile. Cinq mille personnes... J'en sais assez.

— Il faut bien les loger, s'impatiente le C.O.I.C. Vous vivez heureux ici, je vis heureux avenue Niel, bon. Mais les autres ? Ces centaines de mille d'habitants nouveaux qui déferlent sur la capitale ?

— Et pourquoi ?

— Parce que c'est le progrès, l'évolution, glisse Roger qui fut, une autre année, l'un des cent mille.

— Vous trouvez ?

— Je vois, ricane à mi-voix M. Thomas : le « retour à la terre »...

— Non, mais la fidélité aux lieux et aux gens que l'on a toujours connus. *Tenir sa place,* poursuit le vieux pour lui seul.

— Et le progrès, dans tout cela, comment se manifesterait-il ?

— Est-ce que les fourmis font « des progrès » ? Cinq mille personnes, répète-t-il en haussant les épaules. D'ici vingt ans, Paris sera devenu irrespirable. Impossible d'y demeurer longtemps : on viendra y faire fortune, comme aux colonies, et puis on rentrera se soigner. Les imprudents ou les ambitieux qui dépasseront le temps prescrit, on les reconnaîtra à leur visage ravagé ; ils deviendront

fous, cardiaques. Déjà, les toits de zinc ne résistent
pas plus de vingt ans à l'atmosphère qui monte des
rues ; et vous croyez que nos poumons, à hauteur
d'homme... ? Et voilà ce que vous voulez étendre
jusque chez nous, implanter au Plessis Belle-
Isle ? Non, merci... Prenez-vous quelquefois le
métro ?

— Rarement.

— Les têtes de tous ces pauvres gens aux heures
de pointe : voilà celles qu'on verra dans votre
immeuble.

— Monsieur Demartin (et la main poilue se pose
sur le bras bleu telle une grosse araignée), l'ère
des pavillons-clapiers est close, irrémédiablement.
On a le droit de le regretter, pas celui de l'ignorer.
On a le droit de penser : « Après moi le déluge ! »
mais...

— Pas quand on a un enfant », dit perfidement
Roger.

Kléber tressaille ; Kléber sent qu'ils l'ont vu
tressaillir.

« Demandez donc à Patrick s'il aimerait vivre
tout en haut, au sixième...

— Quatorzième.

— Au quatorzième étage d'un immeuble, répète
Kléber effaré.

— Oui, affirme Roger, cela lui plairait beaucoup.

— Vous lui en avez donc déjà parlé ? »

Plus un mot ! L'entretien est terminé au moment
même où M. Thomas s'imagine qu'il évolue favora-

blement. Car que pèse une cité de quatorze étages
à côté de ces mots : *Patrick m'a menti* ?

« Enfin, pas menti, plaide déjà Kléber (car il est
tout ensemble l'accusateur et l'avocat), mais dissi-
mulé... Ou plutôt parlé à ce Roger et pas à moi »,
tente-t-il encore de substituer. Mais non, il ne s'agit
plus de jalousie. Il ferme les yeux : de toutes ses
forces il cherche, dans ces ténèbres que menacent
les larmes, le regard vert, l'insoutenable loyal regard
vert. Bonhomme... mon petit bonhomme... « Que
ton oui soit oui et que ton non soit non », c'est
encore l'une des phrases que cite Théophane ; et
Patrick l'incarnait.

M. Thomas, du C.O.I.C., voit seulement son vieil
interlocuteur se lever, l'air absent, tenter de se
lever et retomber assis : *l'aiguillon*. « Il est touché, pense-t-il. Peu de moyens, pas de santé. Une
rente viagère, peut-être ? »

« Je me demandais, monsieur Demartin, si une
rente...

— Ecoutez, il me semble inutile que nous pro-
longions cette discussion.

— Laissez-moi, du moins, mentionner le prix
d'achat que nous comptions...

— Non. Je sais qu'on jongle avec les millions
à présent, mais moi je ne sais pas compter
jusque-là.

— Une option », suggère Roger, pris de
panique et qui évite le regard de M. Thomas,
« une option ne vous engagerait pas tout à
fait.

— « Pas tout à fait », répète Kléber avec une sorte de dégoût. Qu'est-ce que cela signifie ? Quand on a donné sa parole...

— Pas votre parole : juste une petite signature. »

Non, le vieux ne comprend rien à ces distinctions ; sinon que, dès que vous avez touché un seul franc, vous voici pris au piège : « L'argent coule vers l'argent... » Pourquoi se rémémore-t-il soudain le petit homme noir ? Allons, tous de la même race, ces hommes à serviettes de cuir ! Et Roger ne tardera pas à en porter une...

Roger, en ce moment, est sincèrement désolé pour le vieux monsieur autant que pour lui-même. Refuser de l'argent lui est proprement douloureux. Sur le seuil de la porte, il tente un ultime argument :

« Enfin, monsieur Kléber, dans votre jeune temps vous aviez choisi les chemins de fer : c'était moderne. Et maintenant...

— Maintenant quoi ? »

D'un geste vaste et vague, l'autre embrasse l'univers de Kléber : l'atelier, ses objets brisés, ses outils dix fois réparés eux-mêmes.

« Tout cela est sans avenir, monsieur Kléber. De nos jours, les maisons sont préfabriquées ; de nos jours, on ne bricole même plus un moteur : on procède à son échange *standard*. Cela revient plus cher de réparer que d'acheter du neuf.

— Peut-être », reprend Kléber qui revoit les comptoirs à prix uniques et leur camelote en vrac. « Mais vous concevez qu'on puisse tenir à un objet :

celui-là et pas un autre, parce que... parce que c'est lui !

— Non », dit Roger le déraciné.

L'homme qui n'a rien pu conserver que sa peau, l'homme qui n'a même pas choisi le pays où vivre, que répondrait-il d'autre que ce non ?

« Acheter du neuf... Et tout ce qu'on jette se trouve donc perdu ? Quel gâchis !

— Pas forcément : pour fabriquer la matière plastique, par exemple... »

Il poursuit, l'enfant du Siècle ! et Kléber a la vision d'une cuve immense où l'on déverse, pêle-mêle, toutes sortes de débris, d'une lente mélasse dont le fleuve fumant dérive vers des presses qui en tirent aveuglément, à des millions d'exemplaires, les compagnons légers, cassants, de notre vie quotidienne. Ces objets que touchent nos mains mais qu'aucune main n'a touchés, formés, aimés. La vision d'un monde enfantin ne faisant jamais que des dînettes dans ces objets joujoux : un pique-nique de bagnards, un camp volant à quatorze étages... « Plutôt mourir », pense calmement le vieil homme. Parole souvent dite, mais pour la première fois il en saisit le sens. L'univers de Roger... Quoi ! c'est dans ce monde-là que vivrait Patrick ?

Le vin ou l'aiguillon lui souffle une perfidie :

« Heureusement pour les brocanteurs, il existe encore de vieux objets, et des vieilles gens pour s'y intéresser !

— Je ne suis plus brocanteur, monsieur Kléber, je... je fais des affaires.

— Et moi je ne saurai jamais en faire. Au revoir, monsieur Thomas.

— Oui, conclut l'autre avec une jovialité d'ogre, vous dites bien : « au revoir » ; car je crois que nous nous reverrons bientôt. »

La patte velue emprisonne un bref instant la main de neige.

« Ouf ! les voilà partis !... Oui, mon vieux chien, j'arrive. Tais-toi !... »

L'après-midi même, après le passage du démon, Kléber entreprit la tournée des voisins, plaidant auprès d'eux le paradis perdu. — « Bien sûr, monsieur Demartin, dans le fond vous avez raison, mais... » Mais de telles bâtisses étaient inévitables ; mais on n'entrave pas la marche du progrès ; mais la mairie avait donné son accord, etc. Pareil à Quatre de trèfles que chaque sortie promenait de relent en relent, Kléber retrouvait, ici et là, les traces des deux visiteurs. « Et puis que faire, monsieur Demartin ? S'organiser en syndicat ? — Bah ! *les gros* l'emportent toujours. On y gagnerait seulement de se faire mal voir et de perdre l'assurance d'être relogé... »

Ces agneaux qui léchaient leur boucher exaspéraient Kléber, beaucoup trop orgueilleux pour croire à la fatalité. « On les aura » n'est pas une maxime de tragédie.

En fin d'entretien, cette pensée affleurait toujours : « Son refus va faire échouer l'opération *et il faudra rendre l'argent.* » Kléber la lisait dans leurs yeux, car l'argent y allume une flamme bien reconnaissable, née de la pourriture, comme les feux follets. C'était la première fois, depuis quarante ans, que ce mot surgissait entre ses voisins et lui.

Il évita d'en discuter avec Mme Irma : la Cité Poumons eût été entièrement sa faute ! Mais il partit attendre Théophane et sa valise à la halte de Gambetta-Rosières.

« Tiens, Kléber ! fit l'autre en posant pesamment pied à terre.

— ... coute voir. »

Il lui raconta tout, en embellissant peut-être certaines de ses répliques. « J'aurais voulu que tu voies sa mine lorsque j'ai répondu... » Ils allaient, portant patiemment à deux la lourde valise, pareils à des immigrants. L'automne, condamné hautain, distribuait sa monnaie d'or alentour. « ... Quatorze étages, Théophane ! »

« Déjà, fit seulement le capitaine ; puis après un silence : Vous viendrez loger à la maison, on s'arrangera. »

Ainsi bouleversait-il d'avance sa vie. C'était la meilleure action qu'il eût accomplie depuis longtemps ; mais Kléber ne lui en marqua aucun gré :

« Tu crois peut-être que je vais me laisser manœuvrer ? Bigrebougre ! D'abord, sans ma parcelle, leur plan s'effondre. Et puis, au besoin, je ferais agir Verviers (le président des Chemins de fer). Ils verront de quel bois...

— Regarde donc ! »

Ils longeaient les vitrines du magasin à prix uniques : le nez en l'air, les mains aux poches, Patrick y louvoyait entre Papeterie et Confiserie. « A cette heure-ci ? Par exemple ! »

Kléber, scandalisé, se tourna vers son compagnon qui souriait benoîtement. Il le lui reprocha.

« Quoi ! je ne vais pas pleurer parce que ton garçon baguenaude autour de la seule distraction gratuite du pays...

— A Paris, on en trouve à tous les coins de rue, des distractions pareilles !

— C'est même pourquoi les gens préfèrent la ville à leur village. Sérieusement, tu n'espères pas que Patrick se passionne plutôt pour les lis d'Ernest ou les peupliers de...

— C'est pourtant eux qu'il regrettera !

— Crois-tu ? Que regrettons-nous de notre jeunesse, Kléber ? » Il se pencha vers l'oreille blanche et murmura : « Des conneries...

— Théophane !

— Les chansons du café-concert et les danses de l'Exposition universelle, allons, ce n'était pas bien malin... Mais nous étions *sûrs d'exister,* en ce temps-là. Et à Verdun aussi, pour de tout autres raisons : sûrs d'exister... C'est par instinct de conservation que nous rabâchons ces époques-là.

— Parce qu'à présent tu n'es pas « sûr d'exister », toi ?

— Pas toujours », dit le capitaine en regardant au loin devant lui. Sa barbiche tremblait un peu.

Il continua d'une voix altérée : « Nos chevaux galopent plus vite que nous, Kléber... »

Ils firent quelques pas en silence. La valise pesait lourd. Kléber ne quittait point Patrick des yeux. « Comment ne le pressent-il pas ? Autrefois (mais c'était seulement l'an passé) il se serait retourné... »

« Te rappelles-tu, reprit soudain Théophane, la première machine à découper le jambon que le charcutier avait achetée, il y a... euh !

— Vingt-cinq ans. Je pense bien : nous allions la voir fonctionner presque chaque soir ! C'était la seule distraction du pays, à l'époque.

— Et tu t'étonnes que Patrick, aujourd'hui... ?

— Tais-toi ! le voici...

— Bonsoir, l'oncle Théo... Papa, papa, pour-quoi me regardez-vous ainsi ? L'école nous a lâchés plus tôt, ce soir, ajouta-t-il très vite.

— Ton père a des ennuis.

— Des ennuis ! » Les deux petites mains sai-sirent celle de Kléber qui ne tenait pas la valise. « Quels ennuis ? »

Théophane commença d'expliquer l'immeuble géant ; mais le garçon l'interrompit :

« Et ils ne veulent plus acheter notre maison, c'est cela ?

— Tu étais donc au courant ? » s'écria Kléber — et il s'aperçut que, jusqu'à cette minute, il espérait encore le contraire.

« Bien sûr.

— Et tu ne m'en avais pas parlé !

— Je savais que cette histoire vous contrarierait.

Vous voyez, j'avais bien raison », ajouta-t-il avec
une sorte de satisfaction.

Ils marchaient en se tenant par la main, le vieil
homme et l'enfant, mais de part et d'autre d'un
fossé — et seul Kléber paraissait s'en apercevoir.
Il laissa l'oncle Théo expliquer posément comment
la Cité Poumons condamnait un certain bonheur
et risquait...

Deux vélos s'appuyaient contre un platane.
« Patrick va en actionner le timbre en passant »,
se dit le vieux Kléber, et cela l'exaspérait d'avance
mais le *rassurait*. Patrick ne toucha pas aux bicy-
clettes. « Le distributeur automatique, alors ? »
espéra l'autre ; le petit n'y jeta même pas un regard.

« ... Et puis si l'on construit ce mastodonte... »
poursuivait Théophane.

« En quoi cela empêchera-t-il les cerisiers de
pousser tout autour ? empêchera-t-il la promenade
de l'écluse ? » se demandait Patrick. Il est vrai qu'à
la fin du dernier *repas de cerises* il avait dit :
« C'est tout ? J'ai encore faim, papa... » Il est vrai
que, bien des soirs, Kléber descendait seul la route
d'Yveline-le-Pont.

« Je suis drôlement ennuyé... commença soudain
le garçon. Oh ! pardon, l'oncle Théo, je vous ai
interrompu.

— Cela ne fait rien. Pourquoi es-tu *tellement*
ennuyé ?

— Pour mon âne : je ne sais plus où le mettre
au vert. En automne où trouve-t-on de l'herbe ?

— Eh bien, reprit patiemment le capitaine,

encore un exemple : ton âne, qu'en ferais-tu au
quatorzième étage ? Tu n'imagines pas cet animal
broutant au pied de l'immeuble !

— Si, dit l'enfant. Pourquoi ? »

Quand Théophane les eut quittés, Kléber hésita
puis s'astreignit à reprendre la main de son garçon.
Elle était tendre, abandonnée ; comme autrefois,
comme toujours. Il eut honte d'avoir dû se contraindre
à ce geste : « N'est-ce pas moi plutôt, qui ai changé ? »
se demandait-il.

« Mon petit bonhomme, fit-il doucement sans
le regarder, tu ne m'as pas parlé de cette histoire
afin de ne pas me contrarier. Bon, Mais autrefois
tu me disais tout. Tout, Patrick !

— Autrefois, j'étais un gosse.

— Et maintenant ?

— Maintenant... *maintenant vous ne venez plus*
m'embrasser le soir. »

« Et je ne m'occupe plus de ses inventions ;
mais en fait-il encore ? Et je ne le charge plus de
missions de confiance... Mais aussi pourquoi s'en-
ferme-t-il à clef ? Et pourquoi, la dernière fois
que je lui ai fait présent d'un objet du Coffre,
m'a-t-il répondu : « Que voulez-vous que j'en
fasse ? »

« Pour l'âne, reprit-il très vite — il jetait n'importe
quoi dans la brèche — oui, comment allons-nous
faire pour notre âne ? »

Lui savait bien que le fourrage peut s'acheter ;
mais il hochait la tête, jouait les anxieux : guettait au petit front cette ride qu'une fois de plus

son pouce effacerait. Elle apparut ; il eut un instant
de bonheur, si fragile...

« Pour l'âne, je trouverai sûrement le moyen,
promit-il, ne t'inquiète pas ! »

La confiance était revenue dans les yeux verts,
mais, en même temps qu'elle, cette sorte d'assurance que Kléber redoutait. « Redoutait, redoutait ! Et pour quelle raison ? et de quel droit ? »
A cet instant, il était prêt à se charger de tous les
torts ; il souffrait et se sentait heureux : il aimait.

Kléber travailla tard, ce soir-là. Il faisait plus
que veiller : il montait la garde. « Le monde se
défait tandis que nous dormons... » Cette pensée,
qu'il eût jugée ridicule, il l'incarnait à son insu.
Il prenait un singulier plaisir à déjouer ainsi ses
habitudes casanières. Huit heures de sommeil ?
Pas cette nuit, en tout cas. On n'était pas une mécanique, bigrebougre ! S'il fallait, demain, transfor-
mer sa vie, on en serait encore capable !... Ainsi lut-
tait-il contre cette conspiration qui prétendait le
persuader qu'il vieillissait. « Il faut qu'il croisse
et que tu diminues. » Cette citation lui revint
brusquement à l'esprit. *Il faut, il faut,* c'est vite
dit !

Penché sur l'atelier, il admirait bonnement la
précision, la vélocité de ses propres doigts comme
s'ils eussent appartenu à un autre. « Je voudrais
bien voir *son* Roger aux prises avec ce vase ! pensait-il. Mais peut-être croit-il qu'on en vend de semblables dans le bazar à prix uniques ? » Ses deux

mains, alertes et sûres, pareilles à deux ailes
blanches...

Leur allégresse l'emporta à chantonner de sa
voix sourde :

« *Vous avez, ma gentille, pris l'talon d'vot' soulier...*
Des « conneries », cette chanson ?... *Dans le trou
de la grille, la grille du...* »

Le vase manqua lui tomber des mains. Patrick !
... Il avait oublié, ce soir encore, d'embrasser l'enfant
dans son lit. Tapie dans sa boîte ronde, la montre
marquait déjà dix heures.

« Vingt-deux heures, traduisit Kléber. Il dort à
présent. »

Il repoussait la pensée que Patrick l'eût attendu
et, plus violemment encore, celle-ci : *il m'attend
peut-être...*

Le « câlin » du soir, quand donc avait-il suspendu un rite si longtemps inséparable de leur
bonheur ?

Le soir qu'il l'avait trouvé dévorant des bandes des-
sinées du *Petit Sheriff* et non plus les *Belles Images* de
14-18 ?

Ou bien à son retour de la colonie de vacances, l'an
passé ? Il en avait rapporté un parler et des gestes
inconnus. Il *sentait* les autres garçons ; Quatre de
trèfles le reniflait sans trêve. Est-ce de ce temps que le
vieil homme avait cessé ce « câlin » d'avant la nuit ?

Ou peut-être après que le garçon lui eut emprunté
son rasoir mécanique afin d'effacer un duvet qui
l'humiliait et dont Kléber ne s'était pas encore
avisé ? « Ce duvet... Mais alors il doit posséder

un corps d'homme ! » C'était une pensée que
Kléber n'eût pas osé formuler, mais qui lui faisait
horreur. Comme si, après avoir personnifié la pureté
du monde, Patrick héritait, d'un coup, toutes ses
noirceurs et ces mêmes fautes de jeunesse dont
le scrupuleux, le chaste Kléber avait réussi à bannir
jusqu'au remords. « Un corps d'homme, mon
Patrick ? Quelle trahison... »

« Autrefois, pensait Kléber, à vingt heures cin-
quante-cinq j'entrais dans sa chambre : « Allons
« bon ! Tu t'es encore débordé ! Et cet oreiller pour
« dormir... Combien de fois t'ai-je dit que cela te
« rendrait bossu ? Saprelotte, je serai fier d'avoir
« pour fils un bossu ! » (Même un singe habillé, tu
en serais fier...) Je le bordais. Il fallait lui arracher quelque *Belles Images* ou *Jeunesse Illustrée,* mais
c'était un jeu, comme l'os qu'on feint d'ôter au
chien. Puis on faisait le câlin, interminable, jamais
achevé. « Vous piquez, papa, vous êtes mal rasé. »
Quelquefois, il avait jutement une invention à
m'exposer. — « Demain ! — Non, ce soir, papa :
il faut que j'y rêve cette nuit... » Ou bien, l'un
des objets que je lui avais choisis dans le Coffre
aux *ça-peut*, il fallait lui en expliquer l'emploi.
Et sur le champ ! alors que toute la journée...
« Bon ! mais ensuite j'éteins ! » Ou encore, c'était
l'histoire de la Tranchée des Baïonnettes qu'il
avait oubliée. Il me *regardait* la lui raconter,
mais l'écoutait-il seulement ?... Enfin, je quittais la
chambre ; et bientôt il me rappelait : j'avais oublié
de l'embrasser sur l'une des deux joues... Et quel

jour était-on demain ?... Et son drap faisait des plis...
Ou encore il « voyait l'infini » et cela l'effrayait...
— « Tant pire, bonhomme ! — Oh ! papa... mon
papa... » — Il fallait revenir et lui parler sec. Mais
n'était-ce pas cela même qu'il espérait ?... Oh !
son odeur déjà chaude... Et cette façon qu'il avait de
s'étirer (Tu te découvres !) de se blottir (Tu chif-
fonnes tes draps !)... Oh ! tout ce bonheur dont
j'étais l'auteur... Et son haleine si pure qu'au début
je ne pouvais plus supporter celles de Théophane et
de Mme Irma... »

Il rêvait. La lune haute éclairait ses deux mains
posées à plat sur le tablier bleu.

Et s'il t'attendait ? Oui, si tout cela t'attendait,
ce soir encore ?...

Kléber soudain se lève et marche en souriant
jusqu'à la porte de... — mais s'arrête interdit, somnambule qui s'éveille. Qui l'attend de l'autre côté ?
— « Un garçon presque aussi grand que moi et
qui trouvera ma démarche ridicule. » A-t-il déjà
oublié la petite main tiède dans la sienne et cette
intonation pour dire : *mon* papa ? Oublié la rédaction : Décrivez la personne que vous aimez le plus
au monde ? « S'il ne dormait pas, j'entendrais
du bruit... » Et pourtant il demeure là — un
chien devant la porte de son maître — parfaitement
malheureux.

Patrick ne dormait pas ; Patrick l'attendait, l'entendit. Il se mit à genoux sur son lit — tout étonné
de cette attitude singulière que personne né lui

avait apprise. « Il faut qu'il vienne, répétait-il, qu'il vienne m'embrasser *ce soir...* ». C'était un petit enfant qui priait sans savoir ; un petit enfant que la vie, lentement, déguisait en homme et qui était le seul à ne pas s'en aviser.

Puis il se leva et s'approcha de la porte à pas d'Indien : un jeu. Pourtant, il avait des larmes plein les yeux ; mais, tant qu'elles ne coulaient pas...

Il aurait pu appeler « Papa » ; mais faire ainsi le premier pas n'aurait plus rien *prouvé* — et, cette nuit, Patrick avait besoin de preuves. « Autrefois, se rappelait-il, papa entrait doucement avec déjà son air de « Combien de fois t'ai-je dit ? » Je venais de disposer mon oreiller pour me faire menacer d'être bossu ; et je faisais semblant de préférer lire les *Belles Images ;* semblant que sa barbe me pique ; semblant d'avoir des inventions à raconter, ou d'avoir oublié l'une de ses histoires de guerre ; ou même d'avoir peur de l'infini : s'agissait de le retenir près de moi le plus longtemps possible ! de sentir son odeur à lui, celle de tous les temps qu'il avait vécus avant moi. Et puis je le rappelais, afin de me faire *bougonner...* — Mais quand était-ce ? Oh ! quand cela a-t-il cessé ?... » Il se rappelait chaque image, et cette fois ses larmes coulaient — dans le noir, heureusement.

Les voici immobiles de part et d'autre de cette porte aveugle qui s'appelle Orgueil, qui s'appelle le Temps. Ils ne savent pas que leurs deux cœurs battent au même rythme. Immobiles, retenant leur souffle, une main tendue. La seule différence est que Patrick entend Kléber respirer ; tandis que le vieil homme, qui sait que sa vue baisse et que sa mémoire s'ensable, ignore encore que son oreille aussi s'endurcit. « Je n'entends rien : il dort. Allons-nous-en... »

Il s'en retourna donc, muselant sa conscience par toutes sortes de bonnes raisons. Patrick entendit son traîne-chaussons ; puis le bâillement du chien et celui du maître ; puis l'autre porte qui se fermait ; puis plus rien. Alors il eut un geste aussi incompréhensible que celui de s'agenouiller : il tendit la main tel un mendiant. Mais, en vérité, que possédait-il au monde, ce petit garçon, si l'amour le désertait ? si l'amour se retirait de lui comme l'océan de ses grottes amères ?

Il tendit la main vers ce regard que la lune risquait par une fente du volet, sa main comme on la plonge dans une source. La lune éclaira des ongles que Kléber ne surveillait plus et qui retournaient à l'état sauvage. Elle éclairait aussi la bague.

Alors, Philippi entra dans la chambre... Les yeux scellés par le sel de ses larmes, Patrick le revit immense, tout cerné de lumière comme le sont les héros de cinéma. Autour de lui, la ville désertée, les ruines, l'incendie — mais, pour la première fois, Patrick n'en ressentait aucune peur. Et Philippi le conduisait par la main ; et les avions de la mort haute eux-mêmes s'éloignaient. Philippi faisait voler les devantures des magasins : « Fais ton marché, le môme !... » Alors ils traversaient, en souverains, le magasin à prix uniques...

(Combien de fois t'ai-je dit, bonhomme, de ne pas t'endormir en travers de ton lit ? Quel désordre ! C'est l'armée de Bourbaki...)

Lorsque Patrick, comme la veille, s'approcha de lui juste avant l'étude, l'instituteur plissa le front — ce qui dressait la brosse de ses cheveux (les élèves le surnommaient *Hérisson*). Mais Patrick n'avait aucune envie de rire: plus honteux que timoré, et si attentif à sa comédie...

« Monsieur, mon père m'a dit qu'aujourd'hui encore il aurait besoin de moi pour...

— Et moi je t'ai dit qu'il vienne me l'expliquer. Ou plutôt », reprit le maître, car il se rappelait le banquet du 14 Juillet, « qu'il m'écrive un petit mot.

— Il aura oublié, fit le garçon, fier d'employer un futur antérieur dont il n'avait jamais bien compris l'utilité.

— Et toi, tu *auras* encore oublié de me rapporter ton carnet signé. Demain sans faute, hein ?... Allez file ! »

Il le suivit d'un regard soucieux, le front barré, la brosse hérissée. « Il change avant l'âge. Aurait-il donc souffert ? Oui, un visage d'homme mais qui m'intimide. Ah ! nous ne savons rien de nos gosses... Mais leurs parents eux-mêmes, que savent-ils d'eux ? — Métier de fou... » C'est la conclusion de tous ceux qui ont choisi un métier noble, c'est-à-dire au-dessus de leurs forces.

Hérisson témoignait bien de l'indulgence à Patrick ; mais ces ménagements ne visaient que le sergent-chef Demartin, vétéran de 14-18. Il avait bien fallu sévir, cependant, lorsque les lunettes du garçon (il s'en était servi trois jours) avaient, de nez en nez, fait le tour de la classe. Prix de location : deux chewing-gum la journée... Et aussi lorsqu'un âne gris, qui n'obéissait qu'à lui, était venu braire à la porte de la classe après avoir tondu le terrain d'éducation physique... Et plus vivement encore, lorsque Patrick avait tenté d'organiser une bagarre à coup de sacs de billes entre les fils des résistants (les « Fifis ») et ceux des prisonniers (les « Maréchal, nous voilà... »). Hérisson n'avait pu désarmer la bombe, la veille de la visite de M. l'inspecteur, que grâce à l'indécision naïve de trois enfants de déportés anciens prisonniers — ouf !... Patrick, toujours Patrick ! Et avec cela, des leçons picorées entre la maison et l'école, des devoirs aux marges criblées d'encre rouge, un carnet qu'on *aura* encore oublié demain de faire signer, et, depuis lundi, ces sorties avant l'heure — eh bien, non !

« Vise Hérisson, chuchotèrent les gars en se poussant le coude : il est furax ! »

Non, partagé seulement : car, depuis quelques jours, il a surpris plus d'une fois les yeux verts fixés sur lui avec une expression d'humble angoisse. Dès qu'il croise ce regard, l'appel au secours en disparaît, chassé par une insolence tremblante, mais...

— « Metier de fou ! » conclut le maître et, d'une voix lasse :

« Allons ! pas de bousculades !... J'ai dit « par
« deux »... Verdier, à la queue !... Brunin, tu as fini
de jouer les Tarzan ? (Rires.) Asseyez-vous... »

Au même instant, Patrick l'évadé pénètre dans
le magasin à prix uniques comme on entre dans
un bain tiède. Cette chaleur parfumée le porte,
et la musique qu'on diffuse l'appelle partout à la
fois. Il dévisage ces vendeuses, qu'il connaît bien
pour les rencontrer parfois le dimanche, petites
filles qu'une touche de rouge, un collier creux et
un regard effronté travestissent en femmes : *précoces* ou *hâtives,* comme on le dit de certaines
espèces de fruits. Des ongles sales sous le vernis...
Mais, sous ce néon théâtral, et drapées dans l'azur
de leur blouse, elles fascinent Patrick et troublent
ses quinze ans. La fatigue et l'indifférence leur
confèrent la noblesse triste des souveraines. Elles
s'interpellent, de comptoir à comptoir, capitaines
de navires dominant ce flot anonyme qui circule
entre elles. Patrick se soûle de leurs visages ; puis
de leur marchandise multicolore et légère, dont
l'ammoncellement s'épanche sur le casier voisin
comme un arbre, en été, déborde d'un mur. Tous ces
objets, qui pourrait les compter ? et, d'ailleurs, qui
les compte ? Le tiroir-caisse lui-même n'a-t-il pas
l'air d'un jouet d'enfant ? Les longs doigts un peu
gris manipulent l'argent avec désinvolture et remet-
tent au client, sans qu'un seul regard l'accompagne, un ticket que celui-ci jette aussitôt.

Sûrement pas le même argent, sûrement pas la

même marchandise que dans la mercerie vétuste
où Kléber s'approvisionne : casiers haut perchés,
escabeau gémissant, crayon dont on suce la pointe,
addition laborieuse sur un coin de journal. —
« Voyons voir ! » — monnaie qu'on compte interminablement...

Non, ce n'est pas le même argent ; et l'air confiné
qu'on respire dans les boutiques de Kléber date
d'avant 14-18 : de la « Belle Epoque », ce
cimetière !

Un soir, en sortant de la mercerie et tandis que
Kléber rangeait ses billets avec une défiance respectueuse, Patrick avait soudain murmuré malgré
lui :

« *Moi aussi j'existe.*

— Qu'est-ce que tu viens de dire, bonhomme ?

— Je ne sais pas. »

« J'EXISTE. » Depuis qu'il avait fait cette décou-
verte, Patrick se regardait longuement dans la glace,
admirant parfois de pouvoir à sa guise tourner les
yeux, secouer la tête, remuer chacun de ses doigts.
« J'existe ! » Il aimait se battre à présent ; il courait
sans motif, parlait seul, éclatait de rire... « Ces milliers de morts, et j'existe !.... Ces millions de gens,
et je suis moi... »

Chaque fois qu'il entrait dans le magasin à prix
uniques, le roi Moi pénétrait dans son palais.
N'était-ce pas la seule bâtisse du Plessis Belle-Isle
qu'il eût vu s'édifier ? Enfin quelque chose dont il
était l'aîné !... Et, de même que Kléber descendait
chaque jour au pont de la Révolte observer la

réfection de Gravelle-triage aussi longtemps qu'en
avaient duré les travaux, ainsi, chaque soir, Patrick
était passé sur le chantier boueux du futur magasin. Il savait à présent qu'avec des plâtras, des pou-
trelles, des brouettées de matériaux aveugles, on
peut fabriquer de la chaleur et de la lumière, de
la vie ; comme Roger, de son champ d'immondices,
avait su faire un pavillon tout neuf. L'écluse, les
lys d'Ernest, les chats perdus de Mam Irma, les *ca-
peut*, quelle place Patrick tenait-il dans tout cela ?
— Aucune ! Il était entré par effraction dans un
univers qui ne l'attendait pas ; qui, maintenant,
vieillissait sous ses yeux — et Patrick prenait peur.

L'autre nuit, par exemple, il s'était réveillé en
sursaut, persuadé qu'un soldat allemand issu de
son rêve se dissimulait dans la chambre. Il avait
couru d'un bond — « et tant pis s'il me poignarde
au passage » — jusqu'à celle de Kléber :

« Papa ! »

Papa dormait sur le dos, comme un mort. Son
sommeil si léger (« Une plume qui tombe et me
voici sur pied, bonhomme ! ») avait résisté aux mur-
mures, aux appels, à la lampe allumée.

Oui, Kléber vieillissait : ses yeux semblaient se
délaver comme, après chaque lessive, le bleu du
tablier-à-tout-faire. Kléber, désormais, lisait l'heure
au jugé ; Kléber, sur le carnet scolaire, ne distinguait plus sa signature de l'imitation qu'en faisait
Patrick les soirs de mauvaises notes...

Tandis qu'à Roger rien n'échappait ; sous sa
graisse et sa bonhomie, derrière ses petits yeux,

c'était un ours aux aguets. Et puis Roger ne
l'emmenait pas, le dimanche, se promener dans les
cimetières ! Roger ne lui parlait jamais que de l'avenir :
« J'achèterai un garage et tu y travailleras avec moi ;
mais n'en parle pas à ton père... L'école ? Bah ! est-ce
que je sais lire, moi ? »

Tout cela, Patrick le pense en un éclair, tandis
qu'il se laisse porter par la houle des clientes dans
ce magasin, son royaume. « J'existe... j'existe... »
Les haut-parleurs diffusent *« Ma p'tite folie,* et
Patrick piétine bizarrement sur place : cela s'appelle
danser, sourit sans le savoir : cela s'appelle être
heureux.

En ce moment même, Mme Irma fait seule le
tour de ses chats, souverains galeux. Théophane a
posé sa valise, sur le chemin du retour, et s'accorde
un moment pour souffler, mais si fort que sa barbiche en frémit. Kléber admire son jardin d'automne,
plus fastueux et plus menacé que jamais. « Ce soir,
pense-t-il, j'irai embrasser le petit ! » — mais cela
l'assombrit déjà : il n'ira pas. En ce moment, dans
le bureau de M. Thomas, du C.O.I.C., Roger reçoit
l'averse et courbe la tête ; il a l'habitude. Hérisson
met Brunin à la porte après avoir confisqué sa gomme
à claquer.

Et Patrick, en ce moment, ivre de musique et
d'abondance, fait, pour la troisième fois, le tour du
rayon de papeterie lorsqu'il aperçoit devant lui, le
nez à la hauteur des comptoirs, l'un des gosses de
l'école. Ses cheveux de réglisse suffiraient à l'iden-
tifier, mais le regard inquiet qu'il jette à gauche

puis à droite profile ses grosses lèvres et cette
expression d'enfant sur le point de pleurer qui l'ont
fait surnommer « Chialepas ». Sa bouche reste
naïvement entrouverte sur deux dents un peu écartées qu'on appelle les « dents du bonheur ». Sa
mère passe de bras en bras et son père de bouteille
en bouteille ; leur discorde, leur disgrâce sont nées
avec lui — mais il a les « dents du bonheur » et
il en est très fier.

Patrick, qui l'observe, remarque soudain la petite
main sale sortir prudemment de sa manche comme
une bête hors de sa tanière. Dans cette foule, il est
le seul capable de deviner *à temps* ce que projette
la petite main grise. Il la saisit au vol.

« Salut, Daniel ! »

C'est le seul cadeau que ses parents lui aient
jamais fait : un prénom dont il ne peut tirer aucun
diminutif trivial.

« Alors, Daniel, on se promène ? »

Le petit lève vers lui des yeux remplis de
reproche et de résignation : ceux de la biche au chasseur. Mais, dans le regard vert, aucune accusation,
aucune ironie : Daniel n'y lit qu'une anxiété sœur
de la sienne.

« Tu avais envie de quelque chose ? » reprend
Patrick à voix basse ; et c'est Philippi qui lui souffle
la suite : — *« Eh bien, fais ton marché, le môme ! »*

Daniel le dévisage, incrédule, guettant un piège
de grand.

« Qu'est-ce que tu attends, Daniel ? »

Il n'attend plus ! La main sort de son repaire et,

d'un geste franc cette fois, saisit deux crayons à bille, un rouge et un bleu : ce que Daniel appelle des « zapointes ». L'autre regrette d'avoir si peu profité des leçons de calcul de Hérisson, car il lui faut attendre que la machine additionne à sa place. Et si le porte-monnaie cuvette qu'il a sorti d'une main tremblante ne contenait pas assez de pièces ? Il en contient juste assez ; mais, adieu l'argent de poche de la semaine ! A deux comptoirs de là, Daniel porte déjà la main sur un mât hérissé de sucettes. Cendrillon comprend vite...

« Arrête ! » lui crie Patrick ; et, devant sa déception : « Une autre fois, promet-il, une autre fois... »

En le raccompagnant chez lui, il ne lui parle pas de ce qui fût advenu s'il n'avait arrêté son geste à temps, mais seulement :

« Alors, Daniel, on *sèche* l'école ? »

Ils s'est forcé au ton bourru des grandes personnes.

« Et toi ? » répond le gosse.

Ils rient ensemble, et le petit lui prend la main. Patrick étonné se penche vers lui et surprend, dans ses yeux, une expression qu'il ne comprend pas aussitôt, car jamais personne ne la lui a dédiée : l'admiration. Il est donc « le grand » de quelqu'un... Et il en ressent presque autant de crainte que de fierté.

L'enfant court en avant chercher ses trésors dans une soute accotée à l'ignoble roulotte où logent ses parents. Les seuls objets au monde qu'il possède

vraiment (car sa culotte elle-même sert parfois à
l'un de ses frères), il les tient cachés derrière son
dos afin de les présenter un à un, le regard bril-
lant : une vieille selle de vélo, un morceau de
pierre jaune : « C'est du marbre, tu sais ! » et un
chapeau de cow-boy en papier, offert par un apéri-
tif. Et soudain, comme si c'était un motif de fierté
de plus :

« Mon père, c'est un dur ! confie-t-il à Patrick.
Tiens... »

Il se tourne vers la tanière dont on sent d'ici
l'haleine de crasse et de vin :

« Papa ! » appelle-t-il.

Une voix de cabaret, de dessous de pont, s'élève
aussitôt :

« Fous-moi la paix !

— Tu vois », dit fièrement Daniel.

Plus « dur » qu'on pouvait le penser... La
semaine suivante, mains aux poches et sifflant sans
joindre les lèvres grâce aux dents du bonheur, le
petit parcourut tous les groupes de gosses du Plessis
Belle-Isle, les joueurs de billes, d'Indiens et même
de marelle :

« Je ne peux plus jouer avec vous : mon père
m'emmène dans sa nouvelle auto !... Je ne peux plus
jouer avec vous : mon père... »

Les autres, qui ne lui demandaient jamais de
jouer avec eux, le regardèrent passer en haussant
les épaules. Il répétait sa phrase, inlassablement,
sur le même ton, tel un vitrier ; il savait que les
garçons en parleraient chez eux et que, pour une

fois, on n'y entendrait plus : « Le père à Daniel ?
Un incapable... »

« ...Mon père m'emmène dans sa nouvelle auto :
je ne peux plus jouer avec vous ! »

L'un des joueurs de billes était le fils d'un agent
de police, ce qui hâta les choses : deux jours
plus tard, le père de Daniel buvait de l'eau dans
une cellule de Fresnes tandis que le vrai proprié-
taire de la voiture tuait le veau gras. Patrick prit,
un peu partout, à coups de poing, la défense de
Daniel. Le sang coula, séchant les larmes du gosse,
et Patrick ressentit enfin l'ivresse de protéger : il
était devenu tout à fait un aîné. Peu lui importait,
désormais, que Kléber ne vînt plus l'embrasser dans
son lit : c'est lui qui aurait voulu, chaque soir,
border Daniel dans le fouillis de hardes sur lequel
il couchait.

L'âne sans nom, toujours aussi insatiable, et
Daniel à présent : que de soucis ! Le pouce paternel
ne parvenait plus à effacer la ride sur ce front
adulte.

« Tu as des ennuis, bonhomme ? Raconte-moi
ça.

— Rien, rien, papa. Tout va bien. »

Il pressentait que Kléber, inexplicablement, eût
été jaloux du petit garçon. Mais il s'en ouvrit à
Roger.

« On ne le laissera pas tomber, *ton gosse* », promit l'autre qui, à mesure qu'il engraissait, devenait
débonnaire.

En parlant, il se grattait la tête ; cela l'entraî-

nait à curer ses ongles, l'un par l'autre, de la
crasse épaisse qu'ils venaient de herser. Une fois
propres, il s'en nettoyait les dents ou les oreilles
— c'était un cycle répugnant.

« Jamais papa ne ferait une chose pareille, songeait Patrick. Mon papa, lui, c'est un seigneur... »

Il s'enchantait de cette expression. De grands accès
d'une tendresse hantée de remords le submergeaient
ainsi ; il aurait voulu sauter au cou de Kléber,
retrouver sur ses genoux la place d'autrefois. Allons !
ses pieds toucheraient terre...

Un soir, en revenant du magasin, il suivit un vieil
homme voûté qui marchait lentement ; une tache
crayeuse au milieu du dos témoignait qu'il avait dû,
pour reprendre son souffle, s'appuyer contre un mur.
Eh bien, c'était Kléber... Au moment de le dépasser, Patrick le reconnut à son béret et aussi à cette
main blanche qu'il portait à son rein pour chasser « *l'aiguillon* ». Le garçon rebroussa chemin et
se dissimula derrière un arbre. Son cœur battait
jusque dans sa gorge, et si fort qu'il avait peur qu'on
l'entendît. Hélas ! le vieil homme poursuivait sa
route, sourd à tout ce qui n'était point sa douleur.
Patrick se rappela une expression du petit Daniel :
« Ce n'est pas un père, mais un grand-père : tu en
as de la chance ! » (Et aussi, parce que ces cheveux
blancs le charmaient : « Il est tout fleuri »,
disait-il.)

Kléber avait disparu ; mais Patrick demeurait
caché derrière l'arbre, comme s'il eût voulu se dérober
à cet ennemi invisible qui investissait leur domaine.

Il entendit Quatre de trèfles faire fête à son maître.
Lui aussi vieillissait : lorsqu'il courait sur trois
pattes, ce n'était plus signe de jubilation mais de
rhumatismes. Le garçon, qui avait pris l'habitude
cruelle d'observer longuement les autres à leur
insu, le regardait parfois dormir : triste comme un
vieux clown, avec son grimage noir et blanc. Oui,
le chien vieillissait ; et la maison aussi : cette fissure le long de la fenêtre, cette ardoise tombée...

Patrick, derrière l'arbre, attendait encore : comme
si tout ce temps qu'il laissait couler pouvait guérir
Kléber, sa bête et sa demeure. Quand il les rejoignit
enfin, il se jeta au cou — Tu m'étrangles, bigre-
bougre ! — au cou de ce père fragile dont il n'espérait plus de protection et qu'il eût fallu protéger :
de ce père qui, de jour en jour, devenait l'enfant d'un
enfant sans défense.

VI

J'AURAIS DU MOURIR A VERDUN...

Dans son atelier, Kléber trouva sur la table, parmi les objets de droite (ceux qu'il n'aimait pas), le carnet scolaire de Patrick. « Tiens donc, pensa-t-il, cela faisait longtemps... »

Il l'ouvrit à la dernière page avec l'espoir d'y trouver quelques notes à deux chiffres ; mais, de stupeur, les sourcils noirs se froncèrent devant cette appréciation de l'instituteur :

Si qu'il voudrait, pourrait mieux faire...

Il la relut tout haut ; puis voulut comparer cette écriture singulière avec celle de l'an passé. L'ancien carnet se trouvait dans la chambre de Patrick ; Kléber y pénétra et, tournant le dos aux vedettes et aux champions épinglés sur le mur, il ouvrit le tiroir de la table et, de nouveau, demeura interdit : vingt sucettes, douze bouchées de chocolat, sept savons... Cela représentait au moins deux mois de l'argent de poche qu'il remettait à son garçon, chaque samedi. Il était impossible que...

« C'est impossible », murmura-t-il, mais déjà ces mots répondaient à une autre pensée, à un soupçon insupportable.

« Je pars voir cet instituteur », décida-t-il sans même regarder l'heure. Il enferma Quatre des trèfles — « Ah ! ce n'est pas le moment d'aboyer ! » — et s'en alla, le carnet à la main.

Parvenu à l'horloge triple... A propos, ce fameux « immeuble panoramique », cette cité en *colorama,* on n'en entendait plus parler ! Parvenu à l'horloge, il dut faire demi-tour : il avait oublié son béret alpin et d'ôter le tablier bleu.

Il attendit, dans le vestibule de l'école, sur un banc d'enfant qui lui hissait les genoux à la hauteur du menton. Dans les tranchées, il fallait se tenir ainsi accroupi avant l'heure H ; ce soir aussi, il attendait avant l'attaque. A des patères échelonnées suivant l'âge des enfants, pendaient leurs capes crayeuses ou étoilées d'encre violette ; une odeur acide et poussiéreuse flottait entre ces murs que des centaines de mains avaient à la fois polis et maculés. A travers les cloisons trop minces, des réponses collectives, des rires étouffés parvenaient jusqu'à cet écolier à cheveux blancs, le plus docile de tous.

C'était la troisième fois qu'il attendait ainsi, le ventre douloureux : au poste de police la nuit du 14 au 15 juillet, puis dans l'antichambre du président des Chemins de fer. La troisième fois qu'il s'humiliait et souffrait à cause de Patrick, et il en était heureux : il lui semblait qu'il le devait à ce petit qu'il ne savait plus très bien aimer. Cette pensée, qui le hantait constamment, ce remords qu'il tentait d'atténuer en inventoriant sans cesse ses griefs contre l'enfant ne faisaient que raidir davantage leurs rapports et charger leurs silences. « Je l'aime tout autant, se disait-il pour la millième fois en ce moment même. La preuve : je donnerais ma vie pour lui, sur-le-champ ! » En vérité, il lui avait été donné de l'aimer maternellement ; mais à présent, le Temps les ayant trahis l'un et l'autre, il n'était plus qu'un père pour lui.

Lorsqu'un bateau vire de bord, face au vent, sa voilure indécise claque avec violence, ses vergues battent en désarroi. Ce n'est qu'un passage, à la condition de bien gouverner. Comment ce vieux capitaine, si neuf aux tempêtes du cœur, aurait-il connu la manœuvre ? Il en voulait au vent, au navire, à lui-même.

Une cloche renversa la ruche ; un ouragan d'enfants passa devant le vieil homme immobile, entamant à grands cris leurs jeux de main qui se poursuivirent dans la cour. Dans ce torrent de visages, Kléber ne reconnut point celui de Patrick. L'instituteur parut, peu après, sur le seuil de la classe, s'étira avec un grognement de fauve, alluma une...

« Oh ! Monsieur Demartin, excusez-moi, je ne vous avais pas aperçu... Voulez-vous entrer par ici ?... Fumez-vous ?... Cela ne vous gêne pas que je... »

Il parlait beaucoup afin d'assurer son ton ; mais le regard bleu du visiteur et son silence, auquel lui-même le condamnait, l'embarrassaient de plus en plus. Chacun d'eux se ressouvenait du banquet du 14 Juillet et devinait les pensées de l'autre.

« Tiens ! rompit soudain le maître, Patrick n'est donc pas au travail avec vous ?

— Avec moi ! Et pourquoi donc ?

— Voici huit jours que, « sur votre demande », il quitte l'école à quatre heures. Mais... qu'avez-vous, monsieur Demartin ? demanda-t-il en se levant et en tendant les bras vers lui.

— Rien », répondit faiblement Kléber.

Des gouttes de sueur apparurent à son front, là où la trace du béret marquait une frontière entre le pâle et le hâlé.

« Dois-je comprendre, reprit l'instituteur (et la brosse de ses cheveux se hérissa) que c'était à votre insu ?

— A mon insu, confirma Kléber en détournant son regard. Et ceci — il tendit le carnet ouvert à la page « Si qu'il voudrait... » — ceci l'était sans doute au vôtre. »

Hérisson lut — « Quoi ? quoi ? » —, relut, eut un rire bref.

« Faites-moi l'honneur de croire, monsieur Demartin, que mon style...

— Justement.

— Alors ?

— Alors, reprit Kléber après s'être raclé la gorge : faussaire, menteur et voleur. Oui, voleur ! car, dans son tiroir... »

Tandis qu'il relatait sa trouvaille, il lui vint un

sanglot dans la voix et il crut qu'il ne pourrait pas continuer.

« Eh bien non, et non, monsieur Demartin ! protesta Hérisson en se levant. Nous n'avons pas le droit d'appliquer à ces enfants des mots de grandes personnes. Faussaire ! voleur ! menteur, surtout — car lequel d'entre nous... ? »

Un geste de la main blanche interrompit sa plaidoirie :

« Je ne crois pas, dit lentement Kléber; avoir jamais menti. Depuis que j'ai l'âge d'homme, naturellement.

— Vous pensez donc que Patrick a l'âge d'homme ?

— Il n'est plus un enfant.

— Hélas ! non, le pauvre !

— Détrompez-vous : il s'en montre plutôt satisfait », fit le visiteur avec une sorte de rancune.

L'autre le considéra en hochant la tête, comme un homme qui mesure l'étendue des dégâts.

« Bref, dit Kléber soudain humilié par ce regard, vous estimez normal qu'il mente, qu'il imite votre écriture et... »

Il n'osa pas ajouter : qu'il vole.

« Rasseyez-vous, monsieur Demartin... Je veux dire, simplement, que nous n'y mettrons pas bon ordre par des éclats de voix ou en persuadant Patrick qu'il est un monstre. »

Sous son arc noir, le regard bleu exprima humblement : « Comment agir, alors ? »

« Je crois », poursuivit Hérisson avec un sourire timide qui le rajeunissait, « qu'il nous faut au contraire, redoubler d'attention silencieuse et... et d'amour.

— Je vois, dit Kléber : ce sont les méthodes modernes.

— Si vous voulez. »

Ils se mesurèrent du regard, sans amitié.

« Seulement moi, je suis de la vieille école, forcément !

— C'est-à-dire ?

— Que je crois à l'autorité, et à l'honneur. »

Il avait baissé le ton pour prononcer ce dernier mot comme on dit un prénom aimé.

« C'est un terme dangereux, fit l'autre sèchement : chacun l'habille à sa manière.

— Allons donc ! »

L'instituteur hésita encore un instant avant d'obéir à son démon, puis, reprenant une discussion vieille de deux ans :

« Par exemple, lorsqu'en juin 40 le Maréchal demanda l'armistice « dans l'honneur et la « dignité »...

— Nous y voilà !

— ... Il est heureux pour le pays que des Français aient obéi à d'autres ordres, qui leur étaient précisément transmis sous le signe « Honneur et Patrie ».

— Avant que vous soyez né, le Maréchal avait été mon chef, dit Kléber d'une voix très sourde. Je crois aussi en la fidélité. »

Le maître marcha jusqu'à la porte puis, se retournant brusquement :

« A la maison, nous étions fidèles à un médecin de famille en qui mon père avait mis toute sa confiance. Vers sept ans, je fus atteint d'une très grave maladie. Notre vieux docteur, sans vouloir l'avouer, perdait pied. Ma mère exigea, contre la volonté de mon père, qu'on appelle un autre médecin plus jeune, plus énergique. Sans lui, je serais mort.

— C'est votre père qui avait tort, pas le vieux médecin !

— Oui, tort. Et vous aussi. On peut se tromper de fidélité... »

Kléber ferma ses yeux un long moment ; puis, sans relever les paupières, il secoua la tête.

« Non, fit-il d'une voix assurée, cela ne peut pas être un mal. »

L'autre, qui le tenait sous son regard de chasseur, le rabattit aussitôt :

« Jamais un mal, la fidélité, bien sûr ! Mais parfois une erreur.

— Les erreurs ne se punissent pas à l'égal des crimes !

— Non, mais elles se paient.

— Votre vieux médecin, reprit Kléber avec une application douloureuse, s'il vous avait mal soigné, l'aurait-on condamné à mort ? »

L'instituteur tenta de rire, tout aussi laborieusement.

« Il n'y a pas de commune mesure entre le

décès d'un petit garçon et l'honneur de la France.

— L'honneur de la France commandait donc d'abattre des officiers ennemis en leur tirant dans le dos, de laisser fusiller des otages, de faire sauter des trains de voyageurs et de bombarder nous-mêmes nos propres...

— Certainement, coupa l'autre. (Il se leva passa une main sur son front comme pour y chercher de la sueur ou du sang.) Certainement, monsieur Demartin. L'honneur commande bien, parfois, de supprimer sa propre vie ! Il n'a rien à faire avec la logique ou l'instinct de conservation. »

Le vieux serra les lèvres et, de nouveau, secoua la tête :

« Non, non, ce n'est plus la guerre.

— Plus la vôtre, monsieur Demartin. Une guerre chasse l'autre. »

Il essaya d'atténuer la sécheresse de ses paroles avec un sourire qui les empira plutôt.

« Quand je suis revenu, en 1918, je n'ai pas cherché à humilier mon père qui s'était battu en 70.

— Lui, du moins, ne regrettait pas Napoléon III !

— L'empereur second avait perdu la guerre, dit cérémonieusement Kléber ; le Maréchal...

— ... a gagné, pour partie, celle de 14-18, c'est vrai. Je ne suis pas de ceux qui contestent sa gloire.

— Alors, je voudrais bien savoir comment vous enseignez à nos enfants qu'il a sauvé puis perdu la patrie !

— Ce n'est pas inscrit au programme, monsieur

Demartin, Dieu merci. Cela s'enseigne en classe de philosophie, et c'est justice. Quelle belle leçon pour un professeur de morale ! »

« Je ne suis pas de taille, songea Kléber. J'aurais dû boire un doigt de vin... »

« Une guerre chasse l'autre, soit. Mais la vôtre laisse beaucoup de dégâts dans le camp des « vainqueurs ». Patrick, reprit-il en baissant la voix, Patrick est l'enfant de votre guerre. »

Tous les deux songèrent à la fausse signature, au butin naïf dans le tiroir. Le maître plissa son front ; il entendit ses garçons crier dans la cour ; comment avait-il pu les oublier si longtemps ?

« L'enfant de cette guerre ? reprit-il pour lui-même. C'est bien possible, et tellement plus important que nos discussions... »

Et brusquement :

« Monsieur Demartin, quelles sont vos intentions ? »

Kléber fut flatté de cette question, bien qu'elle le prît entièrement au dépourvu ; il en restait au Maréchal.

« Lui apprendre l'honneur à ma manière, répondit-il un peu vite.

— C'est-à-dire ?

— En lui donnant des exemples de mon choix. »

Hérisson dévisagea avec une sorte de tendresse ce vieil homme qui s'enfermait dans son musée de cires. Si seulement il n'y emprisonnait pas son enfant avec lui, pareil à ces mères qui se suicident en

entraînant leurs petits dans la mort ! « Papa aurait
cet âge à présent, se disait le maître. Un tel fossé
se serait-il creusé entre nous ? Un tel fossé, peut-
être, entre tous les pères et leurs fils... » Il songeait,
pour la première fois, mais sans y croire, à ce pays
divisé par une ligne de démarcation plus douloureuse que l'autre. « Chaque guerre *démode* une génération de héros. Si Guynemer avait survécu, ne
serait-il pas un vieillard incommode ? Quelle
injustice ! »

Lorsqu'il parla de nouveau, Kléber perçut dans
le ton une pitié affectueuse plus insupportable que
l'injure. Il coupa court.

« Je prends l'affaire en main, dit-il en se levant.
Bonsoir.

— Je dois toutefois m'en mêler en ce qui
concerne l'inscription sur le carnet, monsieur
Demartin.

— C'est juste. » Et Kléber fit un grand effort
pour ajouter : « Je vous suis reconnaissant de tout
ce que vous faites pour mon fils. »

L'autre s'efforçait à tourner une phrase qui signi-
fiât : « Nous sommes tous les deux anciens combattants, frères d'armes, des frères... » Pourtant, il
craignait si fort une réplique inamicale qu'il préféra
se taire : il voulait bien retomber, mais pas de
haut.

Kléber sortit, très droit malgré « *l'aiguillon* ».
Lorsqu'il ouvrit la porte vitrée, les piaillements des
enfants l'entourèrent ainsi qu'une nuée d'insectes
Comme il se retournait pour saluer le maître, le

vent d'octobre, les rebroussant d'un tournemain, lui
fit de ses cheveux blancs une parfaite auréole —
et l'autre ne put chasser à temps cette pensée absurde :
« l'auréole du martyre ».

   « Monsieur Demartin... », commença-t-il sans
trop savoir où il allait.

   Le vieil homme lui parut ne pas vouloir l'écouter :
pris dans le tumulte enfantin, il ne l'avait pas
entendu. Il traversa lentement la cour, dévisageant
à la volée tous ces garçons, les amis inconnus de
Patrick, dont beaucoup, comme lui, prenaient
ingratement leur face d'homme. Des étrangers de
petite taille, à la peau rêche, à l'odeur aigre... Daniel
s'arrêta de jouer pour considérer, la bouche ouverte,
le « grand-père » de son protecteur — et celui-ci
put enfin reposer son regard sur un visage enfantin.
Le petit fit un pas vers lui et inclina la tête
gravement.

   « Pourquoi me salues-tu ? demanda Kléber
charmé.

   — Parce que vous êtes vieux », dit Daniel.

   En s'éloignant de l'école, il faisait effort pour
ne pas se tenir voûté. Il avait l'impression que tous
les regards le suivaient : l'impression inédite d'être
un étranger dans sa ville. Il aperçut, de l'autre côté
de l'avenue, la sœur Saint-Paul qui se hâtait vers
l'entrée du dispensaire et, sans réfléchir, il la rejoignit prestement. En entendant trottiner dans son
dos, elle crut que c'était quelque enfant, se retourna,
dut lever les yeux.

« Monsieur Demartin ! Entrez donc... Comment allez-vous ?

— Comme un vieux. »

Elle changea de sourire. « Bon ! elle va me parler rhumatismes », pensa Kléber.

« Et Patrick ? » demanda la sœur en le regardant bien droit.

Alors, sans raison, sans réserve, il raconta tout.

Par instants, elle avançait la main pour le dissuader de poursuivre ; mais il lui fallait se libérer entièrement. Enfouir ses secrets dans une autre mémoire, se faire juger, ou consoler, que cherchait-il ? D'autres ouvrent leur cœur à une prostituée de rencontre...

Lorsqu'il eut achevé :

« Pourquoi ne demanderiez-vous pas conseil à M. le Curé ? suggéra-t-elle.

— Un curé de trente ans ? Merci !

— Vous fréquentiez bien son prédécesseur.

— C'était un ancien combattant.

— Allons, ce ne sont pas des souvenirs de guerre qu'il s'agit d'échanger, fit-elle d'un ton bourru.

— Je n'ai aucune confiance en tous ces jeunes. (Il songeait à l'instituteur.) On dirait que des siècles les séparent de nous...

— Ou nous séparent d'eux !

— Ils sont incompréhensibles, ma sœur. In-com-pré-hen-sibles, répéta-t-il d'un ton définitif.

— Que nous les comprenions ou non, monsieur Demartin, ils sont déjà les maîtres puisqu'ils le deviendront demain.

— Tant pire ! Je les trouve... trop pressés.

— C'est le siècle qui veut ça !... Patrick aussi, reprit-elle doucement, Patrick aussi est peut-être seulement un peu trop pressé.

— Patrick... », répéta la voix sourde, et le regard bleu se perdit encore ; puis : « Nous étions si heureux », murmura Kléber.

La religieuse ne put se retenir de frapper la table du plat de sa main.

« — Nous étions si heureux » : c'est la phrase de ceux que foudroie le malheur. Mais quel malheur, ici ? Votre enfant traverse l'âge ingrat ; et vous, monsieur Demartin... vous ne rajeunissez pas. Où est la foudre dans tout cela ?

— J'ai l'impression que nous avons longtemps cheminé ensemble sur un chemin de crête, et qu'à présent Patrick descend de son côté et moi du mien. D'ici peu, nous ne nous verrons même plus...

— Chacun sur un versant du Temps, c'est vrai ; mais ce déchirement existe depuis que le monde est monde. Au fond, reprit-elle après un instant, vous avez la nostalgie du royaume de Dieu, monsieur Demartin.

— Le royaume de Dieu ? explosa Kléber. (« Ah ! non ! pas de prêche aujourd'hui... ») Je voudrais bien savoir ce qu'il me donnerait de plus que le bonheur que j'ai connu avec Patrick depuis quatre ans ! »

Elle baissa la tête.

« Répondez-moi », exigea-t-il avec violence, et

ses yeux brillaient de larmes. « Qu'est-ce que votre
Ciel m'apporterait en plus ?

— *De durer* », murmura-t-elle.

Il ne répondit rien. La sœur le vit s'amenuiser :
vieillir sur place, lui sembla-t-il. Vieillir ou rajeu-
nir ? Devenir diaphane, lointain, fragile. L'infirmière
en elle s'alarma.

« A quoi pensez-vous, monsieur Demartin ? »

Les vieilles lèvres remuèrent ; mais elle n'entendit
rien.

« Comment ? »

Il répéta, tout aussi faiblement :

« A ma mère. »

Pourquoi donc remontait-il des grands fonds de sa
mémoire, ce visage défunt ? Malgré deux guerres et
tant d'années méticuleuses et mortes, pourquoi ?
Kléber avait de beaucoup dépassé l'âge gravé sur la
pierre tombale de sa mère, mais celle-ci demeurait
souveraine, protectrice. Une grande personne — et lui-
même avait-il jamais cessé d'être un enfant ? Sa mère
morte, statue du silence, les yeux hautainement fermés
sur ses secrets : pas seulement ceux de l'au-delà, mais
ceux de la vie que rien, ni l'*honneur* ni l'*autorité*, ne peut
remplacer. Patrick ? D'un regard, d'un sourire, sa
mère aurait tout éclairé, tout résolu...

Sœur Saint-Paul respecta ce long silence. Lorsqu'enfin elle vit un certain éclat rendre la vie au
regard bleu, elle parla.

« Notre ennemi, monsieur Demartin, c'est le
temps. Lorsqu'un amour, lorsqu'un bonheur lui
résiste, il se déguise en routine et l'émousse. Notre

seule riposte est de l'user à notre tour. C'est
pourquoi la Patience est une vertu, monsieur
Demartin! Les jeunes ne peuvent pas l'admettre;
mais, nous autres... La Patience, reprit-elle, et
la Fidélité. (Elle ne comprit pas pourquoi, soudain, le vieil homme la fixait si attentivement.)
Si vous vouliez patienter jusqu'à ce que Patrick
sorte de ce passage; si vous pouviez demeurer
fidèle au petit enfant qu'il était, alors l'amour
reviendrait.

— Qu'en savez-vous? » demanda Kléber sans
égards.

Elle hésita, soupira, répondit enfin sans le
regarder :

« C'est qu'il en va de même de notre amour pour
Dieu.

— Vous n'allez pas comparer...

— Le plus grand amour de votre vie avec le plus
grand de la mienne, pourquoi pas? Le Christ n'est
pas un nuage, un astre, une statue! Il est une
personne vivante, monsieur Demartin, et les meilleurs d'entre nous ont vu son visage. Ressentir son
amour et le lui rendre, à notre mesure, cela s'appelle
l'état de grâce. Voyez! presque le même mot :
Patrick et vous traversez l'âge *ingrat*, les temps de la
disgrâce...

— Non, Patrick, Patrick seul!

— Croyez-vous donc que nous ne changeons pas? »
demanda-t-elle avec un sourire triste : celui de
Théophane, l'autre semaine, tandis qu'il proférait
des paroles semblables.

« Non, ma sœur, c'est le monde qui change autour de nous.

— Oui-da, comme le soleil tourne autour de la terre, n'est-ce pas ? »

Interloqué, un peu humilié, nullement convaincu, Kléber se leva, tendit deux doigts à sœur Saint-Paul et s'en alla. Quand le dispensaire et l'école eurent disparu de sa vue, il se sentit très las tout d'un coup. Et, sur le chemin du retour, il s'assit sans honte, sur plus d'une borne, sur chaque banc, et même sur la chaise du rempailleur.

*

A la mi-octobre, Roger reçut la visite d'un jeune journaliste. Le chapeau sur la nuque, il fumait laborieusement une pipe qui s'éteignait sans cesse et il s'appliquait à user d'un langage cynique. Il était attaché à *La France libérée*, un magazine qui, comme plusieurs autres, annonçait « le plus fort tirage des hebdomadaires d'actualité ». Sous le nom, évidemment beaucoup plus plat, de *La France* (« La France tout court », comme on disait à présent), une poignée de héros imprimaient et diffusaient au nez de la Gestapo un petit bulletin d'espérance et de vérité. La plupart d'entre eux avaient pourri dans les camps de la mort grise ; et cela permettait aujourd'hui à quelques financiers et à une équipe de jeunes gens inconscients ou désinvoltes de persuader leurs contemporains que les affaires du monde se réduisaient aux dimensions de

leurs intérêts, de leurs partis pris et de leur
sottise.

Ils composaient les titres à la manière britan-
nique, en coup de poing, et traitaient les problèmes avec la suffisance fruste de la presse américaine, dont ils avaient aussi adopté la muflerie
en matière d'interviews. Des journaux italiens, ils
avaient seulement copié le réalisme morbide quant
aux faits divers. Mais c'était à eux seuls que l'on
devait un style (qui, peu à peu, gagnait la presse
entière) à la fois provocant et parfaitement imper-
sonnel car, quel que fût l'auteur, on *rewritait,* c'est-
à-dire qu'on écrivait de nouveau les articles afin de les
couler dans le moule.

Avec une imposture tranquille, les journalistes
de la jeune école relataient « comme si vous y étiez »
ce qu'ils n'avaient point vu, prêtant aux personnages de l'actualité des répliques de cinéma et des
pensées qui n'étaient le plus souvent que leurs propres arrière-pensées. Seules, les premières lignes
des reportages étaient véridiques : « Une traction-
avant noire, s'arrête devant le ministère des Affaires
étrangères ; un homme vêtu de gris en sort en
courant... » — mais la suite était délibérément
inventée. Le pays, grâce à eux, vivait de conjectures
et d'indiscrétions et assistait aux événements comme
à un film permanent.

Lorsque Roger vit le feutre en arrière, l'imperméable à ceinture et la pipe, il prit peur, car ils
annonçaient aussi bien le policier. D'autant que le
journaliste était accompagné de son photographe,

dont le regard furetait sans cesse, et qu'une peur ancestrale nous tord le ventre chaque fois que des inconnus se présentent chez nous *par deux*. Le visiteur offrit d'abord une cigarette, ce qui n'était pas meilleur signe, puis parla enfin :

« D'après mon enquête (« Aïe ! »), vous possédez une voiture modèle 1913.

— Oui, mais...

— Eh bien, mon vieux, tenez-vous bien : c'est un des derniers taxis de la Marne !

— Ce n'est pas ma faute, protesta Roger à tout hasard.

— Vous vous rendez compte ? Posséder un taxi de la Marne pour le trentième anniversaire de l'armistice ! »

Non, Roger ne se rendait pas compte : la Marne n'était pour lui qu'un département parmi les autres ; mais il comprit vite. Depuis un mois, l'homme de *La France libérée* courait, de ferrailleur en brocanteur, à la recherche d'un survivant des taxis historiques et voici que, enfin, cuivre et rouge, avec son nez de boxeur, ses phares myopes et ses pare-boue désinvoltes...

« Marrant ! Amène-toi, papa. »

Le photographe s'approcha, s'esclaffa, sortit son appareil.

« Excusez-moi, fit Roger en s'interposant, nous n'avons pas encore fait affaire. »

Le tacot couleur de sang, de coquelicot, de drapeau, et dont trois des occupants étaient morts pour la France, assista humblement à la négociation :

tant pour le laisser photographier — « Un chèque ou des *tickets* ? » — tant pour ne permettre à aucun magazine d'en prendre des clichés.

« Et vous ne voyez pas d'autres... exploitations possibles ? » demanda Roger, qui avait retrouvé son assurance.

Ils discutèrent gravement : le vendre au Musée de l'Armée ? au département de la Marne ? aux descendants de Gallieni ?... Le louer pour des galas d'anciens combattants ?... Ou encore monter une baraque de kermesse, en accord avec quelque forain ? « Seulement ces gens-là, mon vieux, pour ce qui est de l'honnêteté... »

Tandis que « papa » prenait enfin ses clichés, Roger tira le journaliste par la manche :

« Je vais vous donner un tuyau... Photographiez donc ces vergers, ces meules, ces pavillons : c'est ici que s'édifiera la Cité Poumons de Malouvrier.

— Je croyais le projet enterré.

— Photographiez toujours ! » reprit l'autre en se curant l'oreille puis en examinant son petit doigt dont l'ongle tournait à l'ambre. « Photographiez toujours : le moment venu, vous vous rappellerez que c'est moi qui... »

Sa pipe était éteinte depuis longtemps ; le journaliste l'enfouit dans une de ses poches, sortit de l'autre une cigarette et, d'une troisième, un briquet. L'important semblait qu'il eût toujours quelque chose dans la bouche pour parler aux gens. Quant au photographe, il mâchait sans trêve du chewing-gum.

« Je suis drôlement emmerdé, dit encore le représentant de *La France libérée :* pour la couverture de
notre numéro du 11 Novembre il me faudrait un
poilu.

— Un quoi ?

— Un poilu, un vétéran de la guerre 14-18. Impossible d'en trouver un seul valable : rien que des
infirmes, des obèses, ou des gars qui n'ont plus du
tout la bouille de l'emploi.

— J'en connais un, moi ! » fit Roger après un
moment : le temps de supputer ce que cela lui
rapporterait, mais surtout si Patrick serait d'accord.

« Un vrai ?... Entier ?... Et pas trop cher ?

— Gratuit, mais très susceptible : abordez-le en
douceur.

— Tu entends, papa ? Va falloir se déguiser en
ambassadeur du Vatican !... Vous êtes une vraie
providence, mon vieux. »

La providence se curait modestement les dents.
L'autre lui fit un cours sur les couvertures de magazines : depuis la guerre le sein « vendait » mieux
que la cuisse, mais — tenez-vous bien ! — c'était
encore le tricolore qui assurait les plus gros tirages.

« Un petit drapeau de rien du tout, pourvu qu'il
soit *en situation,* et vous faites un malheur... Par
contre, le kaki, zéro ! Trop mauvais souvenirs, trop
récents... Tandis que le bleu horizon, c'est gai et
ça *sort* bien. Comment appelez-vous le poilu en
question ?

— M. Demartin, Kléber Demartin.

— Kléber ? De plus en plus marrant !... Allez.

merci pour tout. Papa crache ton chewing-gum. »

L'autre obéit et, de plus, retira humblement son chapeau.

« Non, pas encore : nous l'ôterons *ensemble* devant le Kléber, ça lui fera une bonne impression. »

L'entrevue se déroula sans orage. La grossièreté naturelle du journaliste et sa diplomatie de commande formaient un mélange un peu rugueux qui n'indisposait pas le vieil homme. On lui montra quelques couvertures du magazine, choisies, à l'exclusion des *vamps* et des princesses, parmi les héroïques. Lorsqu'on lui annonça un tirage dépassant le million d'exemplaires, Kléber qui avait renoncé à reprendre pied parmi la presse d'après guerre eut la politesse ou la lâcheté de laisser croire qu'il connaissait *La France libérée*. Il n'osa pas le feuilleter ; encore moins le lire. L'autre, chapeau bas, le soûlait de paroles, parlait avec révérence des soldats de la « Grande Guerre », citait Pétain sans haut-le-cœur, ainsi que tous les oubliés : Mangin, Sarrail, Nivelle. Il venait d'étudier la question en vue de son reportage et put proférer quelques mots magiques : Dardanelles, Chemin-des-Dames, et surtout : « On les aura. » Kléber l'écoutait, charmé de rencontrer enfin un jeune digne de ses anciens. Comme tous les cœurs nobles, il était une dupe née ; comme tous les gens simples, il croyait que les journalistes méritaient leur pouvoir.

Après cela, il ne fit aucune difficulté pour montrer son uniforme intact, presque aucune pour l'endos-

ser et coiffer le casque. Il eût souhaité que Patrick
fût présent — mais quoi ! il ne pouvait, maintenant
que tout était rentré dans l'ordre comme par enchantement, lui faire grief de se trouver en classe à cette
heure-ci. Le vieux soldat eut de la peine à enfiler
ses brodequins : le « pied fantassin » s'était un
peu affaissé, et les anciens compagnons sortaient
salpêtrés de leur long sommeil.

Quand Kléber parut devant eux, les journalistes
eurent le souffle coupé. « Mince ! » murmura
« papa ». Il n'aurait pas été plus étonné de voir
surgir Du Guesclin ou Turenne à la suite du poilu.
C'est que, tout vivant qu'il fût — survivant plutôt
— il représentait déjà un personnage historique :
le témoin de la dernière victoire absolue de la
France. Vieux ? Non, *définitif*. Les journalistes
comprirent aussitôt pourquoi sa couverture bleu
horizon ferait le succès de ce numéro ; cela les
ramena à leurs préoccupations, mais il n'empêche
qu'ils venaient de respirer un autre air. Quatre de
trèfles aussi, qui flairait la naphtaline avec méfiance.

Patrick apparut sur le seuil, suivi de Daniel essoufflé, trottinant. Il laissa tomber son cartable et, les
yeux agrandis, s'approcha sur la pointe des pieds du
vieux soldat. De cette étrange voix qui muait, il
murmura seulement : « Mon papa... » Les deux
intrus comprirent « Bon papa » et virent le *petit-
fils* saisir doucement la main blanche et la porter
à ses lèvres. Il se fit un grand silence ; seul, Daniel
siffla entre les dents du bonheur avant de disparaître
tel un écureuil.

Ce geste bouleversa Kléber et lui fit oublier la
présence des journalistes. Patrick... Non, un tel
enfant ne pouvait être mauvais. Son hommage,
l'ancien soldat ne le prenait pas pour lui : il s'adres-
sait à tous ses compagnons, aux morts, au Maréchal.
Ces jeunes gens tout à l'heure, Patrick à présent...
— Allons ! tout n'était pas perdu. *La Marseillaise*
chantait dans sa tête.

« Prenez vos images, messieurs », dit-il avec un
geste noble.

Un soleil de gloire rehaussait l'après-midi vieillissant. La vigne vierge dont se drapait le pavillon avait, depuis quelques jours, pris le deuil
pourpre de l'été : elle servit de fond royal à ces
photographies. Papa tournait comme une mouche
— clic ! clic ! clic ! — autour de la statue bleu
horizon.

« Nous ferons un « montage », expliqua l'homme
à l'imperméable : dans le fond, l'ossuaire de
Douaumont... »

Car c'était l'immense public qu'avait humilié le
procès du Maréchal que son magazine cherchait à
apprivoiser avec ce numéro du 11 novembre. « Il
est grand temps, disait le président du conseil d'administration, d'amorcer la réconciliation nationale... »

— Traduisons — « d'élargir notre marché ».

« Ainsi, demanda Kléber d'une voix altérée, je
figurerai seul devant l'ossuaire de Douaumont ?

— C'est une bonne idée, non ?

— Alors prenez une autre image, exigea-t-il : au
garde-à-vous. »

Quand ce fut fait, le journaliste entraîna le vieil homme à l'écart :

« Je me demande comment vous remercier... »

Il eut la maladresse de sortir son portefeuille, mais vit, à temps, pâlir Kléber.

« Je pensais seulement offrir un présent à votre petit-fils.

— A mon *fils* ? Il n'en est pas question. Nous ne sommes pas dans le besoin. »

L'autre se rappela soudain que le patron lui avait commandé une enquête sur les Vieux. « Le public commence à s'inquiéter de la misère des vieillards, ne nous laissons pas devancer ! » lui avait-il dit, au sortir d'un de ces déjeuners d'affaires où le ventre de chaque convive engloutissait ce dont un vieillard dispose pour vivre un mois entier.

« A propos, monsieur Demartin, je voulais vous demander... Oh ! tout à fait entre nous », ajouta l'imposteur qui s'exprimait à un million d'exemplaires, « vous demander comment, du point de vue matériel, vous arrivez à tenir le coup ?

— Tenir le coup ?

— A boucler vos comptes : nourriture, vêtement, pour votre *fils* (ils insista sur le mot à son tour) et vous-même ? »

Quelques instants plus tôt, Kléber eût tout avoué : les budgets sur papier quadrillé, à peine établis qu'aussitôt déjoués ; son anxiété, chaque matin, lorsqu'il se rendait au marché où Camille lui-même, « le roi de la pomme de terre », surchargeait ses ardoises semaine après semaine ; ses vêtements usés

jusqu'à la trame et Mme Irma ravaudant, retournant, bordant avec une patience de tapissière. Il
aurait peut-être confessé que, depuis plusieurs mois,
il feignait des maux d'estomac afin de n'acheter
qu'une portion de viande, celle de Patrick. Et aussi
que, par économie, il ne s'était guère alimenté que
de nouilles et de riz pendant le séjour du garçon
à la colonie de vacances. Et combien de fois n'avait-
il pas résolu d'écrire au président des Chemins de
fer : « Félix, pense à tes retraités ! » — Mais quoi,

connaissait mieux qu'eux son devoir... Tout cela,
sans doute l'eût-il confié au jeune homme qui tout
à l'heure, avec tant de ferveur, citait Joffre et
l'Argonne ; mais à celui qui, portefeuille en main,
venait de lui offrir un pourboire pour figurer devant
l'ossuaire de Douaumont — ... tends voir !

« Boucler mon budget ? Mais.. je suis retraité
des Chemins de fer, lui dit-il avec un haut-le-corps.

— Bon, mais votre pension n'augmente guère ;
tandis que le coût de la vie, lui...

— Croyez-vous ? » s'étonna le vieil homme.

En détournant le regard (car il n'aurait pas su
mentir en face), il rencontra les yeux de Patrick
attachés à lui. Il n'en brossa pas moins un tableau
idyllique de la condition des vieux. Pas besoin d'ima-
gination : il lui suffisait de raconter l'existence
qu'il menait avant la guerre, avant Patrick. Le
garçon l'écoutait sans ciller, la ride au front ; Kléber
abrégea :

« Ne vous souciez pas de nous, vous autres, les

jeunes ! Songez plutôt à l'avenir : chacun son tour. »

Pour Kléber l'orgueilleux, la phrase signifiait seulement : « Tâchez de nous égaler ! » L'autre, dans sa suffisance, y lut : « Notre tour est passé » et crut devoir élever des protestations humiliantes. Bigrebougre ! Le vieux soldat tremblait d'impatience à les voir partir — ce qu'ils firent enfin, après avoir promis d'envoyer dix numéros du magazine aussitôt qu'il paraîtrait.

« Pourquoi dix ?

— Pour... je ne sais pas, moi ! vos camarades de guerre, par exemple.

— Alors cent mille », fit Kléber superbe et, devant l'effarement de « papa » et de l'autre : « Je plaisantais, un seul suffira.

— Deux, s'il vous plaît », dit Patrick d'une toute petite voix.

Kléber les accompagna jusqu'à la barrière qu'il eut grand plaisir à refermer sur eux. L'enfant, qui l'attendait sur le seuil, l'y arrêta d'un regard et d'un geste et promena ses mains, comme un aveugle, sur les galons, les brisques, les décorations...

« — Hon-neur et Pa-trie », lut-il sur l'une d'elles. Papa, qu'est-ce que c'est, l'honneur ? »

« Enfin », pensa Kléber. Il n'aurait jamais osé, jamais su comment lui parler de ses mensonges, de ses larcins. L'instant était donc venu... Car le reproche, la leçon, l'essentiel tenaient dans ce seul mot : honneur.

« L'honneur... », commença-t-il ; mais il ne

savait plus comment poursuivre, pareil à celui
qui veut décrire le visage de son amour et reste
coi. « C'est ce qui fait qu'on se tient droit », dit-il
enfin de sa voix sourde.

La ride apparut entre les yeux verts.

« Je veux dire, reprit Kléber en fronçant les
sourcils à son tour, ce qui vous permet de regarder
les autres en face. »

Ce ne devait pas non plus être la bonne définition, puisque ce petit faussaire, ce petit menteur,
ce petit voleur continuait de planter son regard
dans le sien. Kléber ferma les yeux, attendit un
moment.

« Je m'explique mal, bonhomme. L'honneur...
l'honneur c'est ce qui vous commande d'accomplir ce qu'on n'a pas envie de faire, pas intérêt à
faire.

— Alors, pourquoi ?

— Pour être en paix avec soi-même, fit le vieux
en haussant le ton, pour rester digne de soi.

— Je sais, dit l'enfant : c'est ce que sœur Saint-
Paul appelle l'orgueil.

— Tout le contraire ! Un orgueilleux est satisfait de lui ; tandis que l'honneur exige toujours
davantage.

— Il n'est donc jamais content ?

— Ecoute, mon bonhomme : tu te fais une certaine idée de toi-même, n'est-ce pas ? Eh bien,
l'honneur...

— Je ne m'en fais aucune, dit l'enfant d'un ton
dépité.

— Moi je m'en fais une », repartit le vieil
homme en posant ses deux mains sur les petites
épaules, du geste dont on armait les chevaliers.
« Tu ne voudrais pas me décevoir, Patrick ?

— Non... Mais je n'ai rien fait de mal !

— Pourquoi cries-tu ? » demanda Kléber doucement.

Il retira son casque parce qu'il transpirait.
« Allons, c'est le moment... »

« Par exemple, reprit-il avec lenteur, quelqu'un
qui ment, quelqu'un qui vole n'a pas d'honneur.

— Pourtant, papa, ce que vous avez dit à ce
bonhomme sur notre vie, ce n'était pas la vérité.

— Il n'en méritait aucune autre ! s'écria Kléber
en rougissant. Pourquoi me posait-il ces questions
indiscrètes ? Il faut toujours sauver la face : c'est
aussi une question d'honneur. »

Il regretta aussitôt une parole qui, si visiblement,
rassurait le garçon.

« Mais le vol, ajouta-t-il très vite comme s'il
s'agissait de prendre sa revanche, le vol est toujours déshonorant, lui.

— Celui qui vole du pain pour son enfant...

— Fait du tort au boulanger.

— Tout ce pain rassis qu'il n'a pas vendu, qu'en
fait le boulanger ?

— Cela ne te regarde pas.

— Non » reprit résolument Patrick après un
silence aux sourcils froncés. « Non, prendre des
choses qui n'appartiennent à personne, les donner
à quelqu'un très malheureux, ce n'est pas voler...

(Les savons, les bouchées n'avaient servi qu'à consoler Daniel.) Prendre un tout petit peu quand il y
a tant... — Papa, à qui appartient ce qu'on trouve
dans les magasins ?

— Au marchand, répondit Kléber, la bouche
sèche.

— Et lorsqu'il n'y a pas de marchand, lorsque
la vendeuse elle-même ne le connaît pas ?... Papa,
si je pleurais et si vous pouviez me consoler...

— En volant ?

— En prenant juste un tout petit peu ? Vous
n'auriez pas d'argent, et le marchand en gagne
tellement...

— En vo-lant ? reprit Kléber implacable. Sûrement pas.

— A cause de l'honneur ?

— De l'honneur, oui.

— Et quand on tuait un homme en duel, c'était
aussi à cause de l'honneur ? Eh bien, je n'aime
pas l'honneur », conclut Patrick avec légèreté,
comme il eût dit : « Je n'aime pas les groseilles » ;
et il se baissa pour taquiner Quatre de trèfles.

« J'aurais dû en parler aussitôt à Théophane au
lieu de vouloir « sauver la face », comme tous les
imbéciles ! » pensa Kléber désespéré. Ce qui le bles-
sait surtout était de constater que, pour Patrick, le
chapitre se trouvait clos : sans rancune ! alors que
lui-même en débordait. Qu'il eût aimé pouvoir se
mettre en colère ! mais pourquoi ? contre qui ? Il
était enfermé à double tour. « Il eût fallu le punir
dès son premier mensonge, au lieu d'attendre afin

de discuter entre hommes. Entre hommes ? Mais il n'est qu'un enfant ! » N'avait-il pas soutenu tout le contraire devant Hérisson ?... Il se sentait parfaitement désemparé.

« Papa, demanda Patrick avec bonheur, vous ne voudriez pas demain me conduire à l'école en uniforme ?

— Allons, gronda le vieux, ce n'est pas un déguisement ! »

Et il rentra dans sa chambre.

Quand il eut retiré, plié, rangé cet uniforme : quand il se retrouva en chemise bleue et pantalon usé, une tristesse aussi incoercible qu'une nausée l'envahit. Il lui semblait qu'il venait de dépouiller sa jeunesse, ou encore d'enterrer son meilleur compagnon. Il n'eut pas le courage de revêtir ce tablier bleu, signe de sa servitude, mesure de sa déchéance. Il considérait, dans la glace de l'armoire, cet homme assez petit qui se voûtait et maigrissait, et que ses mains, outils fidèles, étaient les seules à ne point encore trahir. « C'est pourtant moi, moi, MOI... » se répétait-il en scrutant du regard cet inconnu fragile. L'enfant, le jeune homme, le soldat qu'il croyait être encore considéraient avec surprise ce vieillard qui, cependant, leur ressemblait — qui, du moins, leur avait volé son regard. « Je ferai un bien petit mort », pensa-t-il, pour la première fois, devant ce froid miroir où son image étroite reposait comme en un cercueil. Les chaussons surtout l'offensaient ; comble de veulerie, il s'y sentait à l'aise

après les durs brodequins. Il avait oublié les photos.
l'ossuaire de Douaumont, le million d'exemplaires.
Pas un instant, il ne songea que le navire entier
faisait naufrage : que ses compagnons héroïques
étaient tous devenus, à son image, de vieux petits
hommes. Généreusement ou naïvement, il croyait
se noyer tout seul.

Un geste le sauva : coiffer son béret. Avec ses
bosses et ses creux qui lui donnaient un air de
champ de bataille, avec l'insigne du régiment épinglé sur son flanc, la coiffure suffisait à transfor-
mer la silhouette entière. « Debout, les morts ! »
Pareille à la mer, l'espérance remonta, une fois de
plus, sur ce rivage desséché. Non, Patrick n'était
point mauvais. Kléber n'avait pas su le convaincre ;
mais il en parlerait à Théophane ; il y réfléchirait,
cette nuit ou demain, lorsqu'il serait moins las.
Demain, tout irait mieux. Patrick... Il prononça
ce nom tout haut : c'était l'un de ses sortilèges.
Ce soir, à l'instant, ils allaient descendre tous les
deux vers l'écluse. Le jardin d'Ernest devait être
rempli de chrysanthèmes. Puisque les lis étaient
morts, il fallait bien aimer les chrysanthèmes...

« Patrick, appela-t-il en sortant de sa chambre,
Patrick, tu descends avec moi ?

— C'est que j'ai promis à Daniel de le faire
monter à âne.

— Bien sûr, dit Kléber amèrement, il ne faut pas
le décevoir. Viens-t'en, Quatre de trèfles ! »

Il sortit sous les grands arbres que le vent humiliait. L'hiver en tuerait quelques-uns. « Mais pour

nous autres, pas de printemps ! » Cette pensée si
plate l'enchantait d'amertume. Le monde était mal
fait ; comment Théophane et sœur Saint-Paul pou-
vaient-ils en admirer le Créateur ? Pour elle, soit :
c'était son métier ; mais le capitaine... ?

Ainsi descendait-il vers l'écluse, dans le frémissement des peupliers hautains que leurs feuilles
trahissaient aussi. « Je passerai donner le bonsoir
à Ernest. Lui, du moins... » Mais il y renonça : il
redoutait uniquement de le trouver indifférent, satisfait ou désespéré ; il ne quêtait ni consolation ni
approbation et se sentait, ce soir, à la merci de la
moindre parole.

Quatre de trèfles tordit son nez insolent pour
flairer vers la droite et s'élança de ce côté, sur trois
pattes, en jappant de plaisir. Avant son maître, il
avait reconnu Mme Irma que sa tournée nourri-
cière conduisait jusqu'aux chats errants d'Yveline-
le-Pont. « Il va falloir parler, se dit le vieil homme
triste, quel contretemps ! » — et il se composa un
visage.

Mais, après quelques phrases perdues sur l'arrière-
saison, la grosse dame eut l'intuition qu'elle devait
le laisser à ses pensées. Il était doux de cheminer
ainsi côte à côte, en silence, aussi graves et lents
que deux bêtes de labour. Chacun le ressentait et
savait que l'autre en jouissait pareillement. « Si nous
vivions ensemble... » songea Kléber. Mais, au bout
de cette pensée, l'attendait une question désolante :
« Ai-je donc perdu sa vie et la mienne ? » Ainsi, le
désespoir l'investissait de nouveau : l'eau noire

montait sans rémission dans la citerne solitaire.
Alors, pareil au nageur qui touche le fond et, de
toutes ses forces, donne un coup de talon qui le
sauvera, Kléber renversa la tête vers le ciel en aspi-
rant, à pleins poumons, cet air que hantait déjà le
relent du fleuve si proche.

Et soudain il s'arrêta, un doigt levé, prophète
silencieux, souriant.

« Mais qu'avez-vous ? demanda sa compagne.

— Rien, mon amie, rien. Une idée... »

Une idée merveilleuse, oui ! et qui lui permettrait
tout ensemble de reprendre confiance en soi et, sans
un mot, d'enseigner l'honneur à Patrick. Le pèlerinage aux sources... Comment n'y avoir pas songé
plus tôt ? Et quelle gratitude ne devrait-il pas à ce
journaliste dont la visite...

Si satisfait d'avoir trouvé, d'un coup, la solution
à tous ses problèmes qu'il eut un petit rire avisé,
silencieux, comme en montrent parfois les chiens.
Mme Irma, qui attendait une explication, se tourna
vers lui d'un air offensé ; mais elle ne reçut pas
d'autre réponse que ce regard bleu horizon qui la
traversait.

*

Les voici installés de part et d'autre de la fenêtre,
chacun dans son coin, face à face. C'est un compartiment de troisième classe à l'ancienne mode, tendu
d'étoffe militaire. Patrick aurait préféré l'un de ces
wagons sans couloir et garni de moleskine verte, mais :

« Sommes pas dans le métro, bonhomme !

D'ailleurs, j'ai mes arrangements, tu vas voir... »

Kléber s'assied avec joie sur le tissu « bleu chasseur » : se laisser porter par l'Armée... Les valises sont rangées dans le grand filet ; les manteaux, pliés à l'ordonnance, dans le plus petit, la canne à pommeau de cuir par-dessus. Patrick a déjà arpenté le couloir, exploré les toilettes, manié les mécanismes de chauffage et de ventilation dont aucun n'est encore branché. Il a aussi examiné, une à une, les photos qui, dans des cadres en forme d'écran de cinéma, ornent chacun des compartiments : la place Stanislas à Nancy, le port de Douarnenez, la Cité de Carcassonne... Une immense soif de voyages — et Patrick a l'impression de boire par les yeux. Mais va-t-on sûrement traverser tous ces lieux ? Sont-ils bien les étapes de ce voyage dont il ne connaît pas la destination ?

« Patrick, viens-t'en voir ! »

Kléber lui explique complaisamment pourquoi il a choisi ce compartiment et nul autre : petit cours sur les essieux, les boggies, les ressorts ; et pourquoi ce wagon-ci : leçons sur les différentes sortes d'accidents possibles. « Par exemple, si nous nous trouvons pris en écharpe... » Et Patrick imagine, dans le ciel blême, un train volant au vent telle une écharpe ! Puis les « arrangements » commencent : une planchette, suspendue par quatre ficelles à la barre du filet, servira d'accoudoir « si tu veux dormir »... Dormir ? Alors que le garçon compte bien ne même pas ciller, crainte de perdre un instant de paysage ! Une bouteille d'eau, enveloppée d'un linge humide, est couchée dans le filet

contre la vitre entrouverte afin que le vent la main-
tienne fraîche. « Un truc de cheminot qui vaut tous
les Thermos ! » Sur la tablette, Kléber dispose côte
à côte leur itinéraire, qu'il a recopié sur l'indica-
teur et, dans sa boîte ronde, la montre qu'il vient
de mettre à l'heure minutieusement devant l'horloge monumentale... « Celle des pas perdus bonhomme ! Car, à l'extérieur, elle avance toujours
de quelques minutes afin de hâter les gens... »

Ils sont levés depuis cinq heures — une aube
d'échafaud. Patrick s'est habillé en grelottant :
« Jamais le soleil ne se lèvera, pense-t-il, jamais plus
il ne fera chaud... » Depuis des jours, il a préparé,
dérangé, refait sa petite valise (un cadeau de Roger)
dans laquelle se trouvent imbriquées toutes sortes
de choses inutiles : une petite bouteille d'eau qui
tiédit, se trouble, se vide un peu ; des tartines déjà
pourrissantes ; des charpies pouvant servir de pan-
sements en cas d'accident. Matin et soir, il faut
pourtant détruire cette belle ordonnance pour faire
sa toilette ; et, chaque fois, Patrick désespère de
parvenir à refermer sa valise, plus tendue qu'un
gilet après un repas de noces.

Levé dès cinq heures. « Je ne serai jamais prêt
à temps... Jamais prêt à temps... » Ses mains
tremblent, ses boutons sautent, ses lacets cassent
— et le voici paré une demi-heure à l'avance,
errant dans une maison que le petit matin et
l'absence du chien suffisent à transir. La veille,
Kléber a solennellement confié Quatre de trèfles
à Mme Irma avec plus de recommandations que

n'en laisserait un émigrant. Depuis des jours, il accumule les petits papiers quadrillés. Théophane en reçoit sa part : ce soir et demain, il devra patrouiller autour du pavillon, vérifier les volets, arroser les légumes.

Six heures quinze : Kléber qui, ayant accompli trois fois tout ce qu'il avait à faire, a eu la sagesse de s'asseoir (mais sans s'adosser), la montre à la main, se dresse d'un bond :

« L'heure, bonhomme ! »

Ils sortent. C'est le chemin désert, aussi blême qu'un homme qu'on vient d'éveiller en sursaut ; la traîne rose et grise au ras de l'horizon ; les pavillons aux volets clos. Quelques fumées montent bien droit, du côté des usines de Villeserve ; le cri enroué d'un remorqueur à l'écluse et la voix blanche d'un train vers la gare de triage se répondent comme deux bêtes qu'on sépare.

Le premier autobus : son contrôleur aux paupières lourdes, au col relevé ; puis le premier métro à la station porte de Gravelle, dont la bouche exhale encore une odeur de dormeur. Ce matin, c'est le même employé qui ouvre les grilles, vend les billets et les poinçonne (comme le patron du cinéma) : un Marcel, que tout le monde appelle « Saint-Marcel » parce que, d'habitude, il ne bouge pas de sa niche à l'entrée du quai.

« Alors, monsieur Demartin, on part en voyage ? »

Tous ceux qu'ils ont rencontrés ont posé la même question avec étonnement, ironie ou révérence.

« Oui, répond Patrick d'un ton important, en
voyage. »

Mais, station après station jusqu'à la gare de
l'Est, ce sera un flux et un reflux de visages inconnus, moroses de sommeil ; sortis de la zone d'amitié, Kléber et Patrick ont cessé d'être des héros.

La gare de l'Est, grise d'insomnie. Kléber y fait
longuement timbrer ses permis gratuits : « Huit
ans que je n'ai pas voyagé, vous pensez ! » Il raconte
sa vie au collègue endormi qui acquiesce sans chaleur. Puis il entraîne le garçon devant la vaste
fresque commémorant août 1914. Et Patrick
éprouve brusquement la certitude que tous ces
gens — même la petite fille avec sa natte et ses
bottines, même ce petit garçon en costume marin
et chapeau Jean-Bart — que tous ces gens sont
morts. Papa s'est échappé juste à temps de la toile,
de la guerre...

« Vous portiez aussi un pantalon rouge ?

— Oui, mais ni la cuirasse ni la lance, comme
ceux-ci.

— Et pourquoi une fleur dans le fusil ?

— Parce qu'on était content.

— De partir mourir ?

— On n'y pensait pas. »

Patrick, l'enfant des ruines, des mitraillettes et
des bombardements en piqué, trouve qu'ils étaient
bien légers, ces bonshommes à moustaches. « Oh !
pardon, papa... » Kléber, cependant, lui raconte le
Kaiser, François-Joseph, Charles Quint, est-ce que
je sais ?

« Bigrebougre ! sept heures deux, passons sur le quai. »

Kléber, mi-cheminot mi-poilu, porte la chemise et la veste bleu nuit, avec le béret alpin et les godillots 14-18. A chaque employé il fait un clin d'œil ou parle sur un ton fraternel quoique protecteur qui signifie : « Je suis un ancien. » Ce qui complique l'attitude du vieil homme est ce numéro de *La France libérée* sur la couverture duquel figure un poilu au garde-à-vous devant l'ossuaire de Douaumont. On le voit partout, ce magazine ! dans chaque devanture, entre toutes les mains — du moins Kléber se l'imagine-t-il, et il s'en montre fier quoiqu'un peu honteux. Une singulière prévention l'a retenu de lire l'article, lequel dégoutte d'une démagogie désinvolte et papelarde. On y campe la silhouette et décrit l'existence des anciens poilus de 14-18, tous plus ou moins banlieusards, retraités des Chemins de fer, parfaitement satisfaits de leur sort. Kléber croit que chacun le reconnaît et que tout doigt qui se tend les désigne ; c'est un supplice, un supplice assez agréable.

Après avoir disposé leurs manteaux en garde-place dans ce wagon désert d'un train à peine formé, Kléber a entraîné son garçon, en aval, vers l'endroit où les verrières disparaissent et, sous le ciel libre, le quai cède la place à un océan de cailloux où s'entrecroisent les sillages d'acier. Chemin faisant, l'ancien cheminot explique d'avance le monstre et ses merveilles : bielles, foyer, volant, pourquoi la fumée blanche, pourquoi la fumée

grise... D'avance il se réjouit de flatter son flanc
noir et de serrer la main du mécanicien : « Demartin, dix ans de chauffe et vingt ans de machine,
salut ! »

Mais, parvenus en tête du convoi, au lieu du bel
animal écumant et luisant, voici une longue prison d'un métal verdâtre, percée de trois hublots
et surmontée d'un treillis d'antennes : une machine
électrique dont un technicien, au visage rose, à la
blouse immaculée, surveille les cadrans d'un air
morne. Kléber considère d'en bas cet habitant d'une
autre planète, de l'œil dont un Terre-Neuvas,
regarde un aviateur. Il n'oserait pas lui serrer la
main : n'en reçoit-on pas des décharges ? Mais
Patrick, passionné, le presse de questions auxquelles
le mépris n'apporte pas de réponse suffisante.

« Au fond, conclut l'enfant, c'est beaucoup
mieux à présent : on va plus vite, on ne reçoit pas
d'escarboucles...

— D'escar*billes !* « Beaucoup mieux, beaucoup
« mieux » ? Pour les voyageurs, je ne dis pas ; mais
pour nous autres...

— Quoi, papa, vous préfériez la figure au vent,
les mains au feu et d'être couverts de charbon jusqu'aux yeux ?

— Oui, bonhomme, nous préférions notre
peine. Un peu comme... comme une mère aime
davantage l'enfant qui lui cause des soucis.

— Un père aussi ? » demande Patrick vivement.

Kléber tressaille, feint n'avoir pas entendu et
poursuit :

« A la guerre, par exemple, ce sont les passages les plus dangereux qui forgent l'amitié et finalement laissent les meilleurs souvenirs.

— Il faudrait le demander aux morts », dit Patrick.

Kléber, choqué, le dévisage : un regard transparent, nulle trace d'insolence. Il accepte donc de réfléchir à cette étrange parole et s'en retourne, en silence et sourcils froncés, vers leur compartiment. Mais comment le reconnaître dans un convoi désert ? Patrick se repère sur la Cité de Carcassonne et la place Stanislas à Nancy. Ouf ! les voici de nouveau face à face dans la bonne odeur de tabac froid et d'oranges défuntes. Kléber installe patiemment sur la petite table son itinéraire quadrillé :

« Mais enfin, papa, où allons-nous ?

— Tu le verras bien, répond-il en plissant ses yeux tel un chat.

— Pas à G. ? » demande l'enfant d'une voix rouillée d'angoisse.

L'autre lève ses yeux et rencontre ceux d'une bête cernée.

« Non, répond-il très vite, jamais, jamais plus ! G. n'existe plus pour toi, mon petit.

— Oh ! papa, je vous aime... »

Il a retrouvé le geste même de son enfance pour se jeter dans les bras de ce vieux monsieur si fragile qui, seul, le défend d'un orphelinat dans une ville en ruines. Car Roger, dans son pavillon trop neuf se réveille encore, la nuit, en criant : « Ne me tuez pas ! » Et lorsqu'on sonne à sa porte, il

sursaute ; tandis que Kléber, calmement, tourne vers
le seuil des sourcils arqués sur un regard froid qui
interdit l'intrus. Patrick ressent tout d'un coup que
ce vieil homme, dans sa maisonnette branlante, le
protège plus sûrement que ne le feraient les remparts
de la Cité Poumons.

« Papa, mon papa, je vous aime ! »

En se précipitant dans ses bras il dérange l'agen-
cement de la planchette-accoudoir. « Fais donc
attention ! » D'ailleurs, voici d'autres voyageurs,
qui cognent leurs valises contre toutes les parois et
montrent le visage anxieux et conciliant de ceux
qui cherchent une place. Une vieille, un prêtre et
un paysan. Ils hissent leur bagage, s'asseyent avec
un grand « Ah ! » et sortent un tricot, un bréviaire,
une pomme. Une alliance défensive coalise aussitôt
ces passagers de hasard ; on jette sur les nouveaux
arrivants (un soldat, une jeune fille au teint
d'endive et aux cheveux de chicorée) un regard
ennemi qui, en les proscrivant, les allie malgré eux. Le
soldat lui installe ses valises ; elle lui propose un
magazine, *La France libérée* justement. Kléber
détourne son visage. Sur le quai, un haut-parleur
nasille une litanie de stations dont Patrick cherche
à retenir le nom : l'une d'elles est le but du
voyage...

« Fermez les portières, attention au départ ! »

Cet avis résonne à ses oreilles à peu près comme
le commandement « A la hache, à l'abordage, en
avant ! » Il se lève, gagne le couloir, baisse une vitre
et feint de ne pas entendre Kléber lui crier qu'il

est dangereux de se pencher au-dehors. Il le sait
bien, et même en trois langues ! car il a eu tout le
temps de déchiffrer les inscriptions. Mais il veut voir
le train mener son jeu de chien courant : choisir à
tout moment entre deux aiguillages, serpenter
parmi toutes ces tentations. Enfin, le voici sur sa
piste à lui ; il crie de joie et prend de la
vitesse.

Kléber tend l'oreille vers le *tch tch tch* bourru,
mais en vain. Ecœuré, il détourne le regard d'un
paysage que hachent sans cesse ces poteaux noirs
qui soutiennent la caténaire. Il se sent emprisonné
dans cette cage électrique.

La bouche grande ouverte, le nez collé contre la
vitre, Patrick, de ses yeux couleur d'aquarium,
semble avaler ces hameaux, ces troupeaux de maisons serrées autour de leur clocher, et se sent
saisi de panique : tous ces gens qu'on ne connaîtra
jamais... « Y a-t-il vraiment de la place, du travail,
de l'argent pour tout le monde sur la terre ? Et
si l'on ne doit pas se rencontrer, à quoi sert de
vivre ensemble ? Les cimetières innombrables —
encore un ! encore un !... Ces morts que personne
ne connaît plus, ces vivants étrangers, *qu'est-ce que
tout cela signifie ?...* » La Communion des Saints
plane, ce matin, sur Patrick, mais il ne voit pas
l'oiseau : l'ombre seulement, et il prend peur. Kléber
ne comprend pas pourquoi l'enfant presse sa main si
fort qu'il sent (« Ses ongles ! Des semaines que je
ne les ai pas regardés... ») ses ongles le meurtrir.
A cette inexplicable tendresse il va répondre par une

confidence qu'il étouffe, et dont il étouffe, depuis l'autre soir :

« Patrick, c'est à Verdun que je t'emmène ! Verdun, oui... Mais pourquoi trembles-tu ? »

Non, il ne tremble pas : il frissonne, « Le régiment de Sambre-et-Meuse... » Verdun, quatre cent mille morts... Patrick fuirait s'il le pouvait ! mais le train est une prison gardée par le vent.

Verdun, il se l'est toujours représentée comme un musée de cires, livide et méphitique. Une terre morte, survolée d'oiseaux de proie, où plus rien de vert ne poussera jamais, où des lambeaux d'uniformes et de chair grise pendent encore aux barbelés, où les poings crispés des enterrés vivants sortent de terre comme des ceps de vigne.

Verdun-sur-Mort, un lent fleuve rouge traverse la ville, traverse ce qui reste de la ville — et c'est là qu'ils se rendent, à tombeau ouvert ! Et c'est pour aller là que Kléber a obtenu de Hérisson un congé spécial ; que, depuis vendredi, Patrick défait et refait sa valise ; qu'il s'éveille en pensant « Chic, dans trois jours ! Barbe, encore trois jours ! » pour aller *là*...

« Verdun, » répète Kléber en hochant la tête, en fermant les yeux.

Hier matin, il a conduit son garçon sur les Champs-Elysées voir la revue du 11 Novembre. Durant l'attente interminable, il lui a décrit d'avance les hussards à cheval, les officiers de marine en bicorne, les aviateurs en bottes, les compagnies cyclistes, les méharistes et les chiens sanitaires. Il a

expliqué la bande molletière « qui s'enroule comme
un liseron », la capote dont les pans se relèvent « un
peu comme les rabats d'une enveloppe, comprends-
tu ? » Non, rien ! mais c'est sans importance,
puisque Patrick ne verra passer que de monstrueux
blindés d'où émergent quelques hommes-troncs, des
soldats sans capote ni molletières, des officiers
sans bottes ni bicorne. Les chiens et les vélos
se trouvent seulement dans la foule, les chevaux
aux champs et les chameaux au désert. « Tout de
même ! » soupire Kléber lorsque, surgi d'un
autre siècle, un escadron de gardes républicains,
sabre au clair, clôt le défilé ; il applaudit alors,
lui seul, eux seuls. On entend encore le tumulte des
chars quand soudain celui des avions, et si bas que la
ville entière semble bosser du dos...

« Allons-nous-en, papa ! allons-nous-en... »

D'une main froide, Patrick l'a entraîné loin des
blindés et de ces bombardiers dont la vision récon-
forte le public et terrifie l'orphelin de G.

C'était hier matin, 11 Novembre ; et comme si cela
ne suffisait pas, voici qu'ils roulent vers Verdun,
« Capitale de l'Honneur, bonhomme ! » — Capitale
de la Mort.

Patrick prend le parti de feindre le sommeil ;
Kléber lui propose son accoudoir suspendu avec
toutes sortes d'explications qu'il profère d'une voix
forte à l'intention des autres voyageurs. Patrick,
gêné pour deux, refuse sans grâce.

« Comme tu voudras ! »

Démonstrateur pris à son piège, le vieil homme,

à titre de représailles, s'accoude lui-même et s'endort.
Mais le premier arrêt l'éveillera en sursaut :
« Quelle gare ? quelle heure ? — Meaux. Allons
tout va bien. » Il trace, sur l'itinéraire quadrillé,
une croix qui sera suivie de beaucoup d'autres,
tandis que la montre, exhumée de sa boîte, sera
confrontée aux horloges de Château-Thierry,
d'Epernay, de chacune des gares entre Paris et
Verdun.

A partir de Châlons, le reste du compartiment
saucissonne et pinarde ; chaque casse-croûte, son
emballage, la façon de l'ouvrir et de l'entamer
révèlent le caractère du mangeur ; mais Patrick
et Kléber, qui en sont privés, détournent dignement
la tête. Repu, les dents curées d'une langue agile
et bruyante, le soldat se déboutonne et sifflote des
sonneries militaires. Le vieil homme s'en remémore les paroles et sourit ; mais le garçon, le cœur
serré par Sambre-et-Meuse, admire et plaint ce conscrit qui, bien sûr, s'en va mourir pour la France...
Heureusement, un second héros monte à la station
suivante, et les deux camarades poursuivent un dialogue si trivial qu'il semble impossible à Patrick
que leurs noms soient jamais gravés sur une plaque
de marbre.

Comme le train quittait Sainte-Menehould, Kléber,
sans un mot, rangea l'accoudoir, la montre et les
papiers quadrillés. Il avait pris une physionomie
très grave et ce que Mme Irma appelait son « regard
de ciel vide ». Les mains posées sur les genoux,

le visage tendu à l'écoute de voix indiscernables, il était entré dans une attente anxieuse, et Patrick n'osait plus lui parler — pas même lui demander ce que pouvaient bien être ces champs immenses, clos de murs, plantés de cyprès, où s'alignaient des centaines de croix de bois.

« Verdun... Quatre minutes d'arrêt... Verdun... »

Comment cela, Verdun ? Rien n'avait signalé l'approche de la ville tragique, rien n'en différenciait la gare. HOMMES, DAMES, BUFFET, SORTIE : non vraiment, une gare comme les autres, avec des employés qui ne semblaient guère se douter qu'ils habitaient Verdun. Tous exaltés, mutilés, couverts de décorations, on aurait compris ! mais mégotant et traînant l'espadrille... Quant à la ville, Patrick s'y avançait sur la pointe des pieds, tournant la tête en tous sens, tel un merle inquiet.

« Mais enfin, qu'est-ce que tu as ?

— Rien, papa, rien. »

Allez donc avouer que vous vous attendez à voir surgir de partout des squelettes drapés d'un linceul sanglant, exploser une grenade oubliée, ou s'abattre une maison !

L'hôtel où ils déjeunèrent résonnait d'une joviale animation.

« Trois steaks bien saignants et deux lapins chasseur pour la 17 ! — Redonnez-nous donc une fillette de beaujolais... — Et mon omelette ? — Elle marche... »

« Ils sont tous fous, pensait Patrick. A Verdun !... »

« Tu n'as pas faim, bonhomme ? C'est le
voyage ? »

Non, c'était l'honneur. Etrange honneur dont
Patrick paraissait ici le seul dépositaire : on ne
mangeait pas, on ne riait pas — on ne vivait pas à
Verdun.

Et pourtant on mangeait, on riait, on se montrait
fort bon vivant à l'entresol : SALLE POUR NOCES ET
BANQUETS. Les anciens d'un régiment massacré
fêtaient leur survivance à deux pas de leurs morts.
Ce matin, à Fleury, à Damloup, à Eix, il y avait
eu des discours et des larmes ; mais, avant de se
séparer, on engrenait de nouveau sur la vie en man-
geant et buvant un peu trop. Les enterrements cam-
pagnards s'achèvent ainsi sur un repas cordial : on
y parle du défunt et, derrière son mystère définitif,
on rappelle les faiblesses qui nous le rendent fraternel. Assez admiré, assez regretté : on aime bonnement ; et ce sourire, issu d'un souvenir, est seul
assez puissant pour apprivoiser les morts. Mais comment Patrick l'aurait-il compris, lui qui ne pouvait
songer à Philippi sans étouffer de chagrin, de honte,
de remords ?

L'après-midi se passa à retirer son béret dans
des églises, des musées et même devant de simples
monuments, car ici toutes les pierres semblaient
cimentées d'ossements. Ville remplie d'autocars, de
pancartes, de veuves toujours trop grasses ou trop
maigres comme le sont les cardinaux, et de mères
toutes cassées. Cette fidélité à nez rouge et voile de
crêpe faisait horreur à Patrick. « Mam Irma y

serait à sa place, pensa-t-il sans raison ; elle devrait
avoir perdu un fiancé à l'autre guerre... » Spectateur sans pitié, il assistait au théâtre des survivants, chacun à jamais figé dans son personnage,
sans comprendre que, justement, l'honneur
commence par la fidélité, quel que soit son visage.

Comme en tout lieu de pèlerinage, ils virent, dans
les boutiques, mille « souvenirs » dont chacun insul-
tait au Souvenir. Lourdes et Verdun : une kermesse
au flanc d'un sanctuaire. Mais quoi ! sans doute
a-t-il fallu chasser les mouches des blessures du
Christ... Ici la clientèle, d'année en année, s'ame-
nuisait et vieillissait. Bientôt, qui s'arrêterait devant
les plaques de marbre ? Kléber, le dos au mur, avait
défendu cette porte de la France ; à présent, survivants ou successeurs déposaient leurs ordures contre
ce mur. Le vieil homme n'en souffrait pas, car les
vrais héros sont débonnaires ; mais le garçon tombait de haut. La ride au front, il se répétait la
maxime stupide des deux conscrits dans le wagon :
« Vivement ce soir qu'on se couche ! » Et il vivait
sur cette promesse terrifiante : Demain nous par-
courrons les champs de bataille...

Aux premières cloches, après une nuit hantée
de casques gris et bleus, Patrick monta dans un
vaste autocar avec Kléber qui, outre sa canne, empor-
tait des cahiers et des cartes. Le vieil homme s'assit
au plus près du chauffeur, comme à l'avant d'un
navire ; le reste du troupeau se parqua derrière eux
et l'on partit par des chemins sans couleur. Les vitres

se couvraient d'une buée que le vieux essuyait impatiemment du revers de la manche ; Patrick, à sa
hauteur, se ménageait aussi des hublots transis.
« C'est plus loin que je ne le croyais », pensait-il en
observant ces prés, ces bois taillis que l'automne
attristait seulement : il guettait la frontière noire,
les champs de lave informe, la terre brûlée. Kléber
se tourna vers le guide qui, devant un micro à voix
rauque, proférait de temps à autre quelque nom
sacré : « Froideterre... Thiaumont... » avec l'indifférence d'un chef de gare.

« Quel âge avez-vous ?

— Vingt-huit ans, monsieur.

— On m'avait dit que les guides étaient tous
des anciens de Verdun.

— C'est vrai. Mais on a dû en remplacer
beaucoup.

— Pourquoi ? demanda l'autre naïvement.

— Parce qu'ils étaient trop vieux. Enfin, je veux
dire...

— J'ai très bien compris », dit le vieux en se
rencognant.

L'autocar longeait d'interminables bois de sapins ;
il gravit assez laborieusement une pente et s'arrêta.

« La cote 304. Si ces messieurs-dames veulent
bien descendre... »

« Pourquoi donc ? » se demanda Patrick ; et il
ne comprit pas non plus pour quelles raisons
Kléber s'appuyait si lourdement sur son épaule et
respirait si fort. La cote 304... Quand tout le monde
fut rassemblé :

« Nous pouvons prendre d'ici, commença le guide
(il se moucha, s'éclaircit la voix), une vue complète
de la bataille de Verdun. A notre droite, le
Mort-Homme. Devant nous, le bois des Corbeaux.
De l'autre côté de la Meuse, et de gauche à droite,
le bois des Caures avec le P.C. du commandant
Driant, l'ossuaire au sud-est du fort de Douaumont
et — voyez-vous cette tache blanche entre les deux
bois ? — le fort de Vaux. C'est la route d'Etain
qui part devant nous, là, vers l'est. Non, madame :
d'ici, on ne peut pas apercevoir la crête
des Eparges, mais nous nous y rendrons tout à
l'heure... »

Il toussa, regarda l'heure et reprit :

« Sur ce terrain dont nous n'embrassons qu'une
partie, s'est déroulée de septembre 1914 à novembre 1918, la plus grande bataille de tous les temps.
400 000 morts français, dont 80 000 seulement ont pu
être identifiés et reposent dans les 42 cimetières militaires de la région. Dès août 1914, l'armée
allemande de Metz envahit la Lorraine et cherche
à contourner la forteresse de Verdun afin d'atteindre
la Champagne... »

Ecolier docile, il récitait avec ennui, attentif à
parfaitement articuler les chiffres, les noms de lieux
et ceux des généraux en chef. Le vent jouait pares-
seusement avec les sapins. Patrick se demandait
pourquoi on leur imposait ce cours d'histoire dans
un endroit aussi joli. « ... La butte de Vauquois...
la hernie de Saint-Mihiel... le ravin de la Mort... »
Deux ramiers s'envolèrent, dans un profond remue-

ménage de branches, et se laissèrent planer avec
bonheur jusqu'à la Meuse. « ... La Voie Sacrée... le
Fond du Loup... le Tunnel de Tavannes... » — et
des dates, des dates ! et sans cesse les mêmes ouvrages
enlevés, repris, abandonnés, reconquis. Le guide
paraissait raconter patiemment les marées d'un
océan aveugle.

Quand il eut achevé :

« Si ces messieurs-dames veulent bien reprendre
leurs places, nous allons à présent commencer le
circuit par le Bois des Caures dont...

— Non », fit Kléber d'une voix sourde.

Tout le monde se tourna vers lui : les lunettes
dorées des Américaines, les sourcils blonds d'un
groupe de Nordiques, les yeux rouges des veuves,
ceux ronds de stupeur du guide et le regard vert
de Patrick.

— Non, reprit Kléber. Verdun, ce n'est pas ça,
pas ça du tout. »

Il abaissa les paupières, aspira cet air si paisible ;
une ombre passa sur son visage.

« Verdun... Voilà... »

Alors, il se mit à parler droit devant lui, sans
un geste, d'une voix douloureuse, exhumant un à
un, de l'ossuaire de sa mémoire, des souvenirs dont
chacun portait un visage. Une patience de
fossoyeur...

Il avait fermé les yeux ; et plusieurs, autour de
lui, l'imitèrent. Mais pour tous, les sapins venaient
de disparaître et cette terre retournait au désert,
au cloaque. Au lieu de ce silence percé de chants

d'oiseaux, le roulement incessant, le ténébreux
tumulte avait repris : le vieux volcan crachait de
nouveau, par mille bouches, la mort pourpre et brû-
lante. Ces touristes avaient bien prévu qu'au cours
de leur confortable pèlerinage leurs yeux se mouil-
leraient, leur cœur battrait peut-être ; mais non pas
qu'aux paroles sourdes d'un vieil homme, le sol
tremblerait sous leurs pieds et qu'ils auraient
peur, et qu'ils auraient froid, et qu'ils auraient
faim.

« Trois jours sans manger, ni dormir, ni boire.
On recueillait l'eau le long des parois visqueuses
du tunnel ; on remplissait nos quarts dans les mares
où pourrissaient des cadavres... » *Cadavres :* le mot
revenait sans cesse, mais Kléber le prononçait frater-
nellement, comme il eût dit *camarades.* « Suspendus
aux barbelés comme une lessive abandonnée ; noirs
et dressés comme des arbres calcinés. Parfois,
quand nous reprenions une tranchée, on la trouvait
inondée : les cadavres flottaient. On vous a parlé
des « premières lignes » ; mais la première de toutes,
c'était toujours celle des morts — oui, la frontière
de chaque victoire : un liséré de morts... »

D'une voix égale et basse, celle des voyants, il
dressait le décor : les arbres déchiquetés, des troncs
énormes volant en l'air comme la canne du tambour-
major, les corps projetés retombant dans la main
desséchée d'un chêne, les batteries enterrées jusqu'à
la culasse, les copains qu'une marmite ensevelit et
qu'une autre exhume, les blessés enlisés que la boue
avale patiemment.

La boue ? le sang ? — Non, un mélange ignoble
de l'un et de l'autre qui, quatre ans durant —
mais non ! *jusqu'à la fin du monde, sous ce camouflage
de sapins,* a remplacé le sol de Verdun. Un pâté de
terre et de chair : « Mon lieutenant, on ne peut plus
piocher : on creuse dans la viande !

— Continuez... On pissait dans ses mains pour les
laver : ça puait moins, c'était plus propre, et c'était
chaud... »

J'AI VU... J'AI VU... Il répétait le mot comme pour
exorciser, une à une, ces images : des cavaliers morts,
enfouis dans le corps éventré de leurs bêtes ; six
cadavres, qu'une explosion avait posés l'un sur
l'autre comme les cartes d'un jeu ; deux combattants, un bleu et un gris, morts ensemble, embrochés l'un par l'autre « J'ai vu... J'ai vu... » Une
tête aux yeux ouverts qui saillait seule de la paroi
d'un boyau abandonné ; un soldat nu, un soldat
fou qui courait d'entonnoir en entonnoir,
la nuit.

La nuit... La féerie du diable : les fusées de
toutes les couleurs qui se croisaient dans les ruines
du ciel ; les feux de bengale aveuglants : « Alors,
on faisait le mort, les bras en croix, la bouche
ouverte — le mort sur un tas de vrais morts... » Le
bruissement infect des rats qui rampent pour dévorer
les visages immobiles. Et ces autres rats, les sapeurs
ennemis, progressant sous terre, là — « Non là !
écoutez....» Ces coups sourds, toute la nuit, toujours
plus proches : la mort, à pas lents, à pas lourds.
Pareils au cœur qui bat : tant qu'on les entendait

encore, on était sûr de vivre. Creusé, miné, sapé, une monstrueuse taupinière, ce terrain ! Vu du haut des avions à croix noires, il semble avoir la chair de poule.

La mort survolant, plongeant, jaillissant — la mort, à chaque seconde, inattendue et attendue. *Reine des batailles, l'Infanterie ?* — Allons donc, c'est la Mort ! « Le capitaine sort la tête de la tranchée pour tenter de voir si... — Il tombe dans mes bras, décapité. Une fontaine de sang... » Verdun... Verdun... Jour et nuit, des mois, des mois, des années... le terrain reconquis : étalage de boucherie et bric-à-brac de brocanteur. Et les mêmes camions qui apportaient des montagnes de munitions remportaient des amas de corps.

Il racontait les jardiniers de la Mort arrosant leurs sillons au lance-flammes, y semant les grenades ; et le brouillard insidieux s'avançant — mais surtout, mais toujours, mais partout les copains... les copains... les copains...

Et soudain, le vieil homme s'arrêta, la bouche entrouverte sur une phrase inachevée, passa très lentement sa main de neige sur son front, sur ses yeux, du geste dont on clôt ceux d'un mort, puis murmura : « Voilà... » et se tournant vers Patrick :

« Viens-t'en, mon petit. »

Le guide s'avança :

« Monsieur... (Sa voix toute rouillée.) Monsieur, vous ne repartez donc pas avec nous ?

— Non, nous irons à pied, tous les deux : je connais le chemin. »

Sans un regard pour les statues qui l'entouraient, il prit la main de son garçon et monta vers le Mort-Homme.

Kléber s'arrêtait brusquement, regardait sa carte, faisait « non » de la tête et repartait. Il ne reconnaissait plus rien : un étranger à Verdun, et le désespoir, par instants, figeait son visage. Patrick, qui l'observait, ne comprenait pas ce qu'il y avait de si contrariant à se promener ainsi, par monts et par vaux, à travers les sapins. Fastidieux, fatigant, ça oui — mais pourquoi désolant ? Ils marchèrent trois heures durant. .

Trois heures, presque sans une parole. Une fois, cependant, avant de traverser une certaine route, Kléber dit au petit :

« Vouloir franchir ce chemin-là, tu vois, c'était la certitude d'être volatilisé... oui, vo-la-ti-li-sé... »

Et, d'instinct, il le passa très vite en voûtant le dos.

Une autre fois, il s'arrêta, revint sur ses pas, leva les yeux, compulsa de nouveau ces cartes et ces carnets qu'il ne cessait de consulter, puis il dit :

« Oui, c'est là, c'est bien là.

— Quoi ? demanda, osa demander Patrick.

— Une nuit de mai 1916, on était terré sous le bombardement. Un arbre avait réussi à rester debout, je me demande comment ! Il était bien le seul... Et, dans l'arbre un rossignol chantait. »

A la corne d'un bois, non loin de l'écriteau fiché dans un tas de pierres : « Ici fut Fleury-sous-

Douaumont », ils tombèrent sur une famille qui
déjeunait sur l'herbe, serviette au cou, victuailles
étalées. Le vieux s'avança, la canne haute :

« Vous n'avez pas honte ?

— Quoi ! c'est pas défendu, protesta le plus
gros.

— Vous oseriez pique-niquer dans un cimetière ?

— Ce n'est tout de même pas la même chose,
dit l'une des femmes d'un ton pointu.

— En effet : ici les morts sont à même la terre,
innombrables, inconnus, et vous leur devez la vie.

— Dites donc, vous n'êtes pas chargé de...

— Et ils étaient mes camarades », acheva le
vieil homme — puis il leur tourna le dos
brusquement.

Ainsi parcourait-il inlassablement ce champ de
bataille le regard à terre, tel un chien de chasse,
hésitant, se ravisant, recherchant désespérément une
piste invisible, de boyau en tranchée, parmi les
entonnoirs de bombes et les cadavres en croix.
Mais, pour Patrick qui le suivait, les jambes molles,
c'étaient seulement des champs encore verts et des
bois de sapins que l'arrière-saison épargnait.
C'étaient, dans le ciel serein, de hauts vols d'oiseaux
migrateurs ; c'était le silence, la paix. « Dire, dire,
dire que je devrais être en classe en ce moment ! »
Il se retenait de courir, de chanter. Une coccinelle
égarée vint se poser sur sa main et demeura
là, tout le temps de la promenade.

Chaque fois que Patrick levait les yeux, il apercevait,
à sa gauche ou à sa droite, proche ou lointain, une

sorte de phare blanc; et lorsqu'ils parvinrent
au pied de l'ossuaire de Douaumont, il sut que
c'était la fin du voyage.

Comme une poule étendant les ailes sur sa cou-
vée, les deux bras de pierre abritaient de l'ingra-
titude ses trois cent mille morts pêle-mêle. La main
dans la main, le vieil homme et l'enfant pénétrèrent dans ce silence épais, dans cette odeur
d'encens et de morgue.

« Qu'est-ce qu'il y a à voir ?

— Rien, murmura Kléber.

— Alors pourquoi pleurez-vous ? » demanda
Patrick à voix basse, mais il n'attendait aucune
réponse.

Sur chaque pierre de la muraille, un nom était
inscrit — « Comme dans la maison du Père »,
avait dit un jour Théophane; et soudain, cette mystérieuse parole, Kléber, sans la comprendre davantage, la ressentait joyeusement. De la chapelle sortit
un groupe de très vieilles personnes, pères et mères
de soldats morts, les yeux rouges, honteux de survivre et de s'être consolés : venus pleurer de ne
plus pleurer. Une cloche grave, à la voix souter-
raine, s'ébranla, très haut. Patrick se sentait au
centre de la terre; il étouffait; il demanda la permission de sortir.

Kléber n'en finissait plus d'arpenter cet immense
hall, cette salle des pas perdus. Le train était parti
sans lui, trente ans, plus tôt : qu'attendait-il ? Mais
il se sentait en sécurité sous ces pierres épaisses

épaisses dont chacune était un camarade ; il aurait voulu devenir tout à fait aveugle et sourd comme elles, comme eux. Que n'honore-t-on les vivants par le silence ? Ce lieu restait donc le seul où il ne se sentait pas dépassé, *démodé*. Et il entendit de nouveau cette autre parole de Théophane : « Nos chevaux galopent plus vite que nous... »

« Oui, murmura-t-il (et il parlait aux pierres, ses seules confidentes), nos chevaux galopent plus vite que nous. »

Il avait complètement oublié Patrick — « Oh ! mourir ici, maintenant... » — et Patrick l'avait complètement oublié.

Il le rejoignit devant le premier rang des quinze mille tombes ; un rosier grandissait auprès de chaque croix.

« Est-ce qu'on l'a planté exprès ? demanda l'enfant.

— Non, mentit doucement Kléber, il a poussé tout seul : comme l'herbe, comme les sapins. Tout recouvert, tout effacé... C'est bien. »

Mais son cœur ne battait plus que par habitude, telle une horloge intacte dans une maison bombardée.

« Est-ce qu'on va rentrer maintenant ?

— Nous passerons *tout de même* par le fort de Vaux, dit Kléber. En avant ! »

Et la canne infatigable fit voler les cailloux.

Où Patrick attendait une forteresse moyenâgeuse, il ne trouva qu'une ruine massive profondément enfoncée dans le sol, un grand jouet abîmé. Kléber

refusa la visite commentée et monta seul sur le
dôme d'un des ouvrages d'où il tenta encore, naufragé sur ce promontoire, de scruter l'océan mécon-
naissable. Patrick demanda vaguement quelque
permission, d'une voix qu'il savait trop basse pour
être entendue du vieil homme mais assez forte pour
se donner bonne conscience. Il dévala la pente,
retrouva un instant son galop d'enfance, grimpa sur
une autre tourelle que dix mille explosions semblaient
avoir enfoncée en terre comme un clou. Un cham-
pignon de ciment en saillait encore, ouvrant au ras
du sol une fente allongée et cruelle : les yeux
d'Attila.

Patrick se glissa dans cette boîte aux lettres mais
tomba de beaucoup plus haut qu'il ne l'escomptait, sur des gravats poudreux. Impossible de ressortir par le même chemin ! Etourdi et anxieux, il se
dirigea vers l'intérieur du fort par un couloir de
ciment qui zigzaguait à angles brusques. Le jour
avait disparu et la lumière ne parvenait, de place
en place, que de vieilles ampoules tachetées de
roux que reliaient des fils trop lâches. « Je rejoin-
drai bien quelque part les visiteurs », pensa-
t-il. La bête à bon dieu n'avait pas quitté le dos
de sa main.

Il pénétra dans une casemate aux murs soudain
bien plus épais. Ces tringles de fer dévorées de
rouille avaient été des affûts de mitrailleuse ; cette
planche poreuse, une solide couchette ; ce débris
crevé, la lampe éclairant la veille d'un héros. L'air
seul n'avait pas changé depuis un quart de siècle :

l'air qu'avaient respiré les morts... Patrick, oppressé, battit en retraite par des couloirs étroits jusqu'à cette autre salle plus basse qu'un caveau. Parmi les éboulis à ses pieds, il vit un casque dont l'invisible suintement avait fait une dentelle de fer et — mais non, c'était impossible ! — des ossements humains... Pourquoi regarda-t-il alors sa main ? La coccinelle en avait disparu.

C'est à ce moment que la lumière s'éteignit... Sans doute suspendait-on les visites à telle heure ; ou encore l'installation vétuste cédait-elle de temps à autre. La lumière s'éteignit, et Patrick entendit distinctement son cœur battre : c'est tout ce qui demeurait vivant en lui, comme lui-même seul vivant parmi ces ruines aveugles. Quand il se sentit de nouveau capable d'un mouvement, il n'osa cependant pas bouger : il craignait trop, en se dirigeant à tâtons, de s'enfermer plus profondément dans le labyrinthe de béton ; il redoutait surtout d'y heurter un squelette. Quatre cent mille tués ! Combien dans cette enceinte même ? Et cette senteur de salpêtre n'était-elle pas l'haleine même de la mort ?

« Je vais attendre. Le guide reviendra. Le guide sera bien forcé de revenir ! » se dit Patrick et il demeura immobile, les yeux grands ouverts dans le noir. Mais voici que, dans ces ténèbres fétides, le récit de Kléber prenait vie, comme s'il avait fallu l'obscurité pour projeter ces images. Quelques heures plus tôt, sur la cote 304, l'enfant s'était d'instinct efforcé de ne pas les entendre ; mais il

constatait, à présent, qu'à son insu elles s'étaient
fixées en lui. Car voici qu'elles revenaient toutes
ensemble, chevaux et cavaliers, rats et sapeurs de
mines, cadavres et blessés, pêle-mêle : un immense
océan de boue et de sang investissant le fort de Vaux,
submergeant le rocher têtu...

« Philippi ! Philippi ! »

Deux ans plus tôt, il eût appelé Kléber au
secours ; et le vieux soldat l'eût tiré de là comme
il l'avait sauvé des camions allemands en juillet 44
et des policiers en juillet 46. Mais, à présent, il n'y
voyait plus clair et il entendait mal ; et puis cette
prison suintante, ces vestiges et ces ossements, *Kléber
était de leur parti...*

Patrick appela encore une fois « Philippi » mais
par défi : pour ne pas crier « Papa », puis il
s'assit sur ses talons et attendit, les yeux ouverts,
en respirant le moins possible cet air confiné, contagieux, qui lui semblait se raréfier d'instant en instant,
cet air qui n'était fait que du dernier souffle de
tant de héros. Il attendit. Quoi ? — « La mort »,
se dit-il bravement. Mais non, on ne mourait plus à
Verdun. C'était de la vieille histoire, comme on en
lit dans les livres : une guerre avec des pigeons et
des chiens, vous pensez ! Pas de place à Verdun pour
un seul mort de plus, même un tout petit : fini,
saturé ! Suffisait d'attendre assez longtemps...

Très longtemps. Quand Kléber, devançant le
guide : « Laissez, je connais l'ouvrage mieux que
vous ! » braqua le rayon de sa torche électrique sur
ce qui avait été le P.C. du commandant Raynal,

il y trouva un petit tas vacillant à ras de terre.
Epuisés de ténèbres et de sommeil, les longs cils
noirs battirent lentement sur des yeux d'aveugle.
Ceux de Kléber brillaient d'angoisse et de fatigue.
« Mon bonhomme... mon petit bonhomme... »

Ils reprirent n'importe quel car vers la ville, vers
la gare. Un vent de Toussaint faisait le tour des
quais gris, des verrières livides. Le soir montait
insidieusement ; la cité se drapait dans sa cape
d'hiver : on ne voyait plus que ses yeux. Une morne
sonnerie annonça le convoi. Ils entrèrent dans un
compartiment qui puait le dormeur pauvre ; pourtant, cette chaleur des vivants leur parut délicieuse.
Ils se retrouvaient face à face, mais tout était
changé : ce train tournait allègrement le dos à
l'Espoir, à l'Honneur. En quittant les abords de la
ville on passa devant un monument : AU POILU
VAINQUEUR DE VERDUN.

« Vainqueur de Verdun ? murmura Kléber :
Tiens donc, le seul vrai vainqueur de Verdun,
c'est le Temps ! » Et il détourna la tête.

Son rein le faisait souffrir d'une douleur à la
fois aiguë et sourde : se vengeait de ces six heures
de marche. Patrick observa que sa main tremblait :
« Est-ce pour toujours ? » se demanda-t-il froidement ; cela ne lui inspirait ni inquiétude, ni
compassion, seulement une sorte de répulsion.

Il n'y put tenir, sortit dans le couloir, abaissa
juste assez la vitre pour qu'un filet de vent lui mette
les larmes aux yeux. Jamais, depuis la nuit des

ruines, depuis la mort de Philippi, il ne s'était
senti aussi seul, aussi triste. Si seul qu'il soufflait
contre le carreau afin de pouvoir dessiner sur la buée
des bonshommes qui lui tinssent compagnie. Les
trains qui croisaient le leur lui paraissaient rapides,
éclairés, joyeux — eux seuls! Le front glacé, il
enviait les petites lueurs au fond des campagnes et
ces passants qui se hâtaient vers elles. Les rails lui-
saient froidement, les talus dormaient déjà, on
traversait des villes mortes. « Daniel, pensa-t-il
soudain, je vais revoir Daniel... » Alors, il retrouva
l'envie de vivre jusqu'à demain.

Côté wagon, Kléber regarde fuir l'autre moitié
du paysage : les ombres immenses à cette heure,
les ruelles noires piquetées d'ampoules avares, les
hangars ouverts à la nuit. Ce train, qui fonce aveuglément vers la ville et l'hiver, ce train l'emporte
malgré lui ; le Temps l'emporte malgré lui.

Un voyageur à cheveux blancs feuillette *La France
libérée,* se penche vers sa femme :

« Lis-moi ça! Je voudrais bien connaître l'imbécile qui a renseigné ce journaliste sur la condition
des vieux. C'est une honte! On s'étonnera, ensuite,
que... »

Il récrimine longtemps. L'imbécile dissimule
son visage contre la vitre froide ; appuyé à l'hiver,
le vieux front tremble au rythme du train. « C'était
pour   l'honneur,   plaide-t-il   encore,   pour
l'honneur... »

Mais qu'est-ce que l'honneur ? Les sapins poussent sur le champ d'honneur, les guides récitent

leur leçon et attendent un pourboire. C'est l'époque entière qui vole et qui ment. Un siècle de faussaires... Pauvre Patrick ! A quoi bon l'habituer à respirer un air qu'on ne trouve plus nulle part, *pas même à Verdun ?*

Pas un mot échangé de Verdun à Paris, de la gare de l'Est à l'autobus, de Gravelle à la Prolétarienne ; puis à pied, sous les étoiles de glace, jusqu'à la petite maison, pas un mot.

Ivre d'impatience, Quatre de trèfles tourne, jappe, gratte la porte. Kléber tire lentement ses clefs et, se retournant vers Patrick :

« Tu n'as pas envie de pleurer, toi ?

— Non », dit Patrick — et il éclate en sanglots.

VII

GOLIATH TOUJOURS VAINQUEUR !

Le cerisier était en fleur. Kléber s'en approcha avec
une sorte de respect et il en aspira la senteur fragile.
Tant de délicatesse chez un si vieil arbre : un grand-
père qui porterait timidement dans ses bras un
tout petit enfant... Derrière la vitre, Quatre de trèfles,
la tête inclinée, le sourcil tragique, regardait partir
son maître avec de petites plaintes que la porte
étouffait.

« Je ne peux pourtant pas t'emmener : je vais à
la poste » expliqua Kléber (mais seulement pour
le vent timide et le soleil paresseux). Et, comme
le clown triste figurait un vrai désespoir : « Bon,
alors viens ! Le receveur est notre ami depuis vingt
ans... »

Ils s'éloignèrent, l'un suivant l'autre. Autrefois,
c'était le chien qui menait ; mais, avec le temps, il
s'était rapproché de son maître jusqu'à l'accom-
pagner ; à présent, il marchait derrière lui. Il avait
appris à reconnaître Kléber de dos, de loin, et désormais il prenait tout son temps pour pisser.

Un camion chargé de charpente stationnait contre l'horloge à trois faces.

« Vous cherchez quelque chose, messieurs ? » demanda courtoisement le vieil homme avec l'espoir qu'ils se fussent égarés et qu'il pourrait les éloigner de son domaine.

« Non, non, nous sommes rendus », lui répondit une bouche pleine, car ils cassaient la croûte.

Kléber vérifia que sa montre était conforme à l'heure-ouest, et il poursuivit sa route tandis que le chien lambinait à deviner de loin le contenu des gamelles. L'herbe poussait toujours aussi obstinément entre les nouveaux pavés rincés par l'automne, transis par l'hiver. « Cette herbe, c'est l'image de nous autres », pensa Kléber, charmé de cette trouvaille, oubliant que Théophane le lui avait dit l'autre année et ne sachant plus, d'ailleurs, en quoi cette herbe les figurait.

« Oui, reprit-il en se tournant vers Quatre de Trèfles, c'est nous autres... Mais ils sont capables de nous étendre du macadam partout ! »

La barrière de Théophane demeurait entrouverte : parti sans doute en hâte, ce matin, traînant cette valise « qui devient de plus en plus lourde, mon pauvre vieux ! » Mais ce n'était pas la valise qui changeait... Kléber ferma la barrière ; elle se rouvrit doucement dans son dos et le chien leva la patte sur elle.

Contre la maison de Mme Irma, un tilleul et un marronnier s'étaient étroitement mariés. L'hiver, en temps d'épreuve, on voyait leurs branches

distinctes ; mais, au printemps, ils ne formaient plus
qu'un seul brouillard vert. Kléber s'arrêta devant
ce couple indiscernable, hocha la tête : (Evidemment,
s'il avait épousé Mme Irma...) — et repartit en
soupirant.

Allons bon ! la papeterie avait, elle aussi, changé
de devanture : une porte en glace et des lettres
« modernes », comme ils disent... Allons bon ! du
marbre sur la façade de la banque, de l'or aux lances
de ses grilles... Et, au-dessus de la boucherie chevaline, un tube de néon cernait le profil du cheval.
Allons bon ! un poste d'essence vert et rouge devant
l'ancienne maison du notaire...

Il poursuivit son chemin de *allons bon* en *allons
bon*. « J'avais bien prévenu Théophane ! D'abord
les cafés, et puis les commerçants : leur nom en
lettres lumineuses, toute la nuit ! C'est le bal des
voleurs... »

Il n'avait pourtant pas prévu qu'Adrien lui-
même trahirait : des tubes mauves et jaunes sur
la façade de son cinéma, un S ajouté à l'enseigne :
LE ROYAL's, et l'annonce d'un « Cinémascope »...

« Qu'est-ce que ça signifie, Adrien ?

— Des frais !... Et tu n'as pas tout vu : j'installe
des fauteuils en velours.

— Mais personne ne te le demandait !

— Si mon vieux : les fesses ne sont plus ce
qu'elles étaient.

— C'est le progrès, dit Kléber amèrement.

— Sais-tu qu'on construit un autre cinéma à
Villeserve ?

— Et deux nouveaux garages, je sais. Mais toujours pas de logements !

— Ne t'en plains pas, mon vieux », murmura l'autre en détournant la tête.

Dans le bureau de poste, impossible de laisser pénétrer Quatre de trèfles : les travaux étaient achevés. Plus de parquet gris, de tables crevassées, mais de l'aluminium partout, des globes, des mosaïques maladives : un bistrot de veuve.

« Qu'est-ce que tu en dis, Kléber ? demanda le receveur, surgi d'un bureau aux sièges métalliques.

— Que mon chien attend à la porte.

— Avoue qu'il était temps de remettre à neuf !

— Tout cela vieillira mal. Rendez-vous dans dix ans : tu regretteras ton brave bois et tes couches de peinture... »

L'autre le poussa du coude :

« Je ne regretterai rien du tout : je prends ma retraite l'an prochain.

— C'est bien ça, fit Kléber avec une belle inconscience : après nous le déluge, hein ?

— Dis donc, farceur, voilà treize ans que tu as débrayé, toi ! Je ne te reproche rien, mais pas surprenant que tu ne sois plus dans le parcours... Hé ! Ne te fâche pas, Kléber ! »

Non, ce n'était point de colère que le vieil homme avait pâli.

« Qu'est-ce que tu appelles « ne plus être dans « le parcours » ? demanda-t-il d'une voix creuse.

— Eh bien, justement, préférer, un bureau pourri à un bureau neuf sous prétexte que ton chien y

avait ses entrées, ou que tu l'as toujours connu
ainsi. Pourquoi veux-tu habiller nos enfants avec nos
hardes ?

— Monsieur le receveur, une petite signature... »

L'employé lui présenta un papier jaunâtre et
déjà couvert de tampons, un encrier rempli de
vase, un buvard desséché.

« Console-toi, Kléber, dit le receveur en lui désignant, d'un clin d'œil, cette misérable panoplie. Tu
le vois, tout n'est pas perdu... »

Le vieil homme rejoignit son chien dont le nouveau
bureau de poste intriguait joyeusement la truffe.
D'ailleurs, n'était-ce pas le Plessis Belle-Isle tout
entier qui changeait d'odeurs ? « Allons bon, un
passage clouté ! Ils ne vont tout de même pas
installer un feu rouge et vert à la Prolétarienne ? »

Kléber qui cherchait un déversoir au trésor de
colère qu'il amassait, s'emporta contre Quatre de
trèfles qui dérivait obstinément vers le magasin à
prix uniques :

« Vas-tu me suivre, bigrebougre ?... Je... Oh ! et
puis tant pire, je ne m'occupe plus de toi ! »

L'autre hésite encore puis le suit, la queue
basse : en fait, il vient stoïquement de choisir entre
ses deux maîtres. Car Patrick, rencogné dans une des
portes du magasin, suit Kléber d'un regard anxieux
et fait signe au chien : « Va-t'en ! mais va-t'en
donc ! »

Ce matin, Patrick a fait sonner son réveil plus
tôt que de coutume « afin de profiter de son jeudi ».
Entre le passage des boueux et celui des facteurs,

il est sorti de la maison : « B'jour, p'pa » et il a suivi Daniel à la trace : une traînée de craie rose à sa hauteur sur les murs des pavillons, les arbres, les réverbères. Il le trouve caressant l'âne, qui se régale d'herbe nouvelle au milieu d'une constellation de crottin.

« Bonjour, bonhomme !... (Car il lui a donné le surnom paternel)... Viens place de la Mairie : on essaiera la paire de patins à roulettes de Roger. »

Une chaussure chacun ; on roule sur un pied, on se pousse avec l'autre : le rêve, la réalité... le rêve, la réalité... — parmi les ménagères qui attendent l'ouverture du magasin à prix uniques. 9 heures 15 : une grêle sonnerie l'annonce.

« Maintenant, bonhomme, prends les deux patins (Daniel louche de joie) et joue tout seul : moi, je suis occupé. »

Oui ! un peu, beaucoup, passionnément « occupé » à regarder, à aimer du regard Dany, la petite vendeuse du rayon *articles ménagers*. Pour Patrick, l'amour gardera toujours cette odeur d'encaustique et de poudre à laver qui le trouble jusqu'au fond du ventre. En cette Dany, pour un garçon blond aux yeux verts, tout semble miraculeux : ses prunelles marron, ses cheveux noirs — les plus communs qui soient. Mais regardez ! elle se retourne, elle parle, elle passe sa main sur son front, sur sa nuque : regardez ! *elle vit...* Et ce prénom de star de cinéma... La nuit, Patrick le murmure à voix haute, comme si elle se trouvait près de lui : « Ma Dany... ma Dany chérie... »

A présent, il regarde — non, se refuse à regarder
le renflement de sa poitrine sous la blouse. Et
cette façon de rendre la monnaie qui donne à chaque
pièce une valeur inestimable... Comment ces bonnes
femmes à cabas ne s'en avisent-elles pas ? « Ma
petite », ose dire l'une d'elles. Est-ce ainsi qu'on
parle à une princesse, à une vedette ?... Les autres
vendeuses sont déjà de la race des clientes : femmes
jusqu'au bout sanglant de leurs ongles trop longs.
Elles ont pour amis des gars pommadés et velus
qui les emmènent sur leur moto. Le lundi matin,
elles se font des confidences sans pudeur, mettant
toute leur vanité à paraître plus heureuses ou plus
malheureuses que les autres. Tandis que Dany...
Le roulement de son travail la libère chaque jeudi,
en fin de matinée ; mais serait-ce un autre jour
que Patrick viendrait pareillement l'aimer, l'espérer,
l'attendre. Tant pis pour l'école où, de nouveau,
le maître hérisse la brosse de ses cheveux.

Patrick, Patrick, jamais tu ne décrocheras ton
certificat en juin. Dis à ton père que... Non ! ne lui
dis rien. »

Mais le garçon s'en moque bien : en juin, il
gagnera sa vie grâce à Roger — à Roger qui ne sait
même pas lire ! Alors, le certificat, vous pensez...

Patrick, tel un chien à l'attache, flâne entre les
comptoirs sans jamais s'éloigner de plus d'un regard
de celui des produits ménagers. Les autres vendeuses
protègent son carrousel : elles comptent bien que
Dany les paiera en confidences et, qui sait, quelque
jour, en larmes.

Mais Dany ne leur racontera pas que ce garçon
mystérieux au prénom de petit lord, aux yeux sous-
marins, lui prend la main dans la sienne toute moite
de timidité, et l'emmène à pied près de l'étang
de Fontaine-au-Bois.

A la Maraîchère, il interpelle un âne gris qui
les suit : « Veux-tu monter dessus, Dany ? » Elle
essaie ; mais ce père grosse-panse devient aussitôt
statue d'âne : il n'avancera plus d'un pas.

« Ce qui serait chic, suggère Dany déçue mais
rassurée, ce serait d'aller en tandem, toi et moi. »

« Toi et moi... » Patrick défaille de joie, de fierté.
Pourtant, il fronce le sourcil ainsi qu'il l'a vu faire
aux grands :

« Un tandem ? Cela peut s'arranger », promet-il
d'un ton qui ferait pouffer Kléber ou Théophane.

Il compte sur Roger, providence débonnaire.
Comme les enfants, comme les pauvres, il attend
tout d'une seule personne et qui ne saurait le
décevoir ; ce n'est plus Papa, mais Roger. D'abord
vaguement jaloux de cette Dany, celui-ci assiste
désormais à leur amour comme à un film de cinéma,
à l'une de ces histoires qui n'arrivent qu'aux autres.
Sa vie sentimentale a bien changé depuis qu'il
gagne de l'argent : une ou deux fois par semaine,
il descend à Pigalle. Coucher avec une prostituée,
en plein Montmartre, voilà qui le naturalise définitivement Français ! Et parfois, pour s'affirmer
sa réussite, le pauvre Roger s'en paie deux. Dans
le même temps, il enrichit son pavillon d'une bat-
terie de cuisine, d'une machine à coudre et d'une

« ménagère » — pour la matrone crépue et tyra-
nique qui s'y installera un jour et qu'il appellera
« Maman » avant même qu'elle lui ponde des enfants.
Alors, il se laissera engraisser davantage encore,
mais plus par représailles : par bonheur.

« Roger me procurera bien un tandem », pense
Patrick qui, tels les enfants riches, n'a plus la tentation de voler. A cause de Roger, il a trahi Kléber :
cessé d'être pauvre. En ce moment même, il songe :
« ... Un tandem, et plus tard une moto... un jour
même une auto... » Il projette, il calcule : il est
riche. Pauvre, pauvre Kléber !

La main dans la main (et chacune trouve l'autre
plus chaude qu'elle), les deux enfants s'approchent
de ces fondrières que le ciel a comblées de pluie
et qu'on a baptisées « l'étang » ; de ces arbres ingrats,
ces taillis poussiéreux, ce gazon avare et parsemé
de papiers mais qu'on appelle « le bois ». Arbres
et fleurs y sont moins beaux que ceux qu'on aperçoit de la fenêtre de Patrick, sur le chemin de l'écluse ;
mais ici, c'est par les yeux de Dany qu'il s'émer-
veille, et Dany loge dans un immeuble de briques
à Villeserve. Ils espéraient cueillir déjà du muguet ;
heureux de trouver encore du lilas. Patrick ne sait
plus si ce sont les fleurs ou Dany qui exhalent ce
parfum.

Ils n'osent pas s'asseoir — s'asseoir : s'allonger,
s'allonger : s'embrasser... Chacun redoute son inex-
périence et la déception de l'autre, chacun croit
qu'il est le seul à être un enfant. Dany voudrait
bien, Patrick voudrait bien graver leurs initiales

sur un arbre — mais si l'autre allait se moquer ? Ils écoutent un oiseau, leur oiseau, et, lorsqu'il s'envole, éprouvent ensemble leur premier serrement de cœur.

« Chante-moi quelque chose », demande Dany.

Car cela se passe ainsi dans les films de Luis Mariano, et à la fin de la chanson on s'embrasse.

D'une voix mal assurée, Patrick commence :

> *Vous avez, ma gentille,*
> *pris l'talon d'vot' soulier*
> *dans le trou de la grille,*
> *la grill' du marronnier.*
> *Ah ! permettez de grâce...*

Lorsqu'il achève :

« Elle est idiote, ta chanson », remarque doucement Dany.

Patrick ne lui en tient pas rigueur : à Kléber seulement, qui pleure en écoutant des chansons que Dany juge idiotes.

« Moi je vais t'en chanter une... »

Elle ferme les yeux, fronce les sourcils, joint les mains et, d'une voix rauque :

> *Ton amour*
> *est pour mon amour*
> *le plus bel amour...*

Patrick est bouleversé. Il vient de comprendre que les paroles de toutes les chansons de la radio ont été écrites pour Dany et pour lui ; et que les films n'ont aucune autre raison d'être que d'imager leur histoire. Il sait, à présent, que le monde entier n'a été créé et n'a duré jusqu'à ce jour que pour abriter, admirer, refléter leur aventure : bref, il aime.

Kléber, Roger, Daniel lui-même (si jaloux de cette « Dany » qui lui vole son prénom, son seul bien) n'existent plus ; il leur préfère l'oiseau, le lilas : toutes les créatures dont Dany peuple leur univers à mesure qu'elle touche, qu'elle parle, qu'elle écoute. Il voudrait ne plus respirer que l'air qui sort de cette bouche ; il voudrait devenir tout petit et demeurer dans elle, devenir très grand et la contenir tout entière. Il ne sait pas ce qu'il voudrait ; mais il sent qu'il doit bien exister un moyen de résoudre son mal en délices. Il étouffe, et pourtant ne respire-t-il pas vraiment pour la première fois ? Il voudrait ne la quitter jamais ; et, cependant, qu'elle parte afin qu'il puisse courir en hurlant son nom, s'abattre sur l'herbe, avoir peur, avoir froid : ne plus espérer qu'en son retour. Dany, dimanche, soleil — c'est tout un ! Les heures qu'il passe avec elle sont les seules où jamais il ne pense à Philippi, à la mort, au passé, au futur. Dany... Dany...

> *Le plus bel amour*
> *de tous les amours...*

L'absurde chanson se termine.

« Embrasse-moi », demande alors Dany d'une voix tremblante.

Un immense creux en elle : son corps n'est plus qu'une grotte où bat un sang exigeant. S'évanouir, n'est-ce pas cela qu'ils appellent s'évanouir ? Tandis que les yeux fermés, ses mains étreignant le vide et sa bouche mordant un fantôme, Dany attend d'être emportée dans un autre monde — ciel ou enfer, que lui importe ? — elle sent deux lèvres brûlantes mais sages se poser sur sa joue. Sur sa joue !... D'une branche où déjà le soleil ne pénètre plus, l'oiseau muet regarde ces deux enfants qui tremblent dans le soir et le sol est jonché de fleurs de lilas.

En rentrant de sa décevante tournée au Plessis Belle-Isle, Kléber entendit des coups de marteau et vit les ouvriers du camion qui dressaient une palissade parmi les vergers, les potagers et le long de la route d'Yveline-le-Pont. « Ils sont fous ! » Plus haut que l'horloge, un panneau annonçait — « ...tends voir que je mette mes lunettes ! »

« CITE POUMONS »
Réalisation de Pierre-Emile
MALOUVRIER
Construction de 1 237 logements
tout confort — vision panoramique
Finition avril 1950
Pour tous renseignements
s'adresser au C.O.I.C.

Kléber ne put lire l'annonce jusqu'au bout : tout vacillait ; il porta derrière lui une main d'aveugle,

rencontra le montant de l'horloge et s'y adossa
juste à temps. Il demeura là, saint Sébastien que
les ⸱regards des ouvriers transperçaient plus cruellement que des flèches. Quatre de trèfles croyant
à un jeu, tournait autour de lui en aboyant. Enfin,
dès qu'il eut conscience qu'au sein de cette immense
trahison, ses jambes, du moins, ne lui manqueraient
pas, il repartit, persuadé que, du chantier, on ne
le quittait pas des yeux. C'est cette illusion qui,
dans l'épreuve, rend les orgueilleux exemplaires.
Mais, rentré chez lui, il s'effondra dans son fauteuil,
empereur déserté.

Sur la table, des bibelots inutiles attendaient
d'être réparés. Il revit distinctement la main si
poilue de M. Thomas du C.O.I.C., ce loup déguisé
en berger ; il entendit la voix de Roger : « De nos
jours, il revient plus cher de réparer que d'acheter
du neuf, monsieur Demartin, tout cela est
sans avenir... » Tout cela : les objets familiers, le
pavillon de ses grands-parents, les arbres centen-
naires... Et aussi le petit enfant qu'on aimait, et
Verdun, et l'Honneur — oui, tout cela était sans
avenir.

Kléber demeurait là, le menton sur la poitrine,
les mains pendant de part et d'autre lorsqu'il sentit
sur l'une d'elles une caresse humide : Quatre de
trèfles la léchait patiemment comme il faisait pour
ses propres plaies, car c'était le seul remède qu'il
connût. Le vieux maître le regarda ; la bête leva
sa tête et ils restèrent longtemps les yeux dans les
yeux, à s'aimer tristement.

Soudain, de cette main que le chien avait guérie
à sa manière, Kléber frappa le bras du fauteuil ; il
se leva et dit très haut :

« Je prends l'affaire en main ! De quoi s'agit-il ?

« Je prends l'affaire en main ! De quoi s'agit-il ?
(Quatre de trèfles aboya joyeusement.) Oui, mon

Ayant ainsi proféré les trois paroles magiques,
il coiffa son béret, chercha sa canne — « C'est vrai,
je l'ai donnée à Patrick au retour de Verdun » —
et repartit, suivi de l'animal qui avait déjà deviné
qu'aujourd'hui on ne mangerait guère.

Mais les voisins, eux, déjeunaient ; Kléber fit le
tour de toutes les maisons fumantes : « Avez-vous
vu la pancarte ? — On était prévenu... Asseyez-vous
donc, monsieur Kléber. — Pas le temps ! Ainsi vous
saviez donc ? — Depuis des mois. Pas vous ? — Première nouvelle ! Vous auriez pu... — On n'osait pas
vous en parler. Vous prendrez bien un petit verre
de... ? Bien, bien, on n'insiste pas. — Mais qu'est-ce
que vous allez devenir, mes pauvres ? — Le relo-
gement est prévu : au douzième, au treizième étage,
précisaient les autres non sans fierté, avec héber-
gement dans une cité provisoire durant les travaux.
On déménage le mois prochain. Évidemment, ce
sont bien des tracas mais... » — Ils allaient parler
argent. « Bonsoir ! » coupait le vieux. Sur toute
l'étendue du monstrueux immeuble, à quelque
porte qu'il frappât, il échangea ces mêmes propos. Il sortit de ce périmètre maudit : « Tant pire
pour eux, après tout ! Et je suis sûr qu'ils *me* plaignent
les imbéciles... »

Quand il repassa devant sa maison, la palissade avait progressé et semblait vouloir la cerner. Elle interdisait l'autre côté du chemin avant de s'enfoncer, comme une hache, à travers le vestige de futaie qui, chaque matin lorsqu'il repoussait ses volets, faisait lever les yeux à Kléber. « La fleur... la bougie... » Dès demain, il ferait donc sa gymnastique devant une palissade ! Le coq de buis taillé du voisin se trouvait déjà en cage. « Lui aussi ! pensa Kléber avec une fureur triste. Descendons voir Ernest... »

En chemin — à peu près au même endroit où le projet Verdun l'avait naguère illuminé — il lui vint une idée dont, pour cette raison, il se méfia aussitôt. Ecrire à Félix, le président des Chemins de fer, et lui dénoncer la Cité Poumons. Lui seul aurait le pouvoir de suspendre les travaux : « Personne en France ne peut rien entreprendre contre la volonté de la Compagnie », se disait-il avec une fierté naïve.

Penché sur ses giroflées et ses pensées qu'il désherbait, Ernest releva vers le visiteur une face congestionnée où sa moustache semblait de neige, et lui tendit une main terreuse.

« Alors, tu connais la nouvelle ? »

Kléber lui raconta la pancarte, la palissade : « 1 237 logements, quatre habitants en moyenne — calcule toi-même, Ernest !... » Ce qu'Ernest calculait aussitôt, c'est qu'il se trouvait hors d'atteinte. Il plaignit son vieux camarade, mais sans compassion.

« Mais ne t'inquiète pas, fit Kléber irrité et déçu qu'il ne s'inquiétât pas, je prends l'affaire en main : je vais alerter Verviers.

— Félix ? Tu ne sais donc pas qu'*ils* l'ont démissionné le mois dernier ? »

Tandis que son compagnon impassible mesurait intérieurement l'étendue du désastre, Ernest reprit l'éternelle et vaine jérémiade des pauvres contre ces « *ils* » mystérieux, responsables à leurs yeux de toutes les injustices. « C'est comme pour nos retraites, si tu crois qu'*ils* s'en soucient ! » En parlant, il nettoyait machinalement ses fleurs d'une main bourrue.

« Adieu, Ernest.

— Qu'est-ce que tu as l'intention de... ?

— Fais-moi confiance », assura Kléber en clignant un œil — mais lui-même venait de perdre toute confiance en soi.

A la barrière, il retrouva Quatre de trèfles qui savait, depuis dix ans, que nulle patte n'a le droit de pénétrer dans le jardin-musée d'Ernest. Tant qu'un tournant de route la lui dissimula encore, Kléber espéra que la palissade aurait disparu : qu'un prodige, entre-temps... Elle était là, plus longue même, ayant empoché le hangar des Duperret, les meubles jumelles de Thénot et le verger Soucy. Tout cela finirait donc sous un tombeau de béton...

« Quatorze étages, calcula Kléber : trente-cinq mètres de haut, pour le moins... » Cette immense masse, il la *voyait*, forteresse aveugle dont le rempart tomberait en abrupt sur son jardin. Aveugle ? — Tout au contraire ! des milliers d'yeux ne cesseraient de l'épier, clignotant, l'un puis l'autre, comme les étoiles dans la nuit. Il n'y avait encore qu'une fragile palissade de bois blanc entre lui et ces arbres condamnés, encore que des nids et de fugaces écureuils à l'observer craintivement ; pourtant Kléber acquit, à cet instant, la certitude qu'il ne pourrait plus habiter sa petite maison. Les fleurs du cerisier portaient déjà le deuil blanc des reines.

« Patrick doit s'inquiéter », songea-t-il, et la pensée de son garçon dressant le couvert — Vite, papa, je crève de faim ! — lui apporta sa première consolation. Mais, sur la porte, Patrick avait épinglé cet avis : « Papa, je ne déjeune pas. Je vous *esplicuerais.* » (Il avait hésité sur l'orthographe du dernier mot avant de choisir la pire.)

« Non, pensa Kléber, il ne s'en expliquera pas plus que dimanche dernier ; et moi je ne lui demanderai rien... Je suis seul, se dit-il encore avec une fierté amère, tout seul. » Il sortit de sa boîte ronde la montre imperturbable qui ne se doutait guère que, depuis ce matin, le temps vacillait :

« Deux heures et demie : l'autre doit se trouver à son bureau. Quatre de trèfles, mon vieux, on repart à la contre-attaque ! »

Le même chemin les conduisit, maître anxieux et chien résigné, jusqu'au bureau de poste — le même chemin, mais Kléber n'avait plus un seul regard pour les feuilles nouvelles, pour les nuages errants.

« L'annuaire... Voyons voir... COGEMA... COHEN...
Ah ! j'y suis : C.O.I.C... »

Les cabines restaurées possédaient un système de
porte tournante beaucoup plus pratique mais à la
condition de le connaître.

« Aïe donc ! qui est-ce qui m'a flanqué une... Ah !
tout de même... »

Le sourcil haut, Kléber composa le numéro avec
une lenteur de pharmacien.

« Ici, C.O.I.C.

— Allô, fit-il posément, c'est bien le Consortium
d'Opérations Immobilières et de...

— C.O.I.C., oui. Qui demandez-vous ?

— Monsieur... (Allons bon ! était-ce Clément ?
Richard ?) ... Heu !... Thomas.

— ... part de qui ?

— Demartin, Kléber. »

Il ne pouvait s'empêcher de « rectifier la position » chaque fois qu'il énonçait son nom.

« ... vais voir... quittez pas. »

Il attendit, la tête vide. Faudrait-il user du ton
bonhomme ? outragé ? menaçant ? — Il n'eut pas le
loisir d'en décider :

« Ici, Thomas, fit une voix brève. (Sa main poilue sur l'appareil...) A qui ai-je l'avantage... ?

— Demartin, Kléber.

— Demartin ?

— Du Plessis Belle-Isle. »

Il y eut un silence où le vieux cœur battait à tout
rompre, puis :

« Parfaitement. »

A ce seul mot, Kléber sut que le loup s'étirait, plissait ses yeux, montrait les dents. Les deux récepteurs appliqués aux oreilles, le souffle retenu, les yeux fermés afin de mieux entendre, le vieil homme était suspendu à cette voix plus que lointaine : étrangère.

« Je vous rappelle, monsieur Thomas, au sujet de la négociation dont vous-même... »

Il avait, en chemin, préparé des paroles qui ne mendiaient point trop : si tout était perdu, qu'il puisse du moins sauver la face. Peine inutile ! M. Thomas avait trop longtemps attendu ce revirement (et l'enclave manquante trop entravé les plans de l'architecte) pour qu'il puisse jouir de cette conversation cruelle. Le chat repu ne joue même plus avec la souris. D'ailleurs, pour M. Thomas, du C.O.I.C., la Cité Poumons était une histoire terminée puisqu'il avait encaissé ses commissions. Pour l'heure, il s'affairait à défigurer Robinson-Bellevue ; la serviette coffre-fort à la main, il avait déjà commencé sa tournée. Aussi répondit-il fort sèchement :

« Le Plessis Belle-Isle ? C'est un dossier classé. Si toutefois vous soulevez une contestation, voyez notre chargé d'affaires : M. Roger... Heu... »

A son tour il buta sur son nom, une fois de plus.

« Moi aussi j'ai un *chargé d'affaires* », répliqua Kléber sans même réfléchir. (C'était le « moins que toi » des enfants.)

« Eh bien, qu'ils se mettent en rapport ! Bonsoir. »

Le vieux n'osait pas raccrocher, crainte de rompre tout à fait avec le C.O.I.C., avec l'espérance. Cependant, il étouffait dans cette cabine ; il en manœuvra la porte dans le mauvais sens, la coinça, la força, faillit outrepasser le *bigrebougre* — et sortit en sueur dans ce bureau tout neuf dont il avait médit, le matin même, et qui déjà se vengeait.

Que faire à présent ? Parler à ce Roger ? — Jamais ! N'était-il pas le responsable de tout : de la Cité Poumons, des enseignes lumineuses, des portes de verre, des cabines-pièges ? Le parfait représentant d'une époque qui n'avait plus besoin des vieux hommes et à laquelle ceux-ci ne trouvaient plus de goût ? Ne venait-il pas d'acheter le premier poste de télévision du Plessis Belle-Isle, et n'assemblait-il pas, chaque soir, tout le voisinage devant son guignol ténébreux ? Un homme qui ne savait même pas lire et fourrait les billets de banque à même ses poches ! Et comment lui pardonner le désenchantement de Verdun ? Car c'était lui, toujours lui, qui avait indiqué Kléber aux journalistes. Responsable de tout ! et d'abord de l'éloignement de Patrick.

Mais, j'y pense, qui d'autre aurait pu lui enseigner à mentir, à voler ?... Un homme que vous avez connu chiffonnier et le voici millionnaire, vous trouvez cela naturel peut-être ? — Non, Kléber ne ferait aucune démarche auprès de « l'agent d'affaires » de M. Thomas : il se procurerait, lui aussi, un émissaire et...

« Attends donc Théophane », lui souffla la

sagesse. — « Théophane, et pour quoi faire ? J'ai
l'âge de me conduire seul, je suppose ! D'ailleurs,
qui se soucie de moi ? Ernest était plus attentif à
ses fleurs qu'à ma peine. Et, de ses fenêtres, le
capitaine n'aperçoit même pas la palissade. Alors !
encore des bonnes paroles ? Ça tombe comme à
Gravelotte quand on est dans l'ennui. » — Attends
donc Théophane !...

Il ne l'attendit point mais partit sur-le-champ
à la recherche du petit homme noir, comme cinq
ans plus tôt. Cinq ans, déjà ? Quoi ! cinq ans seulement : les cartes de pain, les files d'attente, « Maréchal, nous voilà » ; ces petits rectangles de pierre
qui tenaient lieu de savon, cette bave d'algues qu'on
vendait pour de l'huile, le « sucre de raisin » qui
noircissait la bouche ; et l'odeur chimique des
soldats allemands, le martèlement clouté de leurs
bottillons noirs, leurs uniformes couleur de cadavre
pourri — cinq ans, cinq ans seulement ?

Pourtant Kléber s'arrêta, un sourire aux lèvres,
parce que, oblitérant ces images sinistres, et le froid,
et la longue attente, et le déshonneur quotidien
de croiser des Allemands dans son propre village,
voici que surgissait le visage angoissé puis confiant
d'un petit garçon aux cheveux de miel, aux yeux
d'océan qu'il avait, *au péril de sa vie,* arraché à
l'ennemi... L'enfant de l'aube dormant sur une
couche improvisée, Kléber veillant sur ce petit
inconnu : nuit du 23 au 24 juillet, nuit bienheu-
reuse, oh ! sûrement le plus grand bonheur de sa
vie... « Comment t'appelles-tu ? — Patrick. —

Patrick !... » Ah ! combien Théophane et sœur Saint-Paul avaient de la chance de pouvoir tomber à genoux, lever les yeux au ciel et remercier Quelqu'un. Le vieux cœur, à cet instant, éclatait de reconnaissance mais à qui le dire ? Et, dans le même temps, se serrait d'amertume — mais à qui, oui, à qui le dire ? Patrick... Qu'était donc devenu l'enfant qui se jetait dans ses bras, fouillait le Trésor avec lui, imaginait à ses côtés des inventions, descendait chaque soir à l'écluse ? L'été durait toute l'année, en ce temps-là... Quand tout cela se passait-il ? — Dans un autre monde, Kléber !

Immobile sur ce chemin, arbre mort parmi les arbres ressuscités, il regardait son ombre si frêle, si voûtée, écrasée au sol par ce printemps insolent. Un vieil homme au cœur gris qui n'y voyait plus guère, qui entendait mal, qui — comment s'exprimait donc le receveur ? — « n'était plus dans le parcours ». Même à Verdun, l'herbe et les sapins avaient repoussé. La terre morte et repue de vieux débris, la terre à jamais stérile, c'était lui-même, Kléber Demartin. Il n'était plus qu'une mémoire : « vivre par cœur... »

Il eut là, sur ce chemin de mai, devant cette palissade qui clôturait sa vie, un instant d'une lucidité telle que, si les vues du Ciel étaient les nôtres, il eût dû mourir sur-le-champ. Puis la violence et l'orgueil, qui sont le sang de tous les hommes, montèrent échauffer cet esprit, réchauffer ce cœur. « C'est donc ce Roger qui a raison ? se dit-il. Raison de trafiquer, d'être sans patrie, de

ne pas savoir lire ? Des monsieur Roger plein nos
rues, à présent ! Mais, à Verdun, en as-tu vu beaucoup ? Et sans Verdun, où seraient-ils, ces fanfa-
rons ? « Dans le parcours », bien sûr ! Mais quel
serait le parcours, sans Verdun ? L'argent, en par-
lions-nous jamais là-bas ? Il n'y avait que l'amitié,
que l'amitié... Oh ! mes camarades... »

Il revit leurs visages, les moindres particularités
de leurs visages et, sans bien s'en rendre compte,
il commença l'appel d'une voix sourde :

« Bonneval... Deschiens... Aveline... Dulac... Cor-
deau... Pontrichet... Senart... »

Il se rappela aussi l'ossuaire de Douaumont et,
comme là-bas, ses larmes coulèrent.

Quatre de trèfles, consterné, regardait pleurer
cet enfant son maître ; lui-même se mit à geindre,
à se plaindre parmi ces senteurs merveilleuses que
le printemps délivrait enfin et qui, depuis quelques
semaines, lui rendaient sa jeunesse. Qui les eût vus,
maître et chien, se serait demandé quel désastre
subit... ? — Rien. Un enfant grandissait, franchissait
l'âge ingrat ; un homme orgueilleux vieillissait ; le
temps avait passé ; rien de plus. Si, pourtant :
une société construisait des logements dans un site
agréable. Rien.

Comme on sort d'un bain, plus vigoureux et
plus léger, Kléber émergea de ses larmes tout à
fait résolu. L'image du petit homme noir, ses yeux
de renard, son crâne chauve, ses manchettes jail-
lissantes lui faisaient horreur. Mais quoi ! il n'avait
plus le choix. « Mon chargé d'affaires... »

D'ailleurs, il eut le temps de s'apprivoiser au personnage, car il dut, de nouveau, le suivre à la piste, de guinguette en bistrot jusqu'aux confins de Maisons-Rouges. Tout au long de son chemin, il rencontra des chantiers de construction, des immeubles étroits plantés au hasard : un gigantesque jeu de dominos cernant les vergers et les bois. Le champ d'avoine, qui regardait le stade, était devenu une plate-forme boueuse que dominaient d'immenses grues ; et le stade lui-même se trouvait ceinturé de bâtisses dont on n'aurait pas su dire si elles étaient à demi construites ou à moitié démolies. Sur la décharge où Roger brocantait, des sans-logis avaient installé un bidonville ; des enfants y jouaient joyeusement parmi les ordures. « 1237 logements », se rappela Kléber, et il se sentit tout à fait partagé.

Le petit homme noir, il le trouva enfin, affalé sur la banquette d'un café crasseux, devant un verre d'anisette plus d'une fois rempli et vidé : cela se lisait sur son visage. Il avait vieilli autant que son habit. L'œil était moins cruel, le regard vague ; mais, à ce changement, la liqueur avait sans doute pris plus de part que la bonté.

« M. Demartin, mais bien sûr ! Et comment va... Attendez ! ne me dites rien ! »

Il ferma les yeux afin de mieux fouiller le fichier tortueux de son esprit puis, les rouvrant avec un éclair de triomphe :

« Comment va *Patrick* ? »

De Patrick il se moquait bien ; seul lui impor-

tait d'avoir pu retrouver son nom. Comme tous les
solitaires, hormis les saints, comme tous les hommes
vieillissant, il ne trouvait plus d'intérêt que dans
ce match-défi contre lui-même.

« Patrick se porte bien, répondit amèrement
Kléber.

— Votre petit-neveu », ricana l'autre en clignant
un œil.

Cela signifiait : « Je me rappelle tout, je puis
tout dévoiler, je suis redoutable » — et Kléber
ressentit, à cinq ans de distance, l'humiliation d'être
le complice d'un homme qu'il méprisait.

« Voici ce qui m'amène, commença-t-il d'un ton
bref.

— Vous prendrez bien...

— Une anisette ? Sûrement pas.

— Vous n'avez pas mauvaise mémoire non plus »,
remarqua le juriste avec une considération que
Kléber jugea encore plus humiliante.

Il raconta vivement le C.O.I.C., la première visite
de M. Thomas, son refus, son espoir — la
palissade...

« Ah ! C'est la grande machine de Malouvrier »,
fit le petit homme noir qui ajouta avec une sorte
de tendresse : « Le vieil imposteur... Alors ? »

Kléber répéta, mot pour mot, son récent entretien avec M. Thomas, cita Roger — « Je le connais »,
murmura l'autre qui prenait des notes sur sa manchette — et il conclut :

« Que faire à présent ?

— Les embêter, dit le buveur en frottant ses

mains de vieille femme. *Nous* ne manquerons pas de moyens. L'enquête préalable a-t-elle été menée selon les règles ? Cela m'étonnerait. Je compte des amis au M.R.U. La législation est si tatillonne qu'aucun chantier, vous m'entendez ? aucun chantier n'est tout à fait en règle. Un référé ? — Bah ! ce serait trop vite jugé. Non, il faut traîner, mettre leur contentieux sur les dents. »

Il avait enfourché son maudit cheval et galopait déjà. Le désir de nuire... De Kléber, il ne se souciait point ; celui-ci, qui ne comprenait rien à son langage, demanda timidement :

« Et vous pensez pouvoir empêcher la construction de... ?

— Vous plaisantez ! Goliath est toujours vainqueur, mon bon monsieur. Non, mais la retarder, les exaspérer, leur coûter de l'argent.

— Et à moi ?

— Mais... en faites-vous une question d'honneur oui ou non ? »

Kléber reçut le mot comme une flèche : « Me donner des leçons d'honneur, lui ! » — une flèche empoisonnée. Il se leva :

« Je pensais avoir des droits suffisants.

— Croyez-vous que cela dispense d'avoir de l'argent ?... Rasseyez-vous donc, monsieur Demartin... Eugène, une autre anisette !... Mais de l'argent, vous en avez : il suffit d'hypothéquer votre pavillon.

— De le vendre ?

— De l'hy-po-thé-quer.

— Je réfléchirai » dit Kléber qui ne savait pas ce que cela signifiait.

Allons, on ne pouvait pas à la fois garder le pavillon et recevoir de l'argent. Son « chargé d'affaires » était un jongleur, comme Roger.

« Retarder la construction, c'est reculer pour mieux sauter, reprit-il : où voyez-vous de l'honneur à cela ? Tôt au tard ma maison deviendra inhabitable par leur faute : essayons de la leur vendre, s'il en est encore temps, voilà tout.

— Où voyez-vous le moindre contentieux à cela ? repartit l'ancien avoué non sans hauteur. Ce n'est pas mon métier : n'importe qui peut vendre !

— N'importe qui sauf moi ; à n'importe qui sauf à ce Roger, capitula Kléber. Je vous demande, comme un service... »

Il y avait longtemps qu'il ne s'était pas ainsi humilié. Il sortit du café de très méchante humeur et il la passa sur son chien que cette pérégrination avait épuisé et qui se laissait distancer.

« Tu vieillis, lui cria-t-il : tu n'es plus dans le parcours, ma pauvre bête ! »

Comme il atteignait le Croisé... — « Ici, Quatre de trèfles ! » — il aperçut un jeune couple qui n'en finissait pas de s'embrasser, de se baiser les joues, le front, pas les lèvres. Cela ne l'attendrit nullement : ils faisaient partie de ce printemps, et pas lui ! Et ce chien stupide, qui piétinait d'impatience comme si ce couple... Le garçon fit un geste, s'étira de bonheur, et Kléber reconnut Patrick.

« Viens ! » commanda-t-il à sa bête d'une voix presque méchante ; il se détourna et, courbant le dos, s'enfonça dans les taillis vers sa maison. Son cœur battait de façon désordonnée ; il respirait mal ; d'un coup, toute la lassitude de cette journée lui pesait aux épaules, tel un sac de fantassin. « Les filles, répétait-il à mi-voix. Les filles, à présent... »

Patrick et Dany se séparent au Croisé : elle part en courant et il la regarde avec joie et douleur. Elle a gardé sa course d'enfant que n'entravent ni la jupe étroite, ni les talons hauts. Pourtant, c'est déjà d'un geste de femme qu'elle retient son foulard, qu'elle rejette ses cheveux. « Dany ! » s'écrie-t-il plusieurs fois, et il pense courir sur ses pas, la rattraper, plonger encore ses deux mains dans ces cheveux vivants et — elle doit être essoufflée — respirer son haleine.

Mais elle disparut derrière le rideau des peupliers, et le soir tomba tout d'un coup. Patrick se hâta vers la maison avec un vague remords : pas une fois, depuis ce matin, il n'avait pensé à Kléber... Il craignait que son bonheur ne se lût sur sa face.

A la Maraîchère, Daniel, qui l'attendait, se jeta dans ses jambes :

« Tu m'as bien laissé tomber ! Regarde : je me suis écorché le genou... »

Il l'avait fait saigner, exprès.

« Chiale pas ! » lui dit Patrick en riant : à l'école c'était son surnom.

Les grosses lèvres continuaient de marmonner :

« C'était jeudi et je suis resté tout seul.

— Ecoute, je te donnerai... euh... une canne !
une canne à pommeau de cuir. Allez, à demain, il
faut que je rentre. »

Daniel oublia aussitôt son jeudi perdu. Tandis
qu'il s'éloignait, Patrick devinait à ses seuls gestes
quelles pensées lui traversaient l'esprit. « Tiens, il
vient de se ressouvenir de la canne ! » En effet, le
gosse tourna vers lui un visage de soleil, siffla
entre les dents du bonheur et fit des moulinets
fantômes :

« A demain... N'oublie pas ! »

Dany... Daniel... Doublement responsable et doublement heureux, tel un jeune père, Patrick rentra
à la maison en sautant lui-même d'un pied sur
l'autre ; et il ne s'arrêta que sur le seuil de fredonner : *« Ton amour est pour mon amour le plus
bel amour... »*

« Papa, cria-t-il, mon papa ! »

Il aimait le monde entier ; il saisit Quatre
de trèfles — touille ! touille ! touille ! — et le fit
tournoyer comme un avion de manège. Kléber
parut : un Kléber de marbre, la statue du
Commandeur.

« Oh ! papa, s'écria étourdiment le garçon, je suis
heureux, heureux...

— Cela fait une moyenne.

— Mon papa, dit Patrick en reposant le chien,
vous êtes malheureux. Qu'y a-t-il ?

— Tu n'as donc pas vu la palissade !

— Ne vous inquiétez pas : c'est seulement pour
la construction de ce grand immeuble.

— Qu'attendais-tu de pire ? demanda Kléber
amèrement.

— Mais, papa, vous saviez bien que...

— Je n'en entendais plus parler. J'espérais.

— Ils ont dû changer tous leurs plans à cause de
notre maison, dit Patrick avec fierté.

— Toi, cette construction te réjouit, naturellement. Tout nouveau, tout beau !

— Il y aura des salles de jeux pour les enfants,
et même une piscine, assura le garçon d'une voix
faible.

— Et cette fourmilière, ce monstre nous écra-
sera de sa masse ! Cinq mille inconnus qui ne ces-
seront d'aller et venir, de faire hurler leurs musiques,
de nous espionner... Réfléchis donc un peu : nous
ne pourrons plus habiter ici. »

Patrick plissa le front ; mais ce soir, le pouce
tout puissant ne l'effacerait pas.

« Alors, papa, pourquoi n'avez-vous pas vendu
la maison, comme tous les autres ?

— Pour habiter où ?

— Et où habiterons-nous maintenant ?

— Je l'ignore. Je n'ai pas accepté de vendre la
maison, reprit-il après un long silence où lui-même
se posait la question, parce que j'ai été élevé à me
battre jusqu'au bout. »

Ils pensèrent à Verdun, tous les deux.

« Bien sûr, papa, mais... Non rien !

— Qu'est-ce que tu allais dire ?

— Que... Ne vous fâchez pas !... Qu'il faut se battre jusqu'au bout, bien sûr, mais seulement si l'on a une chance de gagner, non ? »

— Et l'honneur ? » pensa Kléber qui dit seulement :

« Goliath est toujours vainqueur, je le sais. »

Patrick, qui n'avait jamais entendu parler de ce type, garda le silence. D'ailleurs, il se sentait tellement heureux que, franchement, ces histoires d'habitation...

« Ce ne sera pas construit avant longtemps papa : on verra bien !

— Non, c'est dès maintenant qu'il faut chercher.

— Il y a justement des logements libres dans la Cité. »

Le regard bleu devint d'acier tranchant :

« Chercher *ailleurs,* bien sûr, et même le plus loin possible : là où il n'y a pas encore de danger. »

« Mais alors Dany, Roger, Daniel... ? » Patrick eut l'impression que tout s'effondrait : qu'il se retrouvait à G. au milieu des ruines, seul.

« Mais, papa, il n'est pas possible de partir d'ici : vos habitudes... vos amis...

— Qui a des amis ? » murmura Kléber avec plus de tristesse que d'amertume ; il songeait à Ernest.

« Moi, dit Patrick.

— Je sais.

— Pourquoi me regardez-vous comme si j'étais un autre ? Qu'est-ce que j'ai fait de mal ?

— Tu me le demandes ? »

Il revit le couple du Croisé. D'où venait-il ? Des

bois, naturellement ! Pour ce vieil homme si chaste,
tout ce qui concernait le corps, hormis la gymnastique, relevait de l'animal. Il traînait encore le remords
d'aventures charnelles qu'il jugeait incompatibles
avec l'honneur. Entraînement, rupture, il prenait
les torts à son compte en toute circonstance ;
et il croyait de bonne foi que le monde n'était
peuplé que de malheureuses' créatures abandonnées
après un samedi soir. La pensée que Patrick avait
pu...

« 'Je crois que vous ne m'aimez pas », dit Patrick
d'une voix à peine perceptible. (Mais qui donc
le serrait ainsi à la gorge ?)

Kléber répondit cependant, plus bas encore :

« Pourquoi, dis-tu cela, mon enfant ?

— *Vous n'aimez pas que je sois heureux.* »

Le vieil homme demeura interdit. « Il a raison.
Ni sa joie ni celle de personne. C'est ignoble... »
Interdit, mais un instant seulement : il était devenu
trop fragile pour accepter d'avoir tort. Deux ans
plus tôt, il aurait rompu cet entretien mal engagé,
« repris l'affaire en main ».

Il bougonna : « Où vas-tu chercher ça ? » avec
si peu de conviction que Patrick reprit espoir.

« Papa, commença-t-il, je me sens heureux parce
que... »

« Les filles à présent ! » D'un geste de sa main
d'albâtre, Kléber trancha net.

« Patrick, tu sais combien tu m'as déjà causé de'
peine et de soucis. (Non, il ne le savait point.)
N'en parlons plus ! (Ils n'en avaient jamais parlé.)

Ne me tourmente pas de nouveau... d'une autre façon. (Que voulait-il dire ?) Je suis si fatigué », ajouta-t-il lâchement en fermant les yeux.

Mais c'était la porte qu'il fermait ainsi à toute discussion, à toute déception nouvelle. Il se dirigea vers sa chambre. « Vais-je l'embrasser ? Ah non ! pas ces mêmes lèvres qui, tout à l'heure... » Patrick l'arrêta d'un geste timide :

« Papa, je voulais vous demander : est-ce que, dimanche prochain, je pourrais inviter... quelqu'un à déjeuner chez nous ? Je ferai la cuisine ! » ajouta-t-il vivement.

« *Quelqu'un ?* Roger ou... elle ? se demanda Kléber. Quelle audace ! »

« J'ai déjà disposé de ma journée », répondit-il noblement, et il pénétra dans sa chambre.

L'entretien des deux « chargés d'affaires » ressembla d'abord au combat du renard et de l'ours — un vieux renard, un ours que la graisse n'alourdissait pas encore. Chacun avait entendu parler de l'autre, l'estimait, le craignait ; ils firent donc, à la manière des samouraïs, toutes sortes de passes et de feintes préalables. Puis ils se reconnurent implicitement de même race, l'apatride et le vieil avoué : frères par la besogne, l'astuce et aussi par cette répulsion respectueuse qu'ils inspiraient tous deux. On les croyait avides ; mais le petit homme noir, parce qu'il n'espérait plus en gagner, méprisait l'argent ; et l'autre s'avisait déjà que ses gains tout neufs ne le comblaient point.

Quand le vieux nomma son client, Roger sursauta. Kléber était le seul habitant du Plessis Belle-
Isle qu'il respectât vraiment, peut-être parce qu'il
était aussi le seul qui osât encore lui manifester
qu'il ne l'aimait pas.

« Bref, le Consortium Immobilier peut-il lui
racheter sa parcelle ?

— Trop tard. Son refus a failli faire échouer
toute l'affaire : j'ai eu chaud, ajouta Roger en
s'essuyant le front machinalement. Mais M. Malouvrier a été très compréhensif ; il a modifié les
plans : accepté que le sein droit soit un peu
amputé.

— Le sein droit ?

— L'immeuble a la forme d'une poitrine, expliqua Roger gravement. (Il prenait tout au sérieux ;
c'est pourquoi il faisait fortune.) M. Malouvrier dit
que c'est le symbole de l'époque.

— Alors, la parcelle Demartin ?

— Je veux bien la lui racheter, moi, au double
de l'offre primitive », fit Roger après un dur
combat intérieur et il se mit à transpirer pour de
vrai.

« Vous n'y pensez pas ! se récria l'autre : ce
vieux type ne connaît même pas le sens du mot
« plus-value »...

— Je sais, mais jamais je ne ferai une affaire sur
le dos de M. Demartin. »

Il lui en coûtait davantage de paraître manquer
l'affaire aux yeux de ce vieux renard que de la
manquer pour de vrai ; mais l'autre se demanda

seulement quelle combinaison, plus rentable encore, il amorçait ainsi.

« Moi aussi, repartit l'homme en noir, moi aussi j'ai rendu à M. Demartin d'inappréciables services. Savez-vous que ce petit... euh... Patrick...

— N'est pas son fils.

— Ni même son petit-neveu !

— Je le sais. M. Demartin aurait même droit, s'il le réclamait, à un confortable rappel d'allocations.

— Et à quelques ennuis administratifs !

— Que vous sauriez très bien lui éviter », *ordonna* Roger en laissant filtrer sur le petit homme un regard de potentat oriental.

« Cette maison que vous offrez de lui racheter au prix fort, qu'en feriez-vous ?

— Une annexe au garage souterrain de la Cité dont j'ai obtenu la concession. Réparations, révision, graissage... Car M. Malouvrier a oublié ce détail. Il a du génie, mais soixante-cinq ans... et un chauffeur ! »

Ils se mirent d'accord sur cette offre inespérée que le « chargé d'affaires » de Kléber lui rapporta quelques jours plus tard en s'en attribuant le mérite. Le vieil homme allait daigner accepter mais, la langue déliée par plusieurs anisettes, l'autre révéla, coup sur coup, que Roger achetait pour son compte et qu'il envisageait d'édifier un garage. Malheureux ! c'était fermer la porte à double tour...

« Je refuse, trancha Kléber : d'abord je ne traite

pas avec ce monsieur ; ensuite... un garage ici ! UN
GARAGE ! »

Son ton, pour répéter le mot, lui tenait lieu
d'argumentation.

« Pourtant, la somme qu'on vous offre est énorme,
insista l'autre, consterné.

— *Raison de plus !* »

Il savait d'instinct que la vraie noblesse est coû-
teuse ou n'est pas ; tout sauf innée, tout sauf invo-
lontaire ; spontanée, certes — naturelle, non. Voici
que sa maison prenait plus de prix encore à ses
yeux au moment même qu'elle devenait inhabitable. Il contractait avec elle une alliance déses-
pérée, comme on voit parfois une femme épouser
un condamné à mort. Le petit homme noir n'y
comprenait rien et, pour sauver ses honoraires,
porta à son compte la suggestion de Roger :

« ... Un important rappel d'allocations. Il suffit de
déclarer à l'Administration que le jeune Patrick... »

Kléber ne s'y trompa point :

« C'est « M. Roger » qui vous a soufflé cette
idée, n'est-ce pas ? demanda-t-il d'une voix altérée.

— Oui », confessa l'autre.

« Il veut me voler à la fois ma maison et mon
enfant, pensa le vieil homme avec une colère proche
du désespoir. Mais pourquoi ? » Il saisit l'habit noir
par son revers élimé :

« Comment a-t-il pu savoir que Patrick n'est pas
mon fils ? »

Les manchettes surgirent hors des manches ; de
ses deux mains de femme morte, l'autre nia :

« Je n'ai jamais enfreint le secret professionnel, monsieur Demartin, jamais. »

Si, pourtant : une fois, et cela lui avait coûté sa charge.

« Alors, par qui a-t-il pu... ? »

Mais il n'acheva pas. « Par Patrick, bien sûr », pensèrent-ils ensemble. Le petit homme noir allait le suggérer, lorsqu'il vit Kléber si pâle (et son regard qui le traversait comme le soleil fait d'une vitre) qu'il rentra ses manchettes, marmonna un « à bientôt » sans espoir et disparut.

Ce dimanche, dont Kléber « a déjà disposé », il ne sait vraiment pas à quoi l'empoyer. Patrick a disparu avant les premières cloches ; Kléber évite Théophane et Mme Irma auxquels il faudrait tout rapporter — et il se sent trop malheureux (ou pas tout à fait assez) pour le faire. Il aimerait parler à sœur Saint-Paul mais, le dimanche matin, elle ne bavarde qu'avec son Dieu. Après avoir mangé un morceau, Kléber décide donc de partir pour Paris comme un désespéré s'exile. Ou bien veut-il s'apprivoiser à cette ville, à cette vie qui le menacent : « collaborer » avec l'envahisseur ? Ou, comme aiment le faire les adolescents, cherche-t-il seulement à se désoler encore plus ?

De sa niche de poinçonneur, Saint-Marcel le voit passer très droit, la tête haute, le regard mort — un phare désaffecté.

« Et le fiston, qu'est-ce qu'il devient ?

— Un homme », répond Kléber sur un ton tel

que l'autre baisse les yeux en bredouillant un
vague : « Ça ne nous rajeunit pas. »

Voici Paris, camouflé en ville de province parce
que c'est dimanche. Tous les passants débonnaires,
qui demain changeront d'habit et de visage, prennent aujourd'hui le temps de s'entre-regarder, de
parler à leurs enfants, de sourire. Kléber se rend
au Père-Lachaise. Il a toujours aimé visiter les
cimetières, lesquels sont les musées des pauvres.
Mais aujourd'hui, il porte un tout autre regard
sur cette ville en pleine ville, parcourt ses rues
et traverse ses carrefours de marbres d'un pas
familier. Il ne s'était jamais intéressé qu'aux
monuments ; ce dimanche, voici qu'il pense aux
morts, pour la première fois : jeunes et vieux,
confondus dans une même absence, aux morts
sans âge.

« Leurs hôpitaux et leurs funérailles, leurs draps
blancs et leurs tentures noires nous épouvantent la
vérité, pense Kléber. Pourquoi confondent-ils Mort
et Souffrance, Mort et Douleur ? Tout est si simple... »
Il dit *leurs* et *ils* en parlant des vivants ; il n'est
déjà plus de leur bord. Il rejoint ces autres vivants,
son père, sa mère, ses camarades : oui, vivants
derrière une vitre, comme les personnages du
cinéma muet.

De nouveau, une grande soif de parler avec sœur
Saint-Paul... « Le Christ n'est pas un nuage, un
astre, une statue ! Il est une personne vivante, monsieur Demartin, et les meilleurs d'entre nous ont
vu son visage. » Ses paroles lui reviennent, mot

AVOIR ÉTÉ

pour mot ; et aussi : « Vous avez la nostalgie du royaume de Dieu... »

Quel rapport entre ces pierres moussues, ces noms indéchiffrables ou inconnus, l'oiseau obstiné qui chante dans cet arbre que le printemps a ressuscité d'entre les morts, qui chante et s'envole librement d'une tache de soleil à l'autre — entre le royaume du Père et ce lieu qui, malgré la fidélité larmoyante des hommes aussi bien que leur oubli, ne parvient pas à être triste ? Sœur Saint-Paul détient la réponse ; mais Kléber sait déjà qu'il n'aura ni la patience ni l'humilité de l'écouter, de l'accepter. Il se persuade donc que l'Honneur et la Fidélité sont des clefs suffisantes pour entrer dans la ville des Morts. Malgré l'arbre et l'oiseau, il n'y cherchera que la Paix, pas la Joie — *tant pire,* Kléber !

A l'heure où le soleil décline et où chacun songe à lundi pour la première fois, Kléber s'arrache au grand dortoir, au jardin silencieux. Il descend dans le métro qui ressemble plus à un tombeau que tout cela qu'il vient de voir, et retourne au Plessis Belle-Isle. Saint-Marcel ne s'y frotte pas, cette fois, et se contente d'un clin d'œil. Quand l'autobus passe devant le dispensaire, Kléber se retient d'en descendre ; il guette de loin la cornette : la voici qui vole d'une fenêtre à l'autre, libre comme l'oiseau...

« Gambetta-Rosières, personne ?... Ding ! »

Un peu plus loin le groupe scolaire : « Dans un mois le brevet, songe Kléber. Et si Patrick échoue... Je devrais aller parler à son maître. Non ! je devrais y être allé... »

Le vieil homme descend à la Prolétarienne. passe en revue les peupliers dont les feuilles frissonnent déjà mais dont le flanc demeure tiède, débouche sur le *cinémascope* d'Adrien, « salle entièrement remise à neuf » : Du velours pour s'asseoir dans le noir, je te demande un peu...

Sur la place de la Mairie : « Tiens donc, je vais acheter mon tabac et regarder une partie de billard. »

Plus de billard ; mais un appareil idiot où des petits bonshommes en bois, embrochés sur des tringles disputent une partie de football minia- ture ; et un autre, sur lequel une bille lancée au hasard se perd dans un dédale de ressorts, de butées, de sonnailles, inscrit des millions en chiffres lumi- neux et éclaire des filles déguisées en cow-boys. Kléber n'y comprend rien, mais un cercle de gar- çons fascinés suit sans ciller cette mystérieuse partie.

Une clameur d'admiration (mais de quoi ? pour qui ?) sort les jeunes spectateurs de leur hypnose. L'appareil vomit une petite pièce que le triompha- teur glisse dans une autre fente, et l'épilepsie lumi- neuse recommence.

Mais une musique couvre soudain ce bruit. Kléber se retourne : un autre appareil jette ses feux et offre son clavier et ses pièges à sous.

> *Ton amour*
> *est pour mon amour*
> *le plus bel amour...*

« La barbe ! » fait le joueur de « blou-blou-ding-ding » sans même se retourner : « c'est la cinquième fois. Change de disque ! » (Mais c'est bien la quinzième partie qu'il joue...)

Kléber s'approche et reconnaît Patrick, penché sur l'appareil à musique : la bouche entrouverte, les yeux fermés, le front douloureux, il ressemble à un violonniste tzigane.

Kléber patiente puis, sans méchanceté, rompt l'enchantement :

« Elle est idiote, ta chanson », remarque-t-il aussi doucement que Dany l'autre jour.

Patrick tombe de si haut qu'il ne trouve rien à répondre. C'est le refrain : la chanteuse met dans sa voix ces mêmes larmes qu'elle retrouve chaque soir, à 22 heures 37 exactement, au Bobino music-hall. Mais ce sont de vraies larmes qui montent en ce moment aux yeux de Patrick.

« C'est-à-dire, grand-père, que cette chanson-là n'est pas de votre temps », remarque l'autre joueur, toujours sans se retourner.

« De mon temps » ? Mais je ne suis pas mort, que je sache ! répond Kléber avec un haut-le-corps. Mon temps est le vôtre.

— Oui, reprend le voyou, mais la bombe atomique et les avions à réaction, quand on a connu les fiacres, les cuirassiers et *L'Arroseur arrosé,* il y a de quoi perdre les pédales !

— Profitez-en bien », répond Kléber d'une voix frémissante (... *est pour mon amour...* tac, ding,

blou, blou, blou, ... *le plus bel amour*...). « Profitez-en
bien, car vous passerez, vous aussi !

— Nous passerons, nous passerons ?

Cette fois le garcon se retourne : un visage couleur de papier journal, un regard morne de spectateur, un pauvre gosse en forme d'homme, pour
qui *France-soir* et les romans noirs sont la Bible
et les Prophètes ; l'enfant du Siècle, radio-ciné-
télé : deux yeux, deux oreilles et un bas-ventre...

Nous passerons ? Ecoutez-moi bien, grand-père :
tout ce qui est au futur, on s'en tape !

— Et tout ce qui est au passé, vous en riez...
Bonne chance ! »

Kléber attend encore un instant : que Patrick
dise un mot, ou même se range en silence de son
côté. Rien. Il sort, en oubliant son paquet de tabac
sur le comptoir poisseux, se hâte vers sa maison
— non, vers la palissade — en enviant les dor-
meurs du Père-Lachaise. « Tout leur respect, leurs
seules larmes, les hommes les réservent aux morts
qui n'en ont que faire », pense-t-il.

Un pas vif derrière lui : Patrick le rejoint en
courant. Patrick qui, noyé dans la fin de sa chanson, n'a pas entendu un mot de la discussion, et
s'efforce d'oublier que Kléber juge idiot le refrain
qui fait battre son cœur ; Patrick qui s'attend à des
remerciements pour avoir pensé au paquet de
tabac.

Le 26 mai, l'instituteur écrivit à M. Demartin
de bien vouloir passer à son bureau. Son « respec-

tueusement à vous » fit du bien au destinataire,
lequel se rendit à l'école en s'obligeant à ne rien
prévoir, ne rien préparer. Il trouva le maître parmi
un monceau de copies et aussi rouge que l'encre de
son stylo.

« Monsieur Demartin, je suis bien au regret :
Patrick a échoué à son brevet.

— De loin ?

— De très loin.

— Tant pire, voilà une année perdue : il va
falloir redoubler.

— Est-ce bien la peine ?

— Comment dites-vous ?

— Je ne sais pas si Patrick a l'intention de poursuivre ses études.

— Peut-être pas ; mais moi, je l'ai.

— C'est *lui* qui étudie, et pas vous, fit remar-
quer l'instituteur avec douceur. Si on le contraint,
ce sera non plus une mais deux, trois années
perdues.

— J'oubliais les méthodes modernes, dit perfidement le vieil homme. Et Patrick vous a-t-il fait
part de ses « intentions » ?

— Très vaguement. J'espérais que vous-même...

— Non nous parlons très peu ; il ne me confie
plus rien.

— C'est bien dommage. Me permettez-vous... ? »

Le regard de Kléber l'assura qu'il ne lui permettait rien du tout. L'autre poursuivit cependant.

« Me permettez-vous de vous dire qu'à l'âge de

Patrick, les garçons ont le plus grand besoin de leur père.

— Pour garder le contact il faut être deux.

— C'est peut-être ce qu'il pense aussi, fit le maître à mi-voix.

— D'ailleurs, s'il devait me raconter ses histoires de filles ou de cabaret...

— Vous n'allez pas me dire...

— Je l'ai vu ! »

L'autre se leva. Il détestait les discussions inutiles, mais plus encore les malentendus.

« Ecoutez, monsieur Demartin, tous mes grands vont au café écouter des disques ou faire fonctionner cet appareil à sous, vous savez...

— Je sais.

— Mais ils ne boivent rien. Tous sortent avec une jeune fille, mais...

— A quinze ans et demi ?

— Hé oui, vous me l'avez dit vous-même un jour, ce sont les enfants de cette guerre, les enfants de l'âge atomique : ils ne croient plus en l'avenir.

— Non, dit Kléber assez méchamment, ce sont les enfants de la Libération : « Toutes les places « et tout de suite ! »

— Ils se sentent menacés : l'impression qu'ils n'auront pas leur compte ; alors que nous autres, anciens combattants, nous demandons encore par quel prodige nous avons survécu. Au fond, monsieur Demartin, nous faisons « du rabiot ». Ce temps-là nous *devons* le consacrer à ces gosses.

— Vous avez de la chance de pouvoir leur être

utile, dit le vieil homme d'une voix plus sourde.
Moi je ne peux plus ; ou je ne sais plus. »

Il se leva, tendit à l'instituteur, pour la première fois, une main que celui-ci trouva très froide.
« Je lui reparlerai un autre jour, pensa le maître
à regret : ce soir il est désespéré... »

Si désespéré qu'il fit un détour par l'avenue du
Bel-Air pour ne point passer devant chez Théophane ni chez Mme Irma ; il imaginait assez son
propre visage et ne voulait pas le montrer.

Il entendit, de loin, monter un tumulte inconnu
et retrouva « le pied fantassin » pour presser le
pas : derrière la palissade, les travaux avaient
commencé ; trois bulldozers aveugles éventraient les
jardins. « Le verger Soucy, pensa Kléber, pourvu
qu'ils n'aient pas encore touché au verger Soucy... »
Il courut le long de la palissade en direction de
l'horloge : elle gisait en travers de la rue, tel un
géant fusillé, et des employés municipaux s'affai-
raient autour d'elle. « Le verger Soucy... » Il poursuivit sa course, certain d'être observé, mais s'en
moquant. Sur vingt mètres, on avait abattu la palissade afin de permettre l'invasion des machines
monstrueuses et, par cette trouée, Kléber vit l'une
d'elles qui fauchait allègrement les espaliers en
fleur. Assis près du chauffeur, attentif à manier
on ne sait quels leviers, Patrick. Oui, Patrick !
fasciné par sa tâche, Patrick avec un regard
d'homme.

Kléber se contraignit à demeurer quelques instants face au désastre ; puis il porta la main devant

ses yeux d'un geste noble et naïf, se détourna et
rentra lentement chez lui. Sa décision était prise ; il
la sentait en lui comme un corps étranger. Pareil
à un homme très malade, et son mal devient distinct
de lui-même, et ils se considèrent en silence, deux
ennemis dont l'un sera vainqueur. Kléber commença
donc avec honnêteté à lutter contre cette décision.
Tout ce que Théophane, Mme Irma, sœur
Saint-Paul, l'instituteur lui-même auraient dit —
lui diraient demain — il le plaidait devant le tri-
bunal impassible. En vain : sa conviction était
acquise. Un seul témoignage pouvait encore tout
renverser...

Vers l'heure du dîner, le grondement des machines
cessa ; Patrick rentra joyeux, le regard en feu, les
mains souillées de cambouis. Kléber l'attendait
en réparant des objets avec une patience qui le surprenait lui-même. Il ôta avec soulagement les lunettes
de Patrick, qui lui tiraient les yeux hors de la tête et,
sans se lever, d'une voix étale :

« Mon petit bonhomme, je viens de voir ton
maître : tu as manqué ton brevet et de très loin. »

Patrick ne changea pas de visage ; au contraire,
il parut plus rayonnant encore.

« C'est une mauvaise nouvelle, papa, mais je
m'y attendais ; et moi je vous apporte une bonne
surprise. »

Kléber leva sur le garçon des yeux étonnés et
lui vit le visage même de sa petite enfance, lorsqu'il
lui rapportait un bouquet cueilli à la sauvette chez
Ernest ou un beau fruit « tombé de l'arbre »

au verger Soucy. Kléber aurait-il, cette fois, le
courage de le gronder ? Patrick ne lui laissa pas,
comme le font les grands, le temps de s'étonner, de
s'enquérir.

« *Dès le mois prochain, je vous apporterai de
l'argent !*

— Comment ? »

Jamais, jamais de sa vie Kléber ne s'était senti
aussi humilié. Cependant, le visage du garçon se
navrait à mesure que se prolongeait son silence.

« De l'argent ? répéta-t-il d'une voix qu'il eût
voulue moins sourde. De l'argent : ce n'est pas
ce qu'un père attend de son enfant.

— Puisque je ne puis rien vous donner
d'autre... »

« Si, pensa le vieil homme, ton affection, ta
confiance, ta grâce comme autrefois » ; mais il
se sentait soudain aussi coupable. Il murmura
seulement :

« Ce n'est pas l'argent qui nous rendait heureux.

— La vie augmente ; je vois bien que vous ne
parvenez plus à joindre les deux bouts, fit Patrick
sur ce ton sérieux que l'autre détestait. Alors j'ai
pensé...

— Que n'as-tu plutôt travaillé ton examen ?
C'est tout ce qu'on te demandait.

— Cela ne rapporte pas d'argent.

— Et cesse d'employer ce mot !... J'aurais préféré me priver de tout durant des années et que
tu deviennes — je ne sais pas, moi — instituteur !

— Papa, avez-vous passé ce brevet ? demanda
Patrick bravement.

— Non, justement.

— Vous aimiez la mécanique ; vous étiez fier
de votre métier. J'aime la mécanique. Pourquoi
cela ne vous fait-il pas plaisir ?

— Cela ne me fait pas honneur.

— Encore ! Mais ce qui était bon pour vous
l'est bien pour moi. »

Kléber ne trouva rien à répondre, quoiqu'il fût
sûr d'avoir raison. Il changea de sujet :
« Et cet « argent », qui te le donnera ?

— Je le gagnerai.

— Chez qui ?

— Chez Roger. »

« Nous y voici, pensa Kléber : la maison et
l'enfant ! »

« Il possède en partie l'un des nouveaux garages
de Villeserve ; j'y travaillerai ; et il m'a promis que,
plus tard... »

« Tout ce qui est au futur, on s'en tape ! » Kléber
songea au voyou du café et réendossa, d'un coup,
sa hargne contre les jeunes, contre Patrick.

« C'est très bien raisonné. Et moi, dans tout cela,
je suis mort ?

— Au contraire ! dit le garçon en retrouvant
son visage radieux. Vous pouvez enfin vous reposer.

— Où ça ?

— Mais... dans notre maison.

— Je t'ai déjà dit...

— Alors nous achèterons un autre logement.

— Avec l'argent de ton Roger ? Au douzième étage ? Non, Patrick, tu as préparé tes plans de ton côté, sans m'en parler ; moi j'ai les miens. Dresse le couvert, j'ai du travail. »

Il retourna à ses objets : à ces débris qui, à présent, lui apparaissaient ridicules, feignit de s'y absorber mais ses mains tremblaient. Patrick, interdit, le contemplait en oubliant de respirer ; et, sous le sourcil de clown, le regard anxieux de Quatre de trèfles courait de l'un à l'autre.

Kléber passa une nuit à noircir des papiers quadrillés et plusieurs jours à les traduire en actes. Le petit homme noir le vit revenir.

« Ah ! vous avez réfléchi au sujet de la maison ?

— Pas réfléchi : décidé. Vous allez m'établir une — comment dit-on ? — une donation au bénéfice de Patrick.

— Impossible avant sa majorité. A moins de nommer un tuteur...

— Alors inscrivez : M. Théophane R., 42, rue de la Libre-Pensée.

— Mais je ne...

— C'est votre métier ! explosa Kléber. Arrangez la chose comme vous l'entendez, mais à demain. »

L'autre s'empressa de prévenir Roger, puis le capitaine, et celui-ci accourut :

« Qu'est-ce que me chante ce... ?

— La vérité.

— Tu donnes ta maison à Patrick ? Mais toi-même ?

— Je vivrai dans une maison de retraite.

— Un hospice, Kléber !

— Si tu veux.

— Voilà donc ce que tu méditais depuis quinze jours que tu m'évites. Es-tu fou ?

— Non, je suis seul. »

Théophane se pencha lentement vers ce visage, comme celui qui doit reconnaître un cadavre ; et sans doute y lut-il de bien grands changements puisqu'il demanda :

« Tu es malade, Kléber ?

— Non, malheureux.

— Allons, allons. (« Il va me prendre par le bras »), fit Théophane en le saisissant par le bras, tu te rappelles ce que nous disions du cafard à Verdun ?

— J'ai trente ans de plus. Et « nos chevaux « galopent plus vite que nous », Théophane !

— Mais ta maison...

— Elle va devenir inhabitable, tu le sais bien.

— Vends-la et cherche autre chose !

— Trop vieux pour m'installer tout seul.

— Mais Patrick, à la fin des fins ? rugit le capitaine. Tu raisonnes comme si Patrick n'existait plus pour toi !

— C'est moi qui n'existe plus pour lui, Théophane. »

Et il déversa pêle-mêle son chagrin, sa rancune, Roger, les vols, les mensonges, les filles, la mécanique.

« Tu vois que je ne puis plus rien pour lui,

sauf lui rendre sa liberté. Il pourra vendre la maison, si son tuteur le juge bon. Il va gagner sa vie... »

Théophane posa rudement sa main sur son épaule, du geste dont un policier arrête un coupable :

« C'est *cela* que tu ne lui pardonnes pas. Ce que tu appelles l'honneur c'est seulement ton orgueil.

— On me l'a déjà dit.

— Crever de dignité, voilà ce que tu choisis, Kléber !

— Peut-être bien. »

Il ne se défendait plus, pareil à certains malades et c'est à cela qu'on les reconnaît condamnés. Le cœur serré, Théophane se contraignit à lui parler plus durement encore : on donne bien des gifles aux évanouis !

« C'est un *geste* que tu veux faire là, Kléber. Seulement, prends garde aux gestes : à notre âge, ils n'intéressent plus personne, mon pauvre vieux... Saperlotte, réponds-moi donc !

— Et que veux-tu que je te réponde ?

— Je sais ce que tu penses, Kléber. Tu te dis : « Du moment que cela ne peut plus durer comme « avant, autant que cela cesse d'un seul coup, et « tout de suite ! »

— Peut-être.

— Sais-tu comment cela s'appelle ? Le désespoir. Et le désespoir, c'est de la lâcheté avec un peu de romantisme autour, rien d'autre ! »

Le vieil homme haussa ses épaules : les grands mots ne l'atteignaient plus. Théophane soupira et reprit :

« Je t'avais proposé de venir habiter avec moi. A présent, tu vas accepter.

— Non, Théophane : nous avons nos habitudes nous nous gênerions.

— Et tu crois que tu pourras les conserver, tes habitudes, là où tu veux aller ?

— Je serai, du moins, le seul à en souffrir. Et puis...

— Et puis ?

— Je ne pourrais pas supporter les changements qui s'apprêtent ici. Déjà, je ne reconnais plus le pays que j'aimais.

— Tu seras encore plus à l'étranger là-bas !

— Je veux bien me sentir à l'étranger, mais pas chez moi. »

Ils transpiraient tous deux, respiraient lourdement.

« Et Patrick, demanda le capitaine à bout d'arguments, où vivra-t-il ?

— Chez ce Roger, je pense... Il le préfère à moi, ajouta-t-il après un instant.

— Tu as enfin craché ta vérité, ma pauvre vieille. Mais comment te prouver que tu te trompes ? Patrick lui-même, tu ne le croirais plus...

— « Il faut qu'il croisse et que je diminue. » N'est-ce pas toi qui me l'as dit autrefois ?

— Mais c'est vrai de tous les pères et de tous les fils ! Et qu'est-ce que cela change ?

— Seulement voilà, il n'est pas mon fils.

— Tais-toi, Kléber ! Tu l'aimes plus qu'un père.

— Oui, je l'ai aimé, dit Kléber d'une voix forte ; mais les vrais pères, eux, ne cessent pas d'aimer. Oh ! Théophane... »

Deux larmes d'enfant, toutes rondes, apparurent au coin de ses yeux bleus. Il ne fit rien pour les cacher, rien pour les essuyer.

« Si tu ne l'aimais plus, est-ce que tu pleurerais ? » demanda Théophane dont la barbiche commençait à trembler.

« Ce que je sais, c'est que lui ne m'aime plus.

— Quel gâchis ! dit enfin le capitaine en se mouchant. Ne décide rien avant que je lui aie parlé !

— Tout est décidé : je suis inscrit à la maison de retraite de S. Je leur abandonne ma pension : juste suffisante pour un lit dans une chambre à quatre. C'est une chance », ajouta-t-il humblement.

« Il est devenu sans défense, pensa Théophane, il est perdu... » Pourtant, il repartit :

« Si tu avais vendu ta maison, tu aurais pu...

— Allons, laisse-moi la fierté d'établir mon garçon.

— Lui as-tu parlé seulement ?

— Pas encore, Théophane : c'est le plus dur.

— Parce que tu sais bien qu'il aura du chagrin Et toi, tu en crèveras, imbécile !

— Si j'en crève, c'est que je me serais trompé alors ce sera justice.

— Ce sera surtout trop tard.

— Mais je n'en crèverai pas : il paraît qu'on

devient égoïste en vieillissant. Patrick m'en aura
préservé durant cinq ans. Cinq ans de guerre et
cinq ans de bonheur : cela suffit pour une vie,
ajouta-t-il comme s'il parlait à lui seul.

— Demain, supplia Théophane, demain, j'aurai
trouvé une solution. (Il savait qu'il prierait tant
que ses yeux ne se fermeraient pas.) Promets-moi
que demain... »

Kléber secoua la tête tristement. A présent, sa
décision était sortie de lui : elle se tenait entre
eux ; elle était la plus forte.

Après le dîner, Kléber fait asseoir Patrick sur
une chaise auprès de son fauteuil, et lui apprend
tout, d'une traite. Il a posé sa main sur la sienne :
de la neige sur le sable. Il parle d'une voix si
douce, si lasse qu'il en prend peur lui-même :
« Suis-je *vraiment* devenu vieux ? » Il a tout apprêté
comme s'il le fût réellement, mais il n'en croyait
rien. A présent... N'est-ce pas le pire châtiment :
devenir ce qu'on feignait d'être ?

D'une traite, toutes ses dispositions ; puis il attend
sans oser lever les yeux sur Patrick. Mais la main
se soustrait à la sienne et l'enfant, sans un mot, court
s'enfermer dans sa chambre.

« Colère ou chagrin ? » se demande lâchement
Kléber qui sait très bien à quoi s'en tenir.

Il attend ; puis soudain s'affole : combien de
temps depuis... ? La montre.. Ah ! C'est commode,
cette boîte, lorsqu'on est pressé !... Quoi ! une heure
déjà que le petit est dans sa chambre ?... Il s'y rue:

« Si jamais il est arrivé quelque chose, je me fais sauter la cervelle ! ». Il appuie son oreille contre la porte, entend distinctement le garçon pleurer, *et cela le rassure*.

Alors, il gagne sa chambre à son tour et accomplit tous les gestes quotidiens, hormis le dernier : s'endormir. Si seulement il pouvait pleurer, comme Patrick ; ou prier, comme Théophane en ce moment même. Mais non ! il ne sait que penser, faire tourner, dans sa tête vide, le manège de ses pensées toujours les mêmes : « Si nous avions... J'aurais peut-être dû... Si seulement Patrick... Trop tard... Si nous avions pu... J'aurais sûrement dû... Trop tard... »

Patrick pleure ; puis vomit tout ce qu'il a dans le corps ; puis, de nouveau, pleure inlassablement, comme un malade geint.

Minuit. Il se lève, marche en titubant jusqu'au miroir et y considère cet inconnu qui ressemble à Philippi. Il tremble de froid. Dehors, niché dans l'arbre tiède, un rossignol chante.

« Je vais partir à pied », pense le garçon ; il est même incapable de penser autre chose. « Partir à pied »... Le voici redevenu ce petit enfant abandonné, la nuit, dans une ville en ruines à côté du cadavre du seul être qui le protégeait. « Partir à pied... » — mais il retombe assis sur son lit, insensible, le regard fixe.

Une horloge sonne deux — non, trois heures ; il a compté. Un train passe en criant, et Patrick tressaille. L'odeur de métal, de vin rouge et de chien mouillé dans la cabane de Gravelle-triage, tandis que les sirènes de la police le cernaient... le parfum des lis au jardin d'Ernest... le goût du « repas de cerises »... — toutes sortes de rumeurs, de senteurs montent en lui lentement, solennellement, puis disparaissent. « Jamais plus ! » Cette pensée ravive la source : « Jamais plus ! » Un torrent de larmes...

Il suffoque si longtemps, si profondément qu'il s'étouffe, perd tout à fait le souffle. « Je vais mourir... Ce n'est donc que cela ? »

Mais soudain, il assène, de toutes ses forces, un coup de poing contre le mur : *il ne veut pas mourir.*

Debout ! Il ouvre, d'un seul geste, ses volets à la nuit — non à l'aube, déjà. Il ne mourra pas. IL NE MOURRA PAS... Un chien aboie quelque part dans la brume. Salut !... A tout ce qui vit, à toute bête blessée, terrée, désolée, qui attendait le jour et boit la lumière avec un grand rire silencieux, comme lui-même en ce moment, salut !... Tout ce qui respire dans le petit matin est son complice et son compagnon. Et salut au bulldozer couvert de rosée et, par-delà la palissade, à Roger qui ronfle dans sa maison neuve, à Daniel couché en rond dans son taudis de couvertures, à Dany dont les cheveux noirs font une tache d'encre sur l'oreiller, salut !... Que l'on est fort, quand on a cru mourir, et dispos, quand on est le seul éveillé ! Non pas le seul : l'âne sans nom vient de braire du côté de chez Théophane, et le premier coq chante. Salut ! *Ton amour... est pour mon amour...*

Enfant deux fois perdu, Patrick regarde le jour
se lever. Il se croit invulnérable désormais ; il n'est
que blindé. Pourtant, il existe une cuirasse sans défaut,
une seule : le manque d'amour. Patrick en est-il
donc arrivé là ? revenu là ?

Les jours suivants, Quatre de trèfles ne cessa
de promener, de l'un à l'autre, une truffe frémissante d'inquiétude. Cette demeure silencieuse, ses
habitants sur la pointe des pieds : qui donc était
mort ? Il reniflait sans répit ces nouveaux étrangers,
comme pour s'assurer qu'ils étaient bien ses familiers. Mais où avaient passé les *bigrebougre* et les
mon papa, les impatiences et les élans d'affection ?
Patrick et Kléber se ménageaient courtoisement, tels
des passagers, tels deux religieux d'un même cou-
vent. Chacun était reconnaissant à l'autre de ne lui
reparler ni d'hier ni de demain — mais alors que
reste-t-il à se dire ? Un parent de passage, chacun
d'eux... Kléber en souffrait plus que son garçon ;
c'était justice.

Une fois cependant, comme Patrick lui demandait
je ne sais quelle permission : « Mais tu es ici chez
toi, mon petit », lui répondit Kléber. Il le pensait
sincèrement : jour après jour il se détachait de cette
maison, de ce pays. Dépouillement privé de sens et
dont il ne tirait aucune paix, aucune joie, rien
que de l'amertume. Il en voulait au monde entier
de cette décision qu'il avait prise seul. Tant de
motifs à son geste, que lui-même ne savait plus quel
en avait été le mobile décisif ! Et parfois il se deman-

dait à son tour — comme Patrick, l'autre nuit —
si tout cela était bien vrai et s'il était encore lui-
même.

Une autre fois, il dit brièvement à Patrick (il
choisissait toujours l'instant de sortir, afin de ne
pas s'attirer de réponse et de ne céder à aucune
émotion) : « Tu donneras le Trésor... enfin, les
ça-peut, à ce petit garçon — comment l'appelles-tu ?...
Daniel. »

Un autre jour : « Mes outils pourront peut-être
te servir, bonhomme. » Cette fois, Patrick éclata
en sanglots : la cuirasse avait cédé ; mais le vieil
homme était déjà sorti.

A la fin du mois de mai, il fit sa tournée d'adieux.
A force de répéter toujours les mêmes paroles, il
finissait par se consoler, comme font les veuves ; par
se persuader aussi. « Au fond, tu as peut-être raison,
Kléber », lui disaient certains vieux ; mais les
vieilles demeuraient horrifiées par sa décision et le
plaignaient avec des larmes, ce qui est bien
agréable. Somme toute, d'assez bonnes journées, sauf
que le paysage n'était pas à l'unisson : tout cela
manquait d'automne.

La dernière de toutes, il garda, pour la veille
de son départ, sa visite à Mme Irma. Il s'attendait
à l'acte V de *Bérénice,* à quelque démonstration
pathétique ; mais les rideaux de peluche rouge ne
s'écartèrent sur aucune tragédie, aucun mélodrame.
Le silence. Une vieille femme qui, pour la première
fois, n'avait maquillé ni son visage ni son âge. Jamais

ce regard n'avait paru à Kléber aussi humain :
deux yeux d'enfant pris au piège des rides mauves,
comme une âme l'est dans un corps infirme ou
vieillissant.

Kléber s'attendait qu'elle discutât sa décision,
régentât sa vie future. Elle s'en informait, humblement : accumulait un trésor d'images tristes, amassait son menu bois pour un hiver interminable.
Lui-même considérait ici, pour la dernière fois, ce
décor qui aurait pu — non ! qui *pouvait encore*
être celui de leurs derniers jours. Suffisait d'une
parole ! Et si Mme Irma l'avait suggéré, une fois
de plus... — Mais elle n'osa point, par respect ; et
lui, par respect humain, n'en souffla mot. Pourtant, l'idée les en effleura au même instant ; ils
échangèrent un regard qui signifiait : « Tout cela
est trop bête, à la fin ! Unissons-nous, vivons ici...
Puisque Patrick est libre, nous le devenons aussi :
deux pour faire face à ce siècle étranger... »
Mais ils baissèrent les yeux en même temps.
Jusqu'au bout, le Bonheur et l'*Honneur* s'entre-
tueraient donc ! Elle se permit toutefois de
demander :

« Je ne pense pas que vous m'autoriserez à vous
rendre visite... là-bas ? (Il ne répondit rien.) Et je
sais que vous ne viendrez plus. (Il ne protesta pas.)
C'est donc un... un grand au revoir », ajouta-t-elle
à voix basse.

Il lui prit les deux mains et ils demeurèrent ainsi,
en silence. Le soir tombait déjà : pour une fois, le
Temps se montrait charitable.

« Allons », dit-elle enfin en se levant à grand-
peine et, sur le seuil, elle ajouta sans le regarder :
« Naturellement, je prendrai votre chien chez
moi... »

Comme Kléber s'en revenait vers sa maison, mar-
chant ainsi qu'un automate, il entendit qu'on courait
derrière lui, puis une petite patte saisit sa
main.

« Daniel !

— C'est vrai que vous partez ?

— Oui.

— Oh ! pourquoi ? pourquoi ? »

Il regarda ces boucles noires, ces grosses lèvres
ouvertes sur un souffle court (il venait de courir),
un souffle si pur, ces yeux trop luisants.

« Pourquoi ? » répéta l'enfant en serrant davantage
la main froide.

« *Je ne sais pas* », murmura le vieil homme.

Brusquement, presque brutalement, Daniel porta
la main blanche à ses lèvres et la baisa. Kléber
sentit la trace des deux dents écartées ; puis sa
main retomba inerte, un oiseau mort. L'autre s'envo-
lait sur le chemin, puis parmi des herbes plus
hautes que lui. Ni père, ni mère ; il avait enfin trouvé
un grand-père, et voici que celui-ci le désertait
aussi... Il alla cacher ses larmes dans ce qui restait
du verger Soucy : allongé contre cette terre que les
bulldozers faisaient trembler.

On entendit au loin : Hihan ! hi-hi-hi-hi-han !...
Daniel pensa soudain que, si son vieux maître quittait les lieux, l'âne sans nom serait sans doute livré

aux bouchers. Il courut avec des ruses d'espion, jusqu'au pré où l'autre ne broutait que d'une oreille,
le détacha et l'emmena sur la route de Fontaine-
au-Bois.

« Je vais le perdre, se disait-il : c'est sa seule
chance ! Le perdre au milieu de la forêt, comme dans
les histoires... »

Lorsqu'il eut atteint l'extrême lieu d'où il pouvait espérer retrouver son chemin de retour, le
petit garçon caressa longuement l'âne sans nom,
lui raconta ses malheurs à l'oreille, lui cueillit
quelques feuilles de muguet et s'en revint.

L'animal étonné regarda s'éloigner le Petit Pou-
cet ; puis il respira cet air inconnu, secoua ses
oreilles et, à son tour, s'en retourna à petits pas
tranquilles vers les hommes.

VIII

LE MOUROIR

CE matin encore, il s'est réveillé à quatre heures sonnant — sonnant ailleurs, très loin : des cloches inconnues... Réveillé en sursaut : Hein ? Quoi ?... Ce ne sont ni les cloches de son enfance ni celles du Plessis Belle-Isle. Alors ?... — Ah ! oui, c'est vrai.

Les premiers matins, il lui fallait ainsi reprendre pied, réinstaller de mémoire son campement. « Où suis-je ? » pensait-il, cœur battant, comme dans les romans-feuilletons. A présent, plus de réveils hagards, sauf ce matin. « Quatre heures ?... Ma culture physique. »

Impossible : les trois vieux de la chambre ne tolèrent pas plus la fenêtre ouverte que le « un... 'eux... 'ois... quatre ». Kléber a tenté de les convertir à *la fleur, la bougie*. « De la gymnastique, à nôtre âge ! A quoi bon ? » Et il est vrai que leur corps n'est plus qu'un garde-manger, un porte-douleurs. Kléber a donc inventé une série d'exercices qu'il exécute dans son lit. Ils l'essoufflent, l'obligent à respirer à fond l'air matinal de la chambre : l'odeur de négligence des trois autres.

Elle résume près de trois cents ans d'âge enfermés ici, et le premier souffle de Kléber le lui rappelle chaque matin. Alors il fait retraite sous ses couvertures et se rassure avec sa propre odeur qui lui est devenue une patrie, sa seule compagne.

Elle change pourtant, cette odeur ; et il en flaire les variations avec une curiosité un peu indécente, à la manière de Quatre de trèfles.

D'abord, il se lave moins méticuleusement qu'auparavant. Mais je voudrais bien vous y voir ! avec cette porte battante et cette file de vieux, à la fois si lents et si impatients : « As-tu bientôt fini, Demartin ? » Parlant des autres pensionnaires, Kléber dit toujours « les vieux » ; et il ne s'avise pas que, depuis son exil, lui-même prend une odeur de vieillard, aigre et froide. Son chien s'en apercevrait aussitôt.

« Au fond, pense-t-il (car il ne cesse guère d'y repenser), c'est lorsque Patrick a changé d'odeur que j'ai commencé... — non ! qu'il a commencé à ne plus... — enfin, à moins m'aimer. »

Quatre heures : il entame son monologue. Avec une patience d'océan, il revient sans cesse au même sujet : Patrick... Patrick... Pourquoi ?... Mais, avec une patience de neige, il égalise le terrain, comble les mystères, réduit les anciennes aspérités : plus qu'une couche étale de regrets sans vie. Le nez sous les couvertures, l'œil mi-clos, c'est le meilleur moment de la journée.

De l'oreille, il surveille ses trois « vieux ». Dans le lit voisin, Aristide, une sorte de gamin veule

et rusé qui chaparde, fait des grimaces et, à
soixante et onze ans, lève encore le coude en pare-
gifle à la manière des écoliers. Félix (celui qui
ronfle en ce moment) n'est qu'un tas incommode
de chair mauve et de poil blanc avec, par instants,
une fente pour le regard. Plus un être vivant : une
encombrante machine à vivre... Le matin, il s'assied
sur son lit, les jambes pendantes ; lorsqu'il a fait
provision d'un peu de vie, il s'habille lentement —
le vieux rocher se couvre de lichen — se cale dans
le seul fauteuil de la chambre avec une sorte de
rugissement qui sera son unique parole, et demeure
là, hébété, face à face avec sa mort prochaine. Voilà
Félix.

Mais le troisième compagnon, personne ne
l'appelle par son prénom : « Monsieur Dernat »,
dit-on en hommage à Mme Dernat, qui vit en silence
dans un autre hospice. Car, lorsqu'il n'y a plus de
place aux *Petits Ménages,* quel autre choix reste-
t-il aux pauvres ? Cette séparation, M. Dernat a
bien dû l'accepter ; pourtant, ni son corps ni son
âme ne la supportent ; il en mourra, très poliment.
Désarmé, le geste toujours inachevé, ses yeux cher-
chant quelqu'un derrière vous, à travers vous, il
vit *en attendant.* Kléber l'observe avec une compassion méfiante : car cette courtoise agonie le guette
également, s'il cède à sa nostalgie du Plessis Belle-
Isle. Auprès de M. Dernat, Kléber se conduit
comme un infirmier qui craindrait la contagion.

En ce moment même, ce voisin sans défense
geint en dormant, tel un enfant ; et Aristide est

recroquevillé comme un lièvre prêt à détaler. Même dans son cercueil de bois blanc, il fera le pitre ! Et Félix ronfle. Et Kléber veille à demi dans le royaume familier de sa propre odeur. Encore deux heures avant les raclements de gorge, les jurons catarrheux, le traîne-chaussons, le tac tac tac des cannes, le « hein ? » des sourds, la tabagie.

Cette parodie de la chambrée de ses vingt ans, ces vieux dont la chemise volante laisse voir sans pudeur leur chair de cadavre, ce bruit, cette fade pestilence, Kléber ne les avait pas prévus et ne s'y accoutume point. Aussi va-t-il bondir du lit — « Soldat, lève-toi bien vite ! » — dès cette cloche grêle que maudissent les autres. Le premier aux toilettes : Allons bon ! deux robinets ont encore coulé toute la nuit. Au début, Kléber passait chaque soir les fermer tous. A présent...

Le premier au réfectoire, et le premier dehors, ouf ! Il éternue sept fois : l'hiver est commencé. C'est une saison *sincère,* pense Kléber ; en vieillissant, la nature et l'homme se ressemblent, époux fidèles. Son pas sonnant (« Ma canne me manque », mais il évite de penser qu'il l'a donnée à Patrick...) son pas sonnant parcourt les rues puis les routes de la banlieue sinistre qui entoure l'hospice. Il voit s'ouvrir, une à une, des boutiques dont il lui est bien indifférent désormais qu'elles s'ornent d'une enseigne au néon ou d'une porte de verre. Sur de frêles vélos, des ouvriers se hâtent vers l'usine qui pue jusqu'ici. Tout à l'heure, ce seront les écoliers, déjà masqués de laine, l'épaule basse,

halant un lourd cartable à bout de bras... « Lui
non plus ne pouvait jamais courir qu'en galopant !
Patrick... Patrick... » Il reprend son monologue
n'importe où : il monte en marche sur le manège. Un
petit garçon, qui le dévisage sans effronterie, lui
rappelle Daniel. « J'aimerais bien le revoir...
Bah ! pourquoi viendrait-il ? Tous ces vieux
l'effraieraient. »

Huit heures. Le jour s'est levé, mais de mauvaise
humeur. Sous le ciel fermé, sous les arbres nus,
des commerçants installent leur éventaire pour le
marché. Kléber le parcourra du même air dédaigneux qu'au Plessis Belle-Isle. Mais tout est
changé : autrefois, il tenait d'une main un cabas vide
et, serré dans l'autre, un porte-monnaie qui l'était
presque. Ni l'un ni l'autre ici ; et le vieil
orgueilleux est certain que ces ignobles marchands
savent qu'il ne peut plus rien acheter et le mépri-
sent de toutes les manières. Soit qu'ils le suivent du
regard, soit qu'ils feignent justement de ne pas le
voir, que d'offenses !

Il ne déserte pas, cependant, et va, deux heures
durant, arpenter ce marché où des inconnues
achètent de pleins cabas de nourriture pour d'autres
inconnus. Kléber est un roi en exil, mais sans fidèles,
sans trésor, sans nouvelles — sans espoir. Plus de
budgets ni d'emplois du temps, plus de papier
quadrillé. La Pauvreté parfaite, l'Abandon : le
voici « devenu semblable à l'un de ces petits qui
entreront dans le royaume des Cieux » — mais il
l'ignore et s'enivre d'amertume.

Logé, nourri, vêtu, chauffé jusqu'à la fin de ses jours, il se sent atteint dans sa dignité d'homme, parce qu'il ne peut acheter un paquet de tabac. Il vient d'apercevoir par terre une cigarette inachevée et... — ce fut presque malgé lui. Mais, parce qu'il s'est baissé, *l'aiguillon* le rappelle à l'honneur. Alors, le sourcil haut, il émiette le mégot dans le vent.

Onze heures et demie : Kléber rentre vers l'hospice en croisant le peloton criard des écoliers et celui silencieux des ouvriers retour de l'usine. Il les suit des yeux, tous ces étrangers que quelqu'un attend ; et il considère ses mains inutiles, aussi blanches que des convalescentes et devenues, comme elles, maladroites, timorées. L'autre soir, à souper, elles ont laissé échapper un plat. « Bigrebougre ! » — Nom de Dieu ! Sacré connard !... Bordel de bonsoir !... Lui se tenait, au milieu des vieux, digne et modeste comme son *bigrebougre* parmi les jurons des autres. Oui, ses mains le trahissent. Il a essayé de les exercer à réparer ceci ou cela, mais ses outils lui manquent. « Si seulement ils servaient à Patrick... Patrick... Patrick... » Alors, il prépare des nœuds de ficelle bien compliqués et s'exerce à les délier, les yeux fermés.

Impossible, en approchant du réfectoire, de deviner le menu : c'est toujours une même odeur où l'oignon domine. Kléber a déjà oublié sa joie des premiers jours à s'attabler sans s'occuper de rien, à tourner sa tête vers le plat inconnu comme font les enfants. Il a déjà oublié que la nourriture est bonne, le lit confortable, le directeur attentif. Vieil homme sage, il n'a pas compris à temps ce qu'un clochard ivrogne sait d'instinct : qu'on ne vit ni de sommeil ni de pommes de terre, mais d'abord de présence ; et que ce n'est pas la pauvreté mais l'abandon qui fait le vieux.

Le repas achevé, avalé ce café (dont il ose affirmer aujourd'hui qu'il ne vaut pas son malt), Kléber sort le premier, s'assoit au bout du banc le plus proche de la grille, se tourne vers elle et attend. Parfois, un autre vieux s'y plante aussi, mais pas à ses côtés, car d'avance Kléber lui tourne le dos : à lui, à tous les autres, à l'hospice entier ! Plus rien ne compte que cette grille ouverte et celui qui peut y apparaître.

Mais qui ? — Ni Mme Irma, ni Daniel (Patrick peut-être...) Ni sœur Saint-Paul, ni Ernest, ni Adrien, ni... (Mais Patrick, peut-être...)

« Tiens donc ! Théophane... »

La casquette, la barbiche, la vieille main qui, de loin, esquisse un geste à mi-chemin du bonjour des tout-petits et du salut militaire, Kléber les voit trouble. Des larmes aux yeux ? Il ne fait pourtant pas si froid...

« Alors, mon vieux ? »

En ce moment même, sur la chaise dure de tant d'hôpitaux, des petites gens s'asseyent ainsi à côté d'autres plus misérables qu'eux : « Alors, mon vieux ?

— Alors, mon capitaine ? »

Le sourcil haut, la barbiche tumultueuse, Théo-

phane reprend son souffle dans une vive agitation
de broussailles ; puis il déballe toutes sortes de
détails sans intérêt : le café où il a déposé sa valise ;
et l'autobus qui n'en finissait pas ; si bien qu'il se
demande si, tout compte fait, le train de ceinture...
Dieu merci, Kléber mord à l'hameçon :

« Celui de Juvisy, alors ! Seulement, il faut changer
à la Roseraie-sur-Brière. Ou encore... »

Ouf ! le voilà parti... Qu'après cette dissertation
ferroviaire, Théophane parvienne seulement à
l'aiguiller sur la cote 304 ou sur l'attaque du 12 septembre (« Mais non, du 13 ! — Du 12, mon vieux.
—... tends voir ! ») et la visite laissera Kléber satisfait. Car l'interroger sur l'hospice est le contraindre
à mentir ; et lui parler du Plessis Belle-Isle, à
feindre. Théophane l'observe à la dérobée, de ce
regard que craignent tant malades et prisonniers
parce qu'il leur signifie qu'on vient vers eux d'un
autre monde — ce regard qui les condamne une
seconde fois. Théophane le dévisage et son cœur se
navre : « J'avais raison : il va crever de dignité,
l'imbécile... »

Pas tellement imbécile, puisqu'il s'arrête tout net
au milieu de ses suggestions d'itinéraires : il vient
d'éventer un piège.

« Tu me fais parler, Théophane. Donne-moi
plutôt des nouvelles de... de là-bas. »

Le capitaine feint de chercher.

« Bah ! bougonne-t-il, rien d'intéressant. »

Il devine bien que l'exilé passe des heures à
rechercher l'expression d'un visage, la couleur d'une

herbe ou le cri d'un coq. Il pourrait lui raconter
jusqu'au soir le Plessis Belle-Isle ! Mais serait-ce
remède ou poison ?

« Saprelotte, tu laisses pousser tes moustaches,
Kléber !

— Oui, elles me tiennent compagnie.

— Au fait, tu ne m'as jamais fait les honneurs
de ta chambre. »

Sûrement ! Félix ronfle dans le fauteuil ; à moins
qu'Aristide, plus agile, ne l'y ait devancé au sortir
de table. Théophane n'y sentirait pas que leur
odeur ignoble : la hargne et l'ennui se flairent
aussi.

« J'y suis bien : de mon lit je vois le quart
d'un arbre... Mais là-bas, Théophane ?

— C'est l'hiver, comme ailleurs.

— Et le fameux immeuble ?

— Il monte toujours. Tu avais raison : il empêche
déjà le jour d'entrer chez toi.

— Comment fait Patrick ? » demande Kléber
presque malgré lui.

L'autre attend un moment et, sans le regarder :
« Patrick n'y habite plus. »

« S'il me questionne, dois-je dire qu'il demeure
chez Roger ? » pense-t-il. Cependant que Kléber :
« ... Chez ce Roger, bien sûr — mais je ne le demanderai pas. »

« Alors... on va vendre la maison, je suppose.
La maison, les meubles, tout ?

— On n'y touchera pas.

— Et pourquoi ? »

Encore un long moment — cinq ou six battements
d'un vieux cœur — avant cette réponse :

« Patrick attend que tu reviennes.

— JAMAIS ! »

Il s'est levé ; ses mains tremblent : d'émotion ?
de colère ?

« Orgueilleux !

— Ne recommençons pas », murmure Kléber
avec lassitude, et il se rassied.

Silence. Un oiseau transi jette un chant perçant,
comme s'il voulait réveiller l'hiver à lui seul. Un vieux
tousse quelque part, vide ses caves.

« Je ne sais pas pourquoi je viens te voir : tout
ce que je trouve à te dire te blesse !

— Tant pire, fait le vieil homme d'une voix altérée,
ne viens plus : *ce sera complet.* »

Cet aveu bouleverse le capitaine. Lorsqu'un
homme meurt de faim, il faut d'abord lui donner à
manger sans se soucier de ce qui est ou non « bon
pour lui » ; Théophane vient seulement de s'en
aviser. Il ouvre donc les vannes : il va tout raconter.
Eh bien, oui ! Patrick habite chez ce Roger. Au début,
il s'y est refusé : il déjeunait à Villeserve, près du
garage, mais rentrait dîner.

« Dîner, le pauvre ! Et comment ? C'est moi qui
faisais la cuisine...

— Dîner à sa manière, et dormir dans la maison
aux portes condamnées. Mais un matin (lui seul
sait quels fantômes peuplaient son insomnie), il
avait résolu de fermer la maison, de n'y plus
revenir.

— Brusquement ?

— Aussi brusquement que toi-même, oui.

— Alors ? »

C'est le mot des enfants impatients : « alors ? »

Alors il habite chez Roger ; une femme de ménage fait leur marché, apprête les repas, entretient leur linge.

« Et Mme Irma ? » demande Kléber sur un ton qu'il eût souhaité indifférent.

Elle ne teint plus ses cheveux lesquels sont gris, ne se maquille presque plus. Cela lui va bien », ajoute Théophane, comme s'il craignait de la dévaluer aux yeux de son ami. Mais n'eût-il pas été plus charitable de le faire ? — *Tant pire !*

« Et Quatre de trèfles ? » interroge Kléber, d'une voix de plus en plus enrouée, car chaque personnage en appelle un autre.

« Il fait des fugues. Oui, mon vieux : disparaît des journées entières. Tu l'as mal élevé ! »

Ils rient tous deux ; mais à la manière des chiens justement : leur bouche sourit, pas leurs yeux.

« Où peut-il bien vagabonder ? Autrefois, Patrick l'aurait suivi. Et Daniel ? » questionne-t-il, sautant brusquement d'un enfant à l'autre.

Mais le capitaine croit qu'il s'enquiert de la *fiancée* de Patrick et répond trop vite.

« Je suis bien aise que nous en parlions, Kléber. Tu t'es trompé sur cette enfant : je la crois très sérieuse. Elle aime Patrick, et lui-même...

— Qu'est-ce que tu me racontes ? »

L'explication est orageuse : « A son âge... dans les bois... Je les ai vus, te dis-je ! »

« A son âge, murmure Théophane songeur, j'étais éperdument épris d'une petite crémière. Et si je ne l'ai pas embrassée...

— Tu n'as tout de même pas traversé Paris pour me raconter tes fredaines !

— Ni pour recevoir des leçons de morale du « Père la Pudeur » ! fait l'autre en lui tournant le dos.

Ils mettent un peu d'huile sur le feu, non sans complaisance : afin de « se prouver qu'ils existent », comme dit bizarrement Théophane. Dispute feinte ; mais, depuis le début, l'entretien tout entier sonne aussi faux qu'une conversation entre deux étrangers. Chacun le sent et s'en accuse : « Ma faute ! pense Théophane, je lui parle comme à un malade. » — « Est-ce que je n'aurai plus jamais rien à dire ? » se demande Kléber angoissé.

Rien à dire. Alors, il fait visiter le réfectoire, la chapelle — « Jamais mis les pieds ! » — le parloir.

« C'est assez... ancien, remarque poliment Théophane.

— Rien n'a changé depuis Napoléon III ! En France, dans les hospices et dans les hôpitaux, on est toujours en pension chez Badinguet... Les heures de repas, le linge, la voiture à cheval, tout est d'époque !

— De quoi te plains-tu ? Cela te rajeunit !

— Et moi aussi, je suis hors d'âge : sorti du

Temps... *Sorti du Temps* », répète-t-il avec stupeur, comme s'il cherchait à comprendre sa propre phrase.

Ce midi, au lieu de l'échanger contre des cigarettes, il a bu son quart de vin rouge : voilà l'explication. « Je recommencerai, décide-t-il : cela me donne des idées ! »

Sorti du Temps... Cette parole si grave délivrait Théophane de son personnage de « visiteur »; il saisit le bras de Kléber :

« Ecoute, je ne peux pas m'habituer à t'imaginer ici jusqu'à la fin de tes jours.

— La fin de mes jours ? »

Il vit son vieil ami pâlir, battre l'air de sa main : un aveugle qui chancelle. « Quoi ! il est impossible qu'il n'y ait pas songé lui-même... » — il n'y avait jamais songé.

« Je n'ai pas dit mon dernier mot », murmura Kléber par bravade ; mais il savait très bien que le dernier mot avait été prononcé tout à l'heure, et le pire de tous : *jamais*.

L'autre hésita encore puis, courbant le dos en prévision de l'averse :

« Rappelle-toi mon offre ! Si jamais tu voulais venir vivre avec moi, tu me ferais plaisir, Kléber.

— Qui sait ?... Je t'accompagne jusqu'à ton autobus. »

Franchir cette grille lui fit grand bien. L'offre de Théophane aussi : même peinte en trompe-l'œil, une fenêtre éclaire le mur d'une cellule.

Ils marchaient entre des murs gris, sous des lumières nues, car l'hiver est un immense hospice ; mais ils avaient spontanément retrouvé ce pas qui n'était tout à fait celui d'aucun d'eux : le pas de l'amitié et son silence jumeau.

L'autobus s'annonça à grande bringuebale. C'était le moment :

« Tu n'as pas de commission pour ton garçon ? demanda le capitaine.

— Ce n'est plus à moi de lui dicter ce qu'il doit faire : il est libre.

— Qui est libre ? murmura Théophane en haussant les épaules.

— Allons, pressons ! »

Le receveur s'impatientait. Son voyageur se hissa lourdement, puis se retourna vers l'autre vieux, debout dans l'hiver comme dans une église vide.

« Reviens bientôt, mon capitaine ! »

Théophane se hâta de pénétrer dans la voiture, dans la chaleur des autres.

« Il aurait dû demeurer un moment sur la plate-forme à me faire signe... *Qui est libre ?* — Moi ! » pensa le pauvre Kléber, Kléber l'Orgueilleux. Il n'était pas libre, il était seul.

Lorsque Théophane, harassé, atteignit la rue de la Libre-Pensée — l'immense château fort Malouvrier barrait déjà l'horizon — il crut voir un homme allant et venant devant sa barrière.

« Tiens, c'est toi, Patrick. Tu as encore grandi depuis avant-hier, ma parole ! »

Le garçon lui prit des mains sa valise, qui soudain parut pleine de plumes.

« Alors ? demanda-t-il sans bonjour ni bonsoir.

— Le même mot que ton père... — Quel gâchis ! »

Le visage de Patrick était devenu un peu carré, rugueux ; la ride ne quittait plus guère son front ; mais les yeux verts avaient conservé leur éclat exigeant.

Théophane, sans le regarder, lui raconta l'hospice modèle, les compagnons affables et Kléber très heureux. Il jouait à Dieu le père, ce qui est la tentation des braves gens mais n'engendre que le désordre. Il refusait, ce soir, que Patrick aussi fût désolé ; ou peut-être espérait-il le décider à rendre visite à son père : « Qu'il y aille seulement ! Mes prières feront le reste. »

« S'il se trouve tellement heureux, dit le garçon en détournant la tête, c'est que je ne lui manque guère. Tant mieux ! Bonsoir, oncle Théo. »

L'oncle Théo se demandait encore s'il avait si sagement agi, que déjà Patrick avait disparu, fondu dans les ténèbres du grand immeuble. « C'était un pieux mensonge... Un *pieux* mensonge ? une *sainte* colère ? Comme il faut se méfier des adjectifs ! » pensa le capitaine.

« Hé ! le jeune homme au fond, vous descendez ici. »

Quand le receveur l'alerta, Patrick le crut à peine. Cette banlieue galeuse, cette vieille ville naine,

l'avoir préférée au Plessis Belle-Isle ! Sa seule usine
sentait plus mauvais que toutes celles de Villeserve
mises ensemble. Patrick croisa deux vieilles et un
infirme : la commune constituait-elle tout entière
un hôpital-hospice ?

La vue de la grille et du bâtiment gris le détrompa.
Il s'arrêta, interdit. HOSPICE DE VIEILLARDS... Six
ans plus tôt, après avoir erré parmi les ruines,
un petit garçon pénétrait dans un bâtiment semblable à celui-ci et respirait la même odeur
d'urine et de vaisselle... Ses pensées d'alors lui revin-
rent : « De vieux hommes couchaient côte à côte,
se haïssaient, mouchardaient et faisaient le pitre...
— Oui, monsieur le directeur... Non, monsieur
le directeur... Et la cloche, deux coups puis trois
précipités : rassemblement immédiat ! Alors à quoi
cela servait-il de vieillir, de vivre ?... » Et à quoi
servait d'avoir grandi, si les mêmes pensées remontaient intactes du fond de vos soutes obscures ?
Patrick faillit s'enfuir ; c'était un réflexe du temps
d'*Olémin*.

Il franchit pourtant cette grille, se renseigna,
trouva d'instinct la porte III, l'escalier D. Les yeux
fermés, il aurait su découvrir le réfectoire, l'infir-
merie, la salle de douches. Les marches lui parurent
basses : ce n'étaient plus de petites jambes aux genoux
durcis de croûtes qui les gravissaient.

Il longea des dortoirs, passa sur la pointe des
pieds devant le BUREAU DE M. LE DIRECTEUR. Qu'était
donc devenu celui de l'orphelinat ? Sa petite toux :
hum hum hum... Et ses adjoints : Barbapoux...

Adolf... Petite-Tête... ? Et soudain (si vivants qu'il
pressa le pas comme pour les fuir), il revit aussi
Descaux... Thuillier... Fantin... Lardenet... — tous
sauf Philippi. On l'eût bien surpris en lui rappelant
qu'à présent il avait leur âge, et qu'eux-mêmes
étaient devenus des hommes.

Il buta sur un vieillard, assis sur un banc de
bois, et qui avait enfoui son visage dans un grand
mouchoir à carreaux. Il pleurait, Patrick le devina
au mouvement des épaules.

« Si c'était papa ? » pensa-t-il un instant ; mais
il reconnut que non à je ne sais quoi, à personne
n'aurait su dire quoi, dans la courbure de son
petit doigt. Il était le seul être au monde capable
de reconnaître ou non Kléber à la courbure de
son petit doigt. Théophane avait bien raison : quel
gâchis !...

C'était M. Dernat qui, se croyant seul, s'aban-
donnait à son chagrin ; mais cette rencontre suffit
à dessécher toute joie en Patrick, et il craignait
presque de rencontrer son vieil homme. Kléber
absent, il s'était composé de lui une image : celle
des temps heureux. Depuis leur séparation, son
père venait chaque soir l'embrasser dans son
lit... A son hésitation même, Patrick s'aperçut que,
pour sa honte, il préférait au vrai Kléber cette
image qu'il s'était formée de lui : qu'il préférait sa
tranquillité à la vérité, comme tous les convalescents. Alors, pour la seconde fois, il éprouva l'envie
de fuir.

Qu'allait-il trouver, au détour des murs macu-

lés ? — Mais qui donc était-il lui-même, progressant à pas de coton dans ce corridor nauséeux ?
l'orphelin des ruines ! le petit prince du Plessis
Belle-Isle ? ou l'enfant ingrat qui trahissait à son
insu ?

CHAMBRE 28. « Bigrebougre ! C'est toi, mon bonhomme ? » Ah ! si Kléber l'accueillait ainsi, il le saisi-
rait dans ses pattes grises de mécano — « Tes ongles,
Patrick ! » — et l'emporterait, en courant, loin d'ici.
« Papa, je vous aime... Heureux comme avant, pour
toujours... Mon papa... »

CHAMBRE 28, il en franchit le seuil et s'arrêta :
le chien fidèle ne retrouvait pas ici l'odeur de son
maître. Félix, seul, tassé dans son fauteuil, digérait,
sommeillait. Patrick, qui se sentait prêt à aimer et
à respecter tout ce qui portait cheveux blancs, lui
demanda poliment si M. Demartin... — Non !
Demartin... DE-MAR-TIN...

Il ne s'attira qu'un regard larmoyant et un bal-
butiement écumeux. Sous l'effort, Félix devint écarlate et le garçon crut vraiment qu'il allait mourir.
Il recula d'un pas, lâchement. Quoi ! nuit et jour,
Kléber supportait un tel compagnonnage ? « Mon
papa... » Ses yeux se remplirent de larmes ; il voulut
se moucher afin que, si jamais le vieil homme sur-
venait... — Le mouchoir fila entre ses doigts, lui
laissant le nez sale et le geste stupide : Aristide,
soixante et onze ans, venait de lui jouer ce tour
et en riait de toutes ses dents gâtées.

Ce sourire (celui de Fantin) repoussa davantage
Patrick que le râle de l'autre ; cette fois, ses jambes

du camelot et il reconnut... — Non, non, ce n'était
pourvu que, d'ici la grille, il ne rencontrât pas Kléber !
car qu'était-il devenu, lui aussi ? Les parquets ridés, les
marches plaintives se réveillèrent sous ces pas insolites : de mémoire de vieillard, on n'avait jamais
couru dans ces lieux.

Le déserteur ne se sentit tout à fait en sécurité que
dans l'autobus, et encore lorsque celui-ci eut démarré.
Ses voisins y observaient, avec plus de méfiance que
de compassion, ce garçon au visage, aux mains
d'homme, qui appuyait sa tempe à l'oreiller froid
de la vitre, et dont le regard vert fixait dans la
nuit quels fantômes ?

Et soudain, Patrick se prit de fureur contre l'oncle
Théo avec son hospice modèle (« le genre pension
de famille, tu sais ») son cadre idéal, ses compagnons exemplaires (« Déjà de vieux amis pour
lui »)...

« Me mentir, à moi ! » se répétait Patrick avec
une belle inconscience, et il entretenait complaisamment sa colère. Si obsédé, qu'il fallut que le receveur lui criât à l'oreille « Terminus ! » pour qu'il
songeât à descendre.

Incapable de tenir en place en attendant le 184,
Patrick fit le tour du terre-plein et tomba en arrêt
devant un éventaire volant de « Farces et attrapes »
qui parvint à le dérider : fluide glacial, sucre flot-
tant, le Centimètre d'Amour, monologues hila-
rants pour noces et sociétés, crottes de chien « imitation parfaite »...

Son regard tomba, au pied de l'étal, sur la valise

furent les plus fortes : il s'enfuit en courant. Et pas possible !

Il se rejeta brutalement dans l'ombre et osa lever les yeux sur le marchand : Théophane...

« Non ! » cria-t-il.

Quelques badauds se retournèrent ; pas le vieil homme : la barbiche en bataille, il discutait, avec un écolier, du prix d'un paquet de boules puantes.

« Non », répéta Patrick d'une voix suppliante.

Le capitaine... Sambre-et-Meuse... le ruban rouge... — Le poil à gratter... Oncle Théo ! oncle Théo !

De nouveau, il partit en courant dans l'avenue de Gravelle jusqu'à ce que le souffle lui manque.

Alors, il s'arrêta, vaincu, la face salée de larmes ; attendit humblement le 184 et se laissa porter par lui sans ouvrir une seule fois les yeux. Lorsqu'il reconnut, aux cris des trains, le pont de la Révolte et, au tressaut des pavés, le rond-point des Veuves, il se fit plus attentif encore à retenir ses larmes ; car, passé Villeserve, il devenait à la merci du frémissement d'une feuille d'arbre. Ce vieillard qui pleurait, l'autre qui se mourait, et le vieil imbécile qui avait tiré sur son mouchoir... Et Théophane : le métier de Théophane la grande valise de Théophane... Pourquoi vivre ? Il ne suffisait donc pas qu'on devînt pauvre, infirme, seul ; fallait-il aussi qu'on fût ridicule ? Oh ! pourquoi vivre ?

« Chez qui aller ? » se demanda Patrick, et il recensait ses consolations : Dany ?... Roger ?...

Daniel ?... « Sûrement pas Mam Irma », décida-
t-il, car il tremblait de découvrir, là aussi, quelque
grotesque. Dany ?... Ou bien le petit Daniel ?...
Mais, lorsque le receveur annonça Gambetta-
Rosières :

« Attendez, cria-t-il, attendez !

— Tu te réveilles, mon garçon ? »

Oui, un certain Patrick se réveillait en lui. Tournant le dos à l'école, qui lui parut un jouet
d'enfant, il gagna à grandes enjambées le dispensaire.

« Sœur Saint-Paul, appela-t-il, où êtes vous ?
vite ! »

Il entendit approcher le froufroutement ; elle
apparut :

« Tu m'as fait peur ! Qu'y a-t-il ? »

Planté sur le seuil (« Qu'il devient grand ! »)
jambes écartées comme une sentinelle allemande,
et la voix rauque :

« Savez-vous quel métier fait l'oncle
Théophane ? »

Elle ne le quitta pas du regard : elle guettait
l'enfant blessé qui se cachait dans cette carcasse
d'homme.

« Bien sûr, il vend des... petites sottises pour
vivre. Il me l'a dit.

— Oh ! fit Patrick, les dents serrées, c'est dégueulasse, c'est dégueulasse ! »

Tout son corps tremblait : un chagrin d'homme
qu'il ne voulait pas laisser sortir. Sœur Saint-Paul
s'assit lentement, écarta ses manches bleues.

« Viens ici, Patrick. »

Il attendit encore un instant, puis se précipita
sur ses genoux comme un petit enfant. Mais, parce
qu'il détournait la tête et qu'elle-même demeurait
immobile, ils ressemblaient au groupe pathétique
que forme la Vierge Marie tenant sur ses genoux,
plus grand qu'elle, le corps exsangue de son fils.
Ils demeurèrent ainsi un long temps de silence ;
puis elle le releva très doucement.

« Il y a seulement trois ans, tu aurais trouvé
« drôlement chouette » que ton oncle Théo... Et
maintenant tu trouves cela « dégueulasse »,
pourquoi ?

— J'étais un gosse. A présent, j'ai compris.

— Tu crois être devenu un homme, être passé
de l'autre côté de la barrière. Mais tu n'as pas
encore compris que les hommes font des métiers
d'enfants ; qu'ils se jalousent, qu'ils chapardent,
qu'ils mentent comme des enfants, la grâce en
moins.

— Alors quoi, il n'y a pas de grandes personnes ?

— Des « grandes personnes », répéta-t-elle avec
révérence, si, mais très peu, et pas celles que tu
crois. Apprends à les reconnaître à temps sous leur
déguisement parfois ridicule, sous leur défroque de
pauvre. M. Théophane, par exemple.

— Vendre des...

— Tais-toi ! Celui qui, pendant la guerre, gagnait
des millions à vendre l'étoffe bleue sous laquelle
le capitaine risquait sa vie, je te jure qu'il était
plus *pitoyable* que le vieux monsieur qui propose

ses farces-attrapes... Est-ce que tu comprends cela ?
demanda-t-elle doucement.

— Non.

— Quand il triait ses détritus, il y a cinq ans, ton
ami Roger était plus... estimable qu'à présent lorsqu'il
« fait des affaires ».

— Pourquoi les gens le respectaient-ils moins ?

— L'aiment-ils davantage, « les gens » ?

— Il n'a pas besoin d'être aimé. L'argent... »

Elle s'approcha de ce visage plus haut qu'elle,
planta son regard dans les yeux verts :

« Pas besoin d'être aimé ? *Il en crevait*. C'est toi
qui l'as sauvé en devenant son ami, pas l'argent !
Et c'est lorsqu'il a cru que tu ne l'aimais plus, que
ton père...

— Papa ! »

Elle ne se doutait pas rouvrir une blessure aussi
récente ; elle vit Patrick marcher vers le mur, le
frapper à coups de poing, puis se retourner :

« Papa ? J'en reviens. Savez-vous comment est
son hospice ?

— Je m'en doute. On n'a guère le choix. »

Elle entama posément une description plutôt
pire ; il l'interrompit brutalement :

« Et vous trouvez cela acceptable ? Papa avait
raison quand il disait à l'oncle Théo : « Vous, les
« chrétiens, vous êtes tous des *résignés*. Rien
« n'avance jamais, avec les résignés ! Vous méritez
« tellement le pire que vous finissez par le
« souhaiter... »

— Pourtant, ce n'est pas ton oncle Théo qui

est à l'hospice, murmura-t-elle. Il est vrai, nous nous résignons assez bien au malheur, mais pas à celui des autres. Et surtout, nous ne nous résignons jamais à les voir faire leur malheur par manque d'amour. »

Patrick baissa la tête : « Est-ce pour moi qu'elle dit cela, ou pour papa ? »

« C'est à vous deux que je pense, acheva-t-elle. Je vous avais pourtant prévenus, l'un et l'autre... Allons, raconte ta visite. »

Il lui dit tout, sans complaisance, à petites phrases. Lorsqu'il eut achevé, elle demanda en souriant :

« Une fois, tu m'as dit : « Mon père, c'est un « seigneur ! »

— C'est vrai.

— Tu ne l'as pas vu, là-bas ; mais crois-tu qu'il y ait cessé d'être « un seigneur » ?

— *Au contraire !*

— Ah ! fit-elle en se levant (et elle respirait très fort, comme quelqu'un qui achève une tâche pénible), tu commences à comprendre... Viens par ici. »

Dans la salle d'attente où elle le conduisit, pendait au mur la reproduction d'un vitrail de Rouault : DERELICTUS. On y voit, sous des couleurs de nuit et de sang, le Christ dépouillé de ses vêtements, couronné d'épines, assis, la tête basse et les mains aux genoux, seul, dans un corridor ténébreux.

« Qui est-ce ? demanda Patrick.

— Tu le sais.

— Pourquoi me... ?

— Dieu, poursuivit-elle sans répondre, Dieu, la Création toute entière : pas seulement notre terre mais ces constellations inimaginables que nous sommes si fiers de croire dénombrer. Des milliards de milliards d'hommes, des millions de millions d'années, l'Eternité : Dieu. Et c'est Lui qui est là.

— Pourquoi ? demanda Patrick.

— Pour que Théophane ne soit pas ridicule, répondit-elle d'une voix altérée ; pour que ton père demeure un seigneur, même là-bas... Parce que jamais l'écart ne sera aussi grand. Parce que jamais notre pauvreté ni leur tyrannie ni leur injustice ne pourront nous abaisser désormais : car *être* « *abaissé* » *au niveau de Dieu,* Patrick, quel honneur !

— Quel honneur ! » répéta-t-il, et il pensait à Kléber, à Verdun.

Elle désigna les fonds du tableau, les pourpres obscurs.

« Des hommes s'avancent là-bas. Il les entend ; pas nous. Des hommes le fouet à la main, et que leur importe que cette chair soit innocente ? Dans un instant, il ne sera plus qu'une plaie, mais sans une plainte. Qui est pitoyable, Patrick, qui est humilié ?

— Eux, dit-il sans hésiter.

— Et encore plus, celui qui leur a donné des ordres et qui, cependant, habite un palais. Et encore

plus. ceux qui ont impunément crié : « A mort !... »
Ce sont « les gens », Patrick : les mêmes qui saluent
Roger, à présent qu'il est riche.

— Je les déteste.

— Détester ? Cela sert à qui ? à quoi ?

— Non ! Papa a raison : je ne veux pas me résigner, moi.

— Peut-être bien qu'entre se résigner et détester,
il existe une autre attitude : essayer de comprendre,
par exemple. Et sinon, ajouta-t-elle à voix basse,
essayer d'aimer, à tout hasard.

— Non, reprit fermement Patrick, il serait lâche
d'essayer d'aimer des gens qui... »

Elle prit sa main ; ainsi faisait-elle avec ses petits
patients lorsqu'elle savait devoir leur faire
mal.

« Est-ce que je te déteste, moi, à cause de... à
cause de tout ce qui est arrivé ? »

Patrick demeura bouche bée ; toutes ses rides
apparurent d'un coup, et ses yeux devinrent très
brillants.

« Non, fit-elle très vite, je persiste à t'aimer, bien
que je n'aie pas tout compris. Ne dis rien !... En
sortant d'ici, tu iras attendre ton oncle Théo à l'arrêt
d'autobus. »

Il secoua la tête.

« Tu iras, ordonna-t-elle, et ne tarde pas trop !
c'est son heure. Tu l'embrasseras ; tu porteras sa
valise avec respect : tu n'auras qu'à penser au
tableau... »

Patrick ferma les yeux afin de mieux revoir :

il était assis tristement près de son éventaire, la
tête baissée, les mains à plat sur ses genoux comme...
comme l'Autre.

« Et, ce soir même, poursuivit-elle, tu essaieras
d'expliquer à Roger ce que tu as compris sur l'argent,
sur les gens, sur l'honneur.

— Pourquoi ce soir ?

— Parce que tu es encore *contagieux,* Dieu merci !
dit-elle en souriant.

— Contagieux ?

— Ne t'inquiète pas. »

Il hésita :

« Et papa ? demanda-t-il enfin d'une voix
angoissée.

— Plus tard, tu y retourneras plus tard, mais
sûrement. Et peut-être même le ramèneras-tu.

— Plus tard ? Quand j'en aurai « faim et soif » ?

— Tu as une bonne mémoire, Patrick.

— Ce n'était pas l'avis de Hérisson, cria-t-il en
dévalant le chemin (car on entendait déjà l'autobus
peiner à gravir l'avenue).

— Patrick ! » rappela sœur Saint-Paul.

C'était toujours quelques instants trop tard que
lui venait l'inspiration : « Le Saint-Esprit m'attend
sur le seuil », disait-elle. Patrick s'en revint, impatient, essoufflé.

« Envoie Daniel visiter ton père !

— Mais...

— Envoie Daniel. »

Il repartit, la tête en feu — quelle journée !
Mais le Saint-Esprit devait aussi rôder dans ses

parages puisqu'il retourna, encore une fois, en
courant vers la cornette blanche ; son visage
rayonnait :

« Dites, quand est-ce la fête des Mères ? » demanda-t-il.

Pour la douzième fois, Daniel vérifie l'itinéraire
que Théophane a établi pour lui, tellement déplié et
replié qu'il est près de se déchirer en huit. « Autobus
184 jusqu'à la place Dudolain (sept tickets). Sur la
place Dudolain, à gauche du monument quand tu
regardes l'église... »

Daniel extrait de sa poche un moignon de crayon
auquel affleure encore un œil de plomb et pointe
sur le plan sa position exacte. Bon !

Assise en face de lui, une petite fille, dont les
pieds n'atteignent pas encore le plancher, suit chacun de ses gestes. Elle le voit replier un papier,
le fourrer dans sa poche, en retirer sa main à
grand-peine, puis se pencher vers le cabas que ses
jambes emprisonnent étroitement *et lui parler*. « Bientôt ! promet-il au cabas, bientôt, mais ne bouge
pas... »

Instant solennel : pour la première fois, Daniel
achète un carnet d'autobus avec son argent. Le
receveur ne paraît pas s'en rendre compte et lui
rend la monnaie distraitement : quatre pièces que
le gosse compte interminablement après s'être
assuré, d'un coup d'œil, que sa petite voisine l'observe
toujours.

« ... A gauche du monument quand tu regardes

l'église, tu trouveras la station de métro. Un ticket
(on dit : « un aller seconde ») coûte 20 francs... »
Son cœur bat tandis qu'il franchit le portillon, son
cabas à la main, d'un air si faussement innocent
qu'il alerterait aussitôt la poinçonneuse si elle ne
discutait pas tricot avec sa collègue de l'autre rive
par le truchement de la voûte. Ouf ! Daniel gagne
l'extrémité du quai en changeant son cabas de
main tous les quatre pas ; et là-bas, sûr que personne
ne l'épie, il se penche vivement afin d'en baiser le
contenu.

Au fond du tunnel un géant cligne son œil
rouge, ouvre son œil blanc. Daniel voit le serpent
à cinq wagons s'ébranler, se hâter, peiner, grincer
— le voici. « Pressons ! » Debout contre la cabine
arrière, le petit garçon assiste sans ciller à l'escrime
du diable : ce duel d'étincelles vertes, ces sourds
enclenchements, ces gargarismes de métal le fascinent.
Il en oublie le cabas, son contenu, le... « Mon Dieu,
le plan !... Ah ! non, encore deux, trois, quatre
stations. »

A l'avant-dernière étape, porte de Malplaquet,
Daniel entrouvre enfin ce cabas : Quatre de trèfles
en jaillit, jubilant, et va lever la patte contre tout
ce qui se dresse à sa hauteur. Quelques gouttes
chaque fois — c'est parler pour ne rien dire ! — puis
il retourne, de lui-même, dans sa prison de toile
cirée.

« Nous allons arriver, lui murmure Daniel à
l'oreille. Chaque fois que tu te sauvais, c'est lui que
tu essayais de retrouver, n'est-ce pas ? Eux ne l'ont

pas compris ; mais moi, j'en étais sûr. Eh bien, cette fois, tu vas y parvenir... »

Installés dans le dernier autobus (« à la porte de Malplaquet, tu montes dans le 263... »), garçon et chien, le même sourire aux lèvres, ferment leurs yeux pour mieux se rappeler Kléber.

Ils se trompent tous les deux. Celui vers lequel ils roulent sur ces pavés bossus a changé d'odeur et d'aspect. Il ne se rase plus, se lave à peine, boit du vin, ramasse des mégots. Il a oublié le Code de Politesse : il crache et n'écrase même plus ses crachats. Ses mains sont devenues grises, ses ongles noirs. Ce matin, dans le miroir galeux des lavabos, il a observé la gerbe de poils qui déborde de ses oreilles (signe de vieillissement) et murmuré :

« Je m'en fous. »

« Je m'en fous ! » Lui qui, depuis la fin de l'autre guerre, n'avait jamais franchi le *bigrebougre,* le *saprelotte,* à la rigueur le *saperlipopette*... Beau travail, Aristide ! L'autre mois, le vieux garnement lui a raconté, mais à sa manière, le passage de ce visiteur aux yeux verts...

« Patrick !

— Pas eu le temps de lui demander son nom ! Il m'a dit qu'il passait tout à fait par hasard et qu'il n'avait pas le temps d'attendre... »

Car l'ignoble Aristide invente le pire à mesure qu'il en observe les effets sur le visage de l'autre.

« — ... Mais, j'ui dis, vous avez bien une commission « pour lui ? — Alors i'm'dit : « Non, j'ai rien à en « foutre ! » Tout de même, j'ui dis...

— TA GUEULE ! »

C'est son premier gros mot depuis trente ans, mais la bonde est ôtée : ce sera le vin, les mégots, les chaussures sur le lit, les crachats dans le couloir. Cette veulerie des autres vieux à laquelle il a opposé dès le premier jour les seules armes de la courtoisie et de la dignité, il s'y abandonne avec une jubilation amère. Le directeur n'y comprend rien :

« Vous, monsieur Demartin ! Il faut que vous soyez désespéré... Allons, que se passe-t-il ? »

L'honneur dicte à Kléber une réponse qui bouleversera le directeur : sans un mot, le vieil homme arrache les rubans de sa boutonnière et les jette à terre.

Patrick, oh ! Patrick, pourquoi n'avoir pas envoyé Daniel aussitôt ? Et toi, Daniel, avoir remis de jeudi en jeudi ? C'est si fragile du cristal... N'arriveras-tu pas trop tard ?

Assis sur son banc dur, et fixant sans espoir la grille de l'entrée, Kléber voit soudain débouler vers lui sur trois pattes, preuve d'allégresse...

« Par exemple ! »

Pas le temps de reconnaître Quatre de trèfles que le voici assailli, débordé : langue, truffe, griffes et mille jappements de joie autant que de reproche. « Je t'aime ! Pourquoi m'as-tu laissé ? Et pourquoi as-tu changé d'odeur ? Je n'aime que toi ! Est-ce que tu vas revenir ? Sinon, c'est moi qui reste ! »

D'une main tendre et bourrue, Kléber met de l'ordre dans cette dialectique confuse. Et soudain, au moment où il allait lui parler à son tour, c'est l'autre qui lui file entre les doigts, franchit la grille, disparaît — allons bon ! — reparaît, toujours sur trois pattes, escortant, comme une barque le navire, mais qui donc ?

« Daniel !

— *Grand-père !* »

Car c'est ainsi qu'il nomme Kléber dans cette revue des visages qui, chaque soir, lui sert de prière.

« Ton petit-fils, Demartin ? Mes compliments », fait un vieux qui passe (et à quoi bon le détromper ?)

« Mais qui t'a montré le chemin jusqu'ici ? »

Sans répondre, Daniel exhibe son plan. Théophane, ami attentif, l'a tracé sur du papier quadrillé.

« Je le garde, dit le gosse en le rempochant vivement : pour quand je reviendrai te voir. »

Grâce sur grâce ! Ce geste, ces mots ramènent Kléber aux temps les plus purs de Patrick, tutoiement en plus. Il ne peut se retenir de demander avec anxiété :

« Quand ? quand reviendras-tu me voir ?

— Mais je suis là », dit doucement l'enfant.

Kléber l'embrasse ; Kléber boit l'hiver sur ses joues. observe avec bonheur les « dents du bonheur » et contemple ce regard pur : le contraire même de la mort.

« Tu piques et tu sens drôle, constate Daniel calmement.

— Parce que je suis un petit peu malade.

— Alors il faut repartir avec moi : sœur Saint-Paul te soignera.

— La prochaine fois que tu reviendras, je serai guéri.

— Alors, je reviendrai dimanche. »

Dans trois jours ? Kléber, incrédule, veut l'éprouver :

« C'est un voyage bien fatigant...

— Avec le chien dans le cabas ; mais sans lui... Ecoute ! »

Il se hisse jusqu'à la vieille oreille. « Maudits poils ! pense Kléber, ce soir même, je les coupe. »

« Ecoute, grand-père, je vais te laisser le chien : il s'ennuie trop là-bas ; il se sauve sans cesse ; il finira par se perdre.

— Mais comment veux-tu... ? Jamais *ils* ne me permettront !

« On les aura », dit Daniel en clignant un œil.

Ils se quittèrent, eurent bien du mal à se quitter, deux heures plus tard. L'autobus s'éloignait déjà que le vieux criait encore :

« Fais attention avant de traverser !... Lave bien tes dents ! A dimanche !... — A dimanche ! » répéta-t-il d'un ton angoissé.

Quatre de trèfles le surveillait en remuant la

queue : « Enfin seuls ! » Kléber baissa la tête et ils se regardèrent longuement dans les yeux.

« A nous deux, maintenant ! fit le maître en fronçant les sourcils. Bigrebougre, comment vais-je faire ? »

« Bah ! pensait l'autre, du moment qu'il prend l'affaire en main... »

Le portier, un ancien de Verdun, trouva volontiers un recoin qu'on garnit de paille. Quant à la nourriture... Entre les douches et la morgue, un hangar abritait les hautes poubelles où l'on déchargeait pêle-mêle tous les restes de la cuisine ; au petit jour, un camion malodorant les transportait dans un élevage de porcs. De ce jour, les poubelles devinrent moins lourdes, et Quatre de trèfles plus gras : comme un homme qui prend tous ses repas au restaurant.

Rasé, les ongles nets, des rubans tout neufs à la boutonnière et jamais un mot plus gros que l'autre, Kléber l'Ingrat ne s'expliqua pas davantage avec M. le directeur. Il recommença à écraser ses crachats, puis renonça même à cracher. Malgré les menaces veules d'Aristide et les grommellements de Félix, il se levait à quatre heures, ouvrait la fenêtre, respirait la fleur et soufflait la bougie : une, ... eux ! Il échangeait de nouveau son quart de vin, mais contre des biscuits secs et, par trocs successifs, son tabac contre des petits journaux illustrés.

Ayant appris de Théophane la vérité sur la visite de Patrick, il régla son contentieux avec Aristide

en une seule parole : « Tu manques d'honneur » —
qui fit beaucoup rire l'édenté.

Une lettre de sœur Saint-Paul lui annonça le
retour de Patrick : « Pas maintenant ; mais le jour où
vous le désirerez vraiment l'un et l'autre. Car je
sais que *vous le désirerez ensemble,* et alors tout redeviendra possible. »

Le jeudi matin, Kléber installait Félix ailleurs,
où il pût agoniser bien au chaud, puis chassait
Aristide d'un regard. M. Dernat l'aidait alors à
nettoyer la chambre qu'on aspergeait d'une eau de
lavande qui se mariait assez mal avec l'odeur des
vieux.

« Ça sent drôle », disait bonnement Daniel que
la pauvreté n'avait pas encore contraint à mentir.

« Tu veux dire : mauvais ?

— Non, drôle. »

Sur la table de chevet, la photo du sergent-chef
Demartin montait une garde impérieuse contre les
crachats, les brodequins sur les lits, et même les
jurons.

Les embrassades faites — et elles duraient longtemps — Daniel libérait ses poches de toutes sortes
de merveilles que Kléber reconnaissait avec un serrement de cœur : c'était, un à un, les *ça-peut*
du Trésor... « Patrick les lui a donc donnés... C'est
bien. » Le vieil homme feignait de s'extasier et se
faisait expliquer l'Exposition universelle ou les
éclipses de soleil. En retour, il racontait à Daniel
la Grande Guerre, interminablement. Le visage
entre ses mains, la bouche entrouverte, les yeux

exigeants, le petit homme faisait provision d'honneur.

« Mais alors, grand-père, les Boches, qu'est-ce qu'ils ont fait ?

— Je te le raconterai dimanche... si tu viens ! A présent, c'est l'heure de rentrer.

— Pas déjà ! Il ne fait même pas noir...

— Je ne veux pas que tu retournes à la nuit.

— Patrick non plus.

— Evidemment ! disait Kléber, vaguement jaloux.

— Quelle heure est-il ?

— Regarde l'horloge !

— Non, je ne crois qu'à ta montre. »

On ouvrait la boîte ronde où dormait l'infatigable grignoteuse. « Eh oui ! l'heure de rentrer... Alors, à dimanche ? »

« Je ne te raccompagne pas, *bonhomme* : je traîne un peu la patte. » (A tout autre il eût ajouté : « C'est la vieillerie... »)

Mais Quatre de trèfles attendait l'enfant à la grille — ou plutôt un peu au-delà, car il avait compris le pacte ! — et l'escortait jusqu'à l'autobus qu'il attendait à ses pieds.

Trois jours plus tard, à ce grand-père qui « traînait la patte », Daniel apporta en *surprise* une canne presque aussi haute que lui : une canne à pommeau de cuir.

C'est ainsi que Kléber ressuscita d'entre les vieux. La grâce de Daniel le sauva de l'agonie sordide qui tenait lieu à ses compagnons — qui tient lieu

à tous les vieillards pauvres et seuls — de fin de
vie. Kléber avait repris pied sur la rive du Temps.
Chaque jour de la semaine retrouvait un visage
et méritait son nom : c'étaient Daniel-demain, Daniel-
hier... Les saisons elles-mêmes reprirent figure ; et
l'hiver redevint un passage de marbre, le printemps
une louange, l'automne une méditation. Mais l'été,
quand Daniel partit en colonie de vacances, ce
fut l'enfer.

« L'enfer, c'est d'être seul, dit-il à Théophane.

— Exactement, Kléber : seul *définitivement*. »

Dieu merci, octobre aux marrons d'Inde, au vent
de pluie, aux trottoirs luisants, octobre ramena
Daniel chaque jeudi, chaque dimanche.

Il montrait à Kléber son carnet de notes que
signait quelquefois sa mère, plus souvent Théophane,
et même Patrick.

« Et cette croix, là, à la place de la signature ?

— C'est M. Roger. »

L'enfant de tout le monde (mais son seul petit-
fils) lui apportait aussi des devoirs tout égratignés
d'encre rouge. « Votre écriture est devenue illi-
sible !! Que se passe-t-il donc ? ? ? » s'inquiétait
Hérisson avec une ponctuation excessive. Pardi,
Daniel avait remarqué que son grand-père était gaucher et s'exerçait à l'imiter, même en recopiant
ses devoirs.

Patrick aussi s'en aperçut et jeta sur *son* enfant un
regard singulier : il devenait jaloux à son tour.

« Grand-père ne te parle jamais de moi ?

— Une fois, il m'a dit... (Le visage se fronça tout

entier à la recherche des paroles exactes.) Il m'a
dit : « ... Le Temps nous sépara. »

— Qu'est-ce que cela voulait dire ? demanda
l'autre, la bouche sèche.

— Je ne sais pas. »

« Oh ! Je retournerai le voir et alors je le ramè-
nerai, décida Patrick. Je le jure à la mort ! Je le jure
sur Philippi... » Et il prononça tout haut comme
pour s'éprouver :

« Mon papa...

— Tu es trop grand pour avoir un papa, fit
Daniel inquiet, tu n'en as plus besoin... — Pourquoi
me regardes-tu comme ça ?

Que Daniel maintînt le contact, soit ! Mais Patrick
demeurait profondément assuré que le vrai dialogue se poursuivait entre le vieil homme et lui-
même et que le petit n'était qu'un comparse tardif.
S'il avait su qu'aux yeux de Kléber Daniel l'oblitérait, saison après saison, la blessure de l'enfant
perdu se fût rouverte pour la troisième fois. En
vérité, Kléber reportait, un à un, sur Daniel les
souvenirs du règne de Patrick.

« Il n'empêche, lui disait-il par exemple, que le
jour où je t'ai expliqué le fonctionnement de
l'écluse... » Ou encore : « Et Douglas Fairbanks !
Tu te rappelles Douglas Fairbanks ?

— Moi ? » s'étonnait Daniel à mi-voix.

Mais il n'insistait pas, heureux de voir se planter d'arbres inconnus le désert de son enfance.

D'instinct, il parlait très peu de Patrick : car,
chaque fois, les sourcils noirs se fronçaient, les

yeux bleus devenaient plus pâles et leur regard
semblait se perdre. Voyant son grand-père lui échapper, Daniel tournait court. Pourtant, il ne put se
retenir d'annoncer, un jeudi, que Patrick savait
enfin siffler. Il en parlait avec la condescendance
d'un gaillard qui, lui, s'en était montré capable
dès que ses dents avaient poussé : leur écartement
suffisait à l'ouvrage.

« Siffler, siffler... Sais-tu seulement chanter ?
demanda Kléber.

— Oui, mais je ne connais pas de chanson.

— Et ta gamme ?

— Qu'est-ce que c'est ? »

Kléber la lui apprit : « No-Ma-gen-ta-*sol*-fé-ri-
no... » puis entama son répertoire :

Est-c' vous la petit' dame qu'était l'autre tantôt
près d'moi dans l'métro...

Et, bien sûr :

Vous avez, ma gentille,
pris l'talon d'vot' soulier...

Daniel répétait chacune des paroles futiles avec
la même gravité que le fameux Ordre du Jour du
général Pétain ; et il repassait sa leçon dans l'autobus, comme il y nettoyait hâtivement ses ongles
avec les tickets pliés : car, dès l'arrivée, Kléber, le
sourcil haut, passerait l'inspection de ses oreilles,
ourlet par ourlet, de ses ongles et de ses dents.

« Ne salive pas tant, bonhomme : tu fais des
bulles... Ne parle donc pas si vite ! »

Tant de choses à dire, pourtant ! Afin de n'en
oublier aucune, Daniel notait tout sur un carnet
bien crasseux en forme de fesse, car il le portait
dans la poche arrière d'une culotte toujours trop
petite. D'une autre poche, il sortait un stylo à
bille mordillé en tous sens et il rayait ses confidences
à mesure.

« C'est Patrick qui m'a donné ce *zapointe* comme
tous les autres. L'année dernière (il voulait dire :
il y a quatre ans), il m'en a donné six, et vingt
sucettes, et huit savons, et douze bouchées de chocolat, Patrick ! Et puis aussi... »

Dieu merci, il parlait alors sans regarder Kléber
et ne le vit point pâlir. Il poursuivit la litanie
des générosités de Patrick le Voleur, mais le vieil
homme n'écoutait plus. De toutes ses forces il
repoussait la pensée que, si Daniel lui était reconnaissant de ses larcins, si l'instituteur absolvait ses
faux en écritures et si Théophane prenait de l'estime
pour cette Dany, que restait-il pour justifier un
malentendu qui les avait blessés à mort l'un et
l'autre ?

« Tu fais des bulles, gronda-t-il sans conviction.
Et puis cesse de « pédaler » !

Daniel, pour un instant, cessa d'agiter convul-
sivement sa jambe.

« Oh ! grand-père, avant-hier j'ai fait du vélo à
zéro main...

— Et sur quelle bicyclette, s'il te plaît ? »

Le petit expliqua sans embarras qu'il empruntait, à son insu, celle d'un ouvrier du chantier pendant les heures de travail. « Puisqu'il ne s'en sert pas, grand-père, qu'est-ce que ça peut faire ?

— Ça peut faire que... »

Fallait-il, de nouveau, expliquer que l'*honneur...?* Et risquer de perdre Daniel comme il avait perdu Patrick ? — Il capitula lâchement.

« Tu as raison : cela ne fait rien. Enfin, je veux dire... — Ah ! ne pédale pas ! »

Et lui-même se mit à remuer nerveusement la jambe.

Suivis de Quatre de trèfles, ils partaient en promenade ; la petite main se trouvait encore juste à la bonne hauteur et juste assez menue pour tenir dans la vieille. A défaut d'écluse et de gare de triage, Kléber commentait avec bonheur un pont suspendu, une sorte de tramway local à voie unique, ou le tout-à-l'égout. Daniel s'émerveillait ; et pour ne pas, cette fois, se laisser dépasser, le vieil homme se renseignait déjà, la mort dans l'âme, sur les avions à réaction et la désagrégation de l'atome.

Il s'aperçut avec stupeur qu'il s'attachait à cette hideuse banlieue. Il suffisait qu'ils y eussent ensemble porté leurs pas pour qu'un endroit lui devînt familier : il suffisait du regard de Daniel sur toute chose.

« Même l'immeuble panoramique, tu aurais fini par l'aimer, lui dit un jour Théophane, *mais à la condition de nous préférer.*

— Qui ça, « nous » ?

— Patrick, Mme Irma, moi-même. Mais tu as
préféré le paysage aux habitants, les choses aux
êtres.

— Comprends pas.

— Même la création, il ne faut pas la préférer
aux créatures », ajouta Théophane pour lui
seul.

Kléber, irrité, n'en retenait pas moins les dires
de Théophane ; il savait désormais qu'il finissait
toujours par les comprendre, un peu trop tard. Il
conçut à temps, cette fois, que son bonheur reposait
tout entier sur ce petit garçon et dépendait de la
transparence d'un regard qu'il scrutait avec inquiétude à chacune de leurs rencontres. Il demeurait
donc sur le qui-vive, comme tous ceux qui ont une
fois cerné puis laissé échapper le bonheur.

*

Un jour que, le doigt sur de vieilles cartes, il
racontait à Daniel comment, le 8 juin 1916, les
défenseurs du fort de Vaux... — il vit le petit
bâiller.

Kléber l'observa mieux et crut distinguer l'ombre
d'un duvet au-dessus des dents du bonheur...
« Déjà ! pensa-t-il le cœur serré. Non, non, c'est
impossible... »

L'autre jeudi, l'enfant ne vint point, mais Kléber
reçut un mot écrit à la hâte (et de la main droite)

sur une demi-page arrachée d'un cahier. L'excuse
alléguée constituait un mensonge si laborieux qu'il
eût dû attendrir Kléber ; mais il déchira le mot sans
le relire. L'ennemi approchait vite...

Le jeudi suivant, le vieil homme attendit Daniel
à la grille même.

« Bonjour, grand-père ! Quatre de trèfles, laisse-
moi tranquille... »

Sa voix muait un peu. Kléber prit le visage dans
ses doigts d'ivoire sans plus de tendresse qu'un
médecin. Ce duvet, ces boutons, ce regard qui fuyait
un peu... Plus de doute ! on était au seuil de l'âge
ingrat.

Il le laissa parler, filtrant douloureusement chacun de ses propos. L'enfant bavardait toujours
autant, mais...

« Tiens ! tu ne fais plus de bulles.

— Je m'observe, grand-père : je ne tiens pas à
avoir l'air d'un gosse ! »

Il poursuivit ses récits ; Kléber sursautait, par
instants ; à la fin, il ne put se contenir :

« Mais, Daniel, tu mens ! »

Le garçon fronça le sourcil, réfléchit :

« Pas tout le temps » répondit-il.

« Je ne suis pas de taille, pensa le vieil homme.
Cette fois, j'en crèverais. Il faut choisir... »

Il prit les deux mains de Daniel dans les siennes.
« Si c'est pour les ongles, se dit le gamin, il va
être bien feinté : je les ai coupés ce matin ! » Ce
n'était pas pour inspecter ses ongles, mais pour
retenir tout entier ce petit étranger tandis qu'il

lui parlerait, les yeux dans les yeux, tandis qu'il
lui demanderait...

Il n'eut pas à poser de question, car ses doigts
venaient de percevoir la réponse : cette bague détes-
table qu'il reconnaissait sans même la voir.

« Qui t'a donné cette bague ? demanda-t-il d'une
voix sourde.

— Patrick. Dany la voulait aussi, ajouta fièrement
Daniel, mais c'est à moi qu'il vient de la donner ! »

C'était donc le signe... Kléber recula d'un pas.

Daniel, tu vas retourner là-bas.

— Pas maintenant !

— Maintenant.

— Tu es donc fatigué, grand-père ? »

Cette voix si tendre, ce regard... Alons, il y avait
des mois de bonheur devant eux : Daniel n'était
pas encore entré dans les temps de la disgrâce.
Kléber se sentit faiblir. Fut-ce l'orgueil, ou seulement un instinct de conservation plus impérieux
que le goût du bonheur, qui lui commanda de se
redresser et de poursuivre.

« Oui, mon petit, très fatigué.

— Alors, je reviendrai dimanche. »

C'était la phrase même qui, deux ans plus tôt,
lors de la première visite, avait enchanté le vieil
homme ; il dut briser ce dernier lien.

« Ni dimanche ni l'autre jeudi.

— Mais...

Plus tard, Daniel, plus tard... Mais pas avant que
je te le dise.

— Pourquoi, grand-père ? »

Il vit des larmes au coin de ces yeux qui le
regardaient fixement ; les grosses lèvres se mirent
à trembler.

« Je n'ai pas le droit, pensa Kléber. C'est trop
bête à la fin ! S'il ne vient plus, *j'en crèverai aussi*.
Et lui-même aura mal... Non, je n'ai pas le droit ! »
Mais son démon veillait, qu'il appelait l'Honneur
et n'était que l'Orgueil.

« Pas avant que je te le dise, répéta-t-il durement.

— Alors, faites-le vite », implora Daniel, vou-
voyant pour la première fois ce vieillard inconnu.

Qu'il était sans orgueil ! Peut-être cette blessure
lui en donnerait-elle ; peut-être allait-elle, par la
faute même de Kléber, hâter cette transformation
qu'il redoutait. Sans orgueil, sans défense : un
enfant, malgré les mensonges et la voix qui mue...

« Vous m'embrassez tout de même, grand-père ?

— Bien sûr » fit le vieil homme, mais il n'y avait
pas pensé.

Il perçut bien la fermeté des joues, la douceur
enfantine de la peau et ces larmes brûlantes ; il
résista.

« Oh ! grand-père, pourquoi ? » murmurèrent
encore les tendres lèvres au bord de l'oreille froide.

Mais, sans répondre, Kléber se força à pousser le
petit vers la rue. Il se détestait. Daniel se retourna
encore ; ses yeux brillaient ; sa main esquissa l'au-
revoir des tout petits enfants — mais l'autre n'y
vit que la bague et répondit par un salut de grande
personne.

Quand l'enfant eut disparu, le vieil homme remonta dans sa chambre à pas lourds. Il s'efforçait de penser au menu du soir, aux douches du lendemain, à la... — Et soudain il poussa un grand cri. Des vieux passèrent une tête curieuse par les portes vitrées et virent Demartin, de la chambre 28, tomber assis sur le banc du couloir et cacher son visage dans ses mains. Seul, M. Dernat s'approcha, étendit le bras ; mais lorsqu'il s'aperçut que Kléber pleurait comme un enfant, comme lui-même, il s'éloigna sur la pointe des pieds et persuada les autres de rentrer dans leurs chambres. Aristide survint, éclata de rire et dit très fort :

« Tu chiales, Demartin ! T'as des chagrins d'amour ?

— Fous-moi la paix ! »

Lorsque la citerne fut vide, Kléber se dirigea vers la chambre 28, ouvrit le tiroir de sa table de chevet, y chercha d'une main fébrile le seul remède qui lui restât contre la mort , cette rédaction constellée de ses larmes : « Décrivez la personne que vous aimez le plus au monde. » Mais ce Kléber en question, ce Kléber tant aimé, il venait de le tuer pour la seconde fois.

La cloche nue sonna, et les vieux gamins se bousculèrent dans les couloirs et les escaliers sonores afin d'arriver plus vite au réfectoire : « Encore un que la Mort n'aura pas ! »

Kléber ouvrit grand la fenêtre. Un air ourlé de

froid l'investit aussitôt : la saison ennemie poussait déjà ses patrouilles dans le crépuscule. De nouveau, ses yeux s'embuèrent.

« Bah ! pensa-t-il, de vieux yeux larmoient
toujours : d'usure, de froid, de regret
qu'importe ! »

Face à l'hiver tout proche, il se tenait aussi droit
que le sergent-chef sur la photographie.

« J'ai bien fait », affirma-t-il tout haut, et il
répéta, car il avait besoin de s'en convaincre :
« J'ai bien fait. »

Il venait, en effet, de livrer son dernier combat
contre le Temps, son ennemi — notre ennemi —
et il se retrouvait vainqueur. Vainqueur mais seul :
prêt pour la mort.

Non, pas seul : lorsque tournant le dos au réfectoire, il traversa la cour et franchit la grille, Quatre
de trèfles l'accueillit joyeusement. Cette journée
sans promenade, Daniel reparti aussitôt en pleu-
rant — la bête n'y comprenait rien. « Tu vas tout
m'expliquer, toi que j'aime ! Toi qui sais tout, qui
peux tout, qui as toujours raison ! »

Kléber se baissa pour le caresser, et cette explication satisfit l'autre entièrement. Ils partirent
côte à côte ; la rue était déserte à cette heure, et
les pas de Kléber y résonnaient déjà comme en
novembre. Derrière toutes ces fenêtres allumées,
les vivants lui tournaient le dos. Il lui semblait pénétrer en territoire étranger, s'enfoncer sans espoir
de retour vers...

Un train cria très loin, plusieurs fois, et Kléber tressaillit comme un homme qu'on appelle. Demartin ?... Présent !

Il s'arrêta ; son chien aussi. Alors, baissant les yeux vers lui, très tendrement, très lâchement, il murmura :

« Pourvu que je meure avant toi ! »

ADIEU DONC
ENFANTS DE MON COEUR
Décembre 1959

TABLE

IMPRIMÉ EN FRANCE PAR BRODARD ET TAUPIN
6, place d'Alleray - Paris.
Usine de La Flèche, le 10-10-1970.
1882-5 - Dépôt légal n° 9582, 4ᵉ trimestre 1970.
1ᵉʳ Dépôt : 2ᵉ trimestre 1963.
LE LIVRE DE POCHE - 6, avenue Pierre 1ᵉʳ de Serbie - Paris.
30 - 21 - 1011 - 09

Le Livre de Poche
exploration

Blond (Georges).
La Grande Aventure des Baleines, 545**.

Bombard (Alain).
Naufragé volontaire, 368*.

Carson (Rachel).
Le Printemps silencieux, 2378**.

Cousteau (J.-Y.) et Dumas (F.).
Le Monde du Silence, 404**.

Franco (Jean).
Makalu, 2020*.

Gheerbrant (Alain).
L'Expédition Orénoque-Amazone, 339**.

Herzog (Maurice).
Annapurna premier 8000, 1550**.

Heyerdahl (Thor).
L'Expédition du Kon-Tiki, 319**.

Hunt (John).
Victoire sur l'Everest, 447**.

Mazière (Francis).
Fantastique île de Pâques, 2479*.

Merrien (Jean).
Les Navigateurs solitaires, 2438**.

Monfreid (Henry de).
Les Secrets de la mer Rouge, 474**.
La Croisière du Hachich, 834**.

t'Serstevens.
Le Livre de Marco Polo, 642**.

Tazieff (Haroun).
Histoires de Volcans, 1187*.
Quand la terre tremble, 2177**.

Victor (Paul-Emile).
Boréal, 659**.

Le Livre de Poche
encyclopédique

Boucé (E.).
Dictionnaire Anglais-Français - Français-Anglais, 376**.

Bardèche (M.) et Brasillach (R.).
Histoire du Cinéma (t. 1), 1204**.
Histoire du Cinéma (t. 2), 1221**.

Vuillermoz (Emile).
Histoire de la Musique, 393**.

Carrel (Alexis).
L'Homme, cet Inconnu, 445**.

Ranald (Professeur Josef).
Les Mains parlent, 1802*.

Pomerand (Gabriel).
Le petit philosophe de poche, 751**.

Kinney (J.R.) et Honeycutt A.
Votre Chien, 348*.

Muller (J.E.).
L'Art moderne, 1053*.

Rousseau (Pierre).
L'Astronomie, 644**.

Lyon (Josette).
Beauté-Service, 1803**.

Carnegie (Dale).
Comment se faire des Amis, 508*.

Vincent (R.) et Mucchielli (R.).
Comment connaître votre Enfant, 552*.

MOTS CROISÉS

(Max) Favalelli.
Mots Croisés (1er recueil), 1054*.
Mots Croisés (2e recueil), 1223*.
Mots Croisés (3e recueil), 1463*.
Mots Croisés (4e recueil), 1622*.

Tristan Bernard.
Mots croisés, 1522*.

Roger La Ferté.
Mots croisés, 2465*.

Les mots croisés du « Canard Enchaîné », 1972*.

Les mots croisés du « Monde », 2135*.

Les mots croisés du «Figaro», 2216*.

Les Mots croisés de « France-Soir », 2439*.

Encyclopédie Larousse
de poche

C'est la présentation des grands sujets dont le XXe siècle a profondément modifié la connaissance ou l'évolution et sur lesquels l'actualité scientifique ou culturelle retient l'attention et la curiosité du public.
Cette nouvelle série fait la somme des dernières connaissances acquises, dans une présentation accessible à tous. Les meilleurs spécialistes s'emploient à faire découvrir les grandes réalités scientifiques et humaines.

Galiana (Thomas de).
**A la Conquête
de l'espace,** 2139.

Cazeneuve (Jean).
L'Ethnologie, 2141.

Friedel (Henri).
Les Conquêtes de la vie, 2285.

Muller (J.-E.).
L'Art au XXe siècle, 2286.

Perrin (Michel).
Histoire du Jazz, 2140.

Docteur Bouissou (R.).
Histoire de la Médecine, 2294.

Tocquet (Robert).
L'Aventure de la Vie, 2295.

Histoire universelle Larousse
de poche

De la haute Antiquité à l'époque contemporaine, à travers les cinq continents, l'Histoire universelle Larousse de poche fait revivre, en douze volumes, toute l'aventure humaine. Cependant chaque volume forme un tout complet et permet une vision globale d'une période déterminée.
L'illustration, très abondante, vient à l'appui du texte.

DEJA PARUS :

Lafforgue (Gilbert).
**La Haute Antiquité (des origines à
550 av. J.-C.),** 2501.
van Effenterre (Henri).
L'Age grec (550-270 av. J.-C.),
2314.
Levêque (Pierre).
**Empires et Barbaries
(IIIe s. av. J.-C. - 1er s. ap.),** 2317.
Rouche (Michel).
**Les Empires universels
(IIe s.-IVe s.),** 2312.
Riché (Pierre).
**Grandes Invasions et Empires
(Ve s.-Xe s.),** 2313.
Guillemain (Bernard).
**L'Eveil de l'Europe (An mille à
1250),** 2550.

Favier (Jean).
**De Marco Polo à Christophe
Colomb (1250-1492),** 2310.

Morineau (Michel).
Le XVIe siècle (1492-1610),
2311.

Pillorget (Suzanne).
**Apogée et Déclin des Sociétés
d'ordres (1610-1787),** 2529.

Dreyfus (François).
**Le Temps des Révolutions,
(1787-1870),** 2315.

Jourcin (Albert).
**Prologue à notre siècle (1871-
1918),** 2316.

Le Livre de Poche historique
(Histoire, biographies)

Aron (Robert).
Histoire de Vichy (t. 1), 1633**.
Histoire de Vichy (t. 2), 1635**.
Hist. de la Libération (t. 1), 2112**.
Hist. de la Libération (t. 2), 2113**.

Azeau (Henri).
Le Piège de Suez, 2245***.

Bainville (Jacques).
Napoléon, 427**.
Histoire de France, 513**.

Bellonci (Maria).
Lucrèce Borgia, 679**.

Benoist-Méchin.
Ibn-Séoud, 890**.
Mustapha Kémal, 1136**.

Bertrand (Louis).
Louis XIV, 728**.

Blond (Georges).
Le Survivant du Pacifique, 799**.
Le Débarquement, 1246**.
L'Agonie de l'Allemagne, 1482**.
Convois vers l'U.R.S.S., 1669*.

Chaplin (Charles).
Histoire de ma vie, 2000***.

Chastenet (Jacques).
Winston Churchill, 2176***.

Daniel-Rops.
Histoire sainte, 624**.
Jésus en son Temps, 626**.
L'Église des Apôtres et des Martyrs, 606***.

Dayan (Moshé).
Journal de la campagne du Sinaï - 1956, 2320**.

Delarue (Jacques).
Histoire de la Gestapo, 2392***.

Deutscher (Isaac).
Staline, 1284***.

Erlanger (Philippe).
Diane de Poitiers, 342**.
Le Régent, 1985**.

Gaulle (Général de).
Mémoires de Guerre : L'Appel (1940-1942), (t. 1), 389**.
Mémoires de Guerre : L'Unité (1942-1944), (t. 2), 391**.
Mémoires de Guerre : Le Salut (1944-1946), (t. 3), 612**.

Gaxotte (Pierre).
La Révolution française, 461**.
Le Siècle de Louis XV, 702**.

Gimpel (Erich).
Ma Vie d'espion, 2236**.

Grousset (René).
L'Épopée des Croisades, 883**.

Hough (Richard).
La Mutinerie du Cuirassé Potemkine, 2204*.

Kessel (Joseph).
Mermoz, 1001**.

Lapierre (D.) et Collins (L.).
Paris brûle-t-il ? 2358***.

Lenotre (G.). *Napoléon :*
Croquis de l'Epopée, 1307*.

Madariaga (Salvador de).
Hernan Cortès, 1184***.
Christophe Colomb, 2451***.

Maurois (André).
Histoire d'Angleterre, 455**.
Les Trois Dumas, 628**.
La Vie de Disraeli, 2165**.

Montanelli (Indro).
Histoire de Rome, 1161**.

Ollivier (Albert).
Saint-Just, 2021***.

Pernoud (Régine).
Vie et Mort de Jeanne d'Arc, 1801**

Perruchot (Henri).
La Vie de Cézanne, 487**.
La Vie de Gauguin, 1072**.
La Vie de Van Gogh, 457**.
La Vie de Toulouse-Lautrec, 565**.

Pourtalès (Guy de).
Chopin ou le Poète, 979*.

Rémy.
Réseaux d'ombres, 2597**.

Renan (Ernest).
Vie de Jésus, 1548**.

Ryan (Cornelius).
Le Jour le plus long, 1074**.

Shirer (William L.).
Le Troisième Reich (t. 1), 1592***.
Le Troisième Reich (t. 2), 1608***.

Thomas (Hugues).
Histoire de la guerre d'Espagne (t. 1), 2191**, (t. 2), 2192**.

Toland (John).
Bastogne, 1450**.

Trotsky.
Ma Vie, 1726***.

Wertheimer (Oscar de).
Cléopâtre, 1159**.

Zweig (Stefan).
Marie Stuart, 337**.
Marie-Antoinette, 386**.
Fouché, 525**.

Le Livre de Poche pratique

Voici, sous une présentation claire et aérée, une série nouvelle de "guides de poche", d'un genre très nouveau.
Chaque volume est une véritable encyclopédie, à la fois complète et d'accès pratique.
Ces ouvrages sont imprimés sur beau papier, parfois illustrés, parfois même en couleurs, si la clarté du texte le demande.

Le Livre de Poche policier

Le Livre de Poche illustré

Série Art *dirigée par André Fermigier*

Série Histoire *dirigée par Gilbert Guilleminault*
Le roman vrai de la IIIe République

Série Planète